続 水滴は岩をも穿つ

川嶌眞人

梓書院

日本国天皇は川嶌真人に
旭日雙光章を授与する
皇居において璽をおさせる

平成三十年十一月三日
内閣総理大臣 安倍晋三
内閣府賞勲局長 大塚幸寛
第一三〇一二七九七号

平成 30 年 11 月 3 日、旭日雙光章受賞

発刊に寄せて

大分大学名誉教授
大分医学技術専門学校校長
島田　達生

誠意通天

２００６年（平成18）５月に、川嶌眞人著『水滴は岩をも穿つ』が梓書院から発刊された。偉大な中津の先哲者を紹介している。題名は高野長英の名言「水滴は石を穿つ」をヒントにしたという。

１９８１年（昭和56）、小さな玄真堂川嶌丸（船長 川嶌眞人）は、機関長 廣池齋智子、航海士 川嶌照代ら15名の乗組員とともに船出した。中津近海は波が穏やかで、順調な門出であった。「水滴は岩をも穿つ」を理念に船を大きくし、副船長 田村裕昭が加わり、さらに船員を増やし太平洋や東シナ海の荒波にも向かっていった。やがて、川嶌丸は副船長 川嶌眞之も加わり、皆が一丸となって地道な努力を継続し、40年間が経過した。今や川嶌丸は乗組員４００

名を超える大型船。高気圧酸素治療や川嶌式持続洗浄療法は地域医療に大きく貢献しているばかりでなく、広く中国やアメリカでも活用されている。先生の信念は医療面ばかりでなく、医学史研究や笛にも通じている。

私、島田が久留米大学解剖学講座助手の時、1973年（昭和48）に買った高価な復刻版『解体新書』を今も解剖学講義の序論に使っている。1771年（明和8）に前野良沢が江戸築地の中津藩中屋敷で、杉田玄白らと『ターヘル・アナトミア』の翻訳を開始した。約3年5カ月を経て1774年（安永3）に初版が発行されている。オランダ語で書かれたターヘル・アナトミアを医学辞書のない時代に一語一語を丁寧に和訳した。苦難の連続だったと玄白の『蘭東事始』に書かれている。

大分県先哲者の一人であり、中津の田原春塘の養子になった田原淳（すなお）は、1914年（大正3）に第4回帝国学士院恩賜賞を受賞している。ちなみにスペロヘータの発見により受賞した野口英世は第5回。田原は1903年（明治36）、ドイツのマールブルク大学に留学し、アショフ教授から「感染症と心臓肥大・心臓死との関連」のテーマを貫い、1年間連日連夜、切片、染色、顕微鏡観察、スケッチを繰り返し、両者の関連がないことを教授に伝えた。その後、田原は独自の発想で新しいテーマ、心房と心室を連結する筋束の発見に没頭し、1906年（明治39）、単行本『哺乳動物の心臓刺激伝導系』をフィッシャー社から発刊した。原著のアショフの序言に、田原博士の研究は多数のヒトおよび動物の心臓を用いて長い時間を要し、かつ多大な労力をもって行われた系統的な研究の成果である、と述べている。1924年（大正13）にノーベル生理学・医学賞を受賞したアイントーフェンは、受賞講演で田原の刺激伝導系の発見が心電図の解読に繋がったと述べている。更に、刺激伝導系の発見はペースメーカーの開発を生んだ。
「至誠通神」、これこそ田原がその研究生活を通して至った境地である。大学退職記念に造られた胸像(九州大学病理学教室所蔵)の裏面に、田原淳筆の「誠意通天」の文字が刻まれている。誠意通天は真心と誠の心をもって努力・行動すれば、いつかは天に通じ、認められるという意味です。本書の題名である「水滴は岩をも穿つ」は、わずかな水の滴(しずく)も、絶えず落ちていれば岩に穴をあける。努力を続ければ、困難なことでも成し遂げられるという例えは、田原の「誠意通天」とある意味で通じるところがある。玄真堂理事長 川嶌眞人先生は、先哲者の高野長英、前野良沢、田原淳の精神・行動を受け継いだ人徳者であると思うのは私だけであろうか！

2020年(令和2)11月

■目次■

Ⅲ 備忘録

Ⅳ 翻訳

Ⅴ 追悼

カバー裏絵・本文扉絵／川嶌 照代

Ⅰ 講演録

──「三毛の文化」収載

モスクの前で

1　中津蘭学事始
―リーフデ号から前野良沢―

はじめに

私たちが住んでいる中津は、1600年(慶長5)の黒田転封から1871年（明治4）の廃藩置県までは、北部九州を代表する政治・経済・文化の中心地の一つでした。

中津藩では1718年（享保3）から1862年(文久2)までの164年間の中津惣町の『町会所記録（町人の暮らしの記録）が、『惣町大帳』として残されています。これは当時を知る大変に貴重な史料です。このなかに天文学の記録とともに種痘の記録もあります。1849年（嘉永2)、種痘の病菌を長崎にもらいにいき自分たちの子弟を使った実験に成功し、藩に種痘請願書を出し、藩は翌1850年（嘉永3）に種痘を行なう旨の御触れを出したことが記録されています。本日は、時間の都合などから種痘の話はしませんが、このことは中津藩と蘭学の深い関わりが読み取れます。

幕府の鎖国政策ともあいまって、江戸中期以降は長崎の出島でオランダとの貿易が我が国唯一の貿易窓口となりました。これは単なる交易の場のみならず西洋の学術の研究、導入の窓口でもありました。

この時、中津藩では蘭学に人一倍理解の深い優れた奥平三代藩主・奥平昌鹿公と前野良沢をはじめとする研究者により、日本医学史上最大の出来事とも言うべき『解体新書』のもととなるターヘル・アナトミアの翻訳の中心的役割を果たしました。これは中津の医学史のはじまりとも言えます。一方、奥平五代藩主・奥平昌高公はシーボルトとの交流を深め『中津バスタード辞書』を出版するなど蘭学の普及に貢献し中津藩が九州で最初の解剖、中津種痘そして日本の外科、整形外科のパイオニアの輩出へと繋がっていきました。中津藩の医学の飛躍のみならず、我が国唯一の貿易窓口となり交易はもとより西洋の文明の窓口となったオランダですが、今から410年前、臼杵市の黒島に漂着したオランダ船〝リーフデ号〟がその出発点でした。

一 オランダという国

西ヨーロッパの立憲王国で北海に面し低地で面積は4万平方㎞(四国位)、人口は凡そ1、500万人で新教徒が主体の国ですが、国の正式呼称は〝ネーデルランド〟と言います。

もともとスペインの植民地でしたが、スペイン王(兼ねてポルトガル王)フェリーペ二世の新教弾圧に反抗し、1579年、ネーデルランド北部七州でユトレヒト同盟を結成し、1581年、独立宣言し〝ネーデルランド連邦共和国〟がオランダの建国となりました。

この国民は、独立心が強く教育・学問に非常に熱心で、建国のエピソードとして、オランダに〝ライデン大学〟という最も歴史の古い、国を代表する大学(日本でいえば東京大学に相当するが、歴史ははるかに古い)がありますが、この大学を創設(1575)するための闘いがスペインからの独立宣言であったと言われています。

このライデン大学は、大学と街並を区別する塀もなく中世そのままの街並が、ごく自然に残されています。一方で、高気圧医学などの分野などでは世界最先端を走っているヨーロッパ屈指の名門校ですがグロティウスなど著名な学者も多く輩出しました。アジア研究でもトップクラスで知られ、蘭学を語る上でも避けて通れない大学です。

〔参考〕グロティウス:オランダの世界的な法学者で、自然法の父・国際法の祖と呼ばれる(1583~1645)

しかし、スペインは当時〝無敵艦隊〟と言われる世界最強の海軍を持ち、世界の制海権を握っていましたのでオランダがスペインの同意なく独立するということは、リスボンへの入港を禁止されるなど身動きができない状況となっていました（当時のスペイン王フェリペ二世はポルトガル王を兼ねていました）。

ところが、１５８８年、スペインがイギリスに向け派遣した、１３０隻からなる〝無敵艦隊〟が、英仏海峡でイギリス艦隊の機動作戦と暴風のため壊滅的打撃を受け、スペインの絶対的制海権は失墜しました。これにより、オランダは事実上独立したと言われています。

スペインはこの敗戦によりかなり力を落としたものの、未だ相当な力を維持し、その上イギリスが力をつけたことによりオランダがヨーロッパの主要な港で自由に交易ができるようになったわけではなく、スペインやポルトガル・イギリスなどの圧力・妨害は依然厳しく、東洋との貿易の道は絶たれ、活路は自ら船団を組んで東洋を目指す以外になくなっていました。

二　オランダ商船団の遠征（東洋遠征）

㈠　オランダ商船団の遠征の背景

海洋国オランダはこれまではスペインの植民地という立場からスペイン王の支配地であるリスボンなどの港で東洋との交易の仲介を許されていましたが、スペインからの独立を宣言（１５８１）したことによりリスボンなどの入港を禁止され、更にイギリス海軍の制海権の台頭などによりヨーロッパでの東洋貿易は実質閉ざされてしまいました。海洋国にとっては死活問題で、自ら船団を組んで東洋貿易に活路を開くしか道はありませんでした。加えてオランダ人は新教徒が主で、ヨーロッパのなかでも、とりわけ独立心が強く、勤勉で開拓者精神・研究心も旺盛と言われています。

㈡　オランダ商船団の編成

オランダの事業家たちの出資によって東洋遠征が決まりました。船団は5隻（旗艦ホープ号・ヘローフ号・リーフデ号・トラウ号・ブライデ、ボートスハップ号）で、乗組員はホープ号が130人・リーフデ号が110人、他の船も百人前後で全乗組員は550人ほどの大船団でした。このなかには、後に日蘭の中心的役割を果たすウイリアム・アダムスなど13人の英国人も志願して雇われていました。船団の司令官はヤコブ・マフという大変に人望のある人でした。

当時300t前後の5隻の大船団は壮観で人々の度胆を抜いたことでしょう。商船団ですから商船ということになりますが、大砲や武器弾薬に精鋭部隊を備えた商船団で、ある時は海軍であり、ある時は海賊ともなりうる編成ではなかったかと思います。

㈢　東洋への航路の選択

最初から東洋遠征の目的地が日本だったのかどうか？　東インドの香料諸島の香料も魅力的でした。更に商船団のオーナーたちは南米大陸のスペインの居留地にある財宝を略奪するよう促したという話もありますが、どちらにしても当時はスエズ運河もパナマ運河もなく東洋を目指すには、アフリカ最南端の喜望峰を回り東に東洋を目指すか、大西洋を西に南米大陸最南端マゼラン海峡を回り更に太平洋を渡るかのどちらかしかありません。

古くから、世界の海の覇権争いをしてきたスペインとポルトガルに対し、1494年、ローマ法王アレキサンドル六世が布告した「子午線をもってポルトガルは東へ喜望峰を回り、スペインは西へマゼラン海峡を回り東洋で鉢合わせする。」により、当時のオランダは、ポルトガル・スペイン共に敵対関係とはいえポルトガルよりはスペインが少しはましではないかということで、海の最大の難所と言われるマゼラン海峡を回り未知の領域に広がる広大な太平洋を進むコースをあえて選んだと言われていますが、喜望峰から東回りは天候の予測が非常に困難ということや、南米大陸のスペインの財宝の略奪ということも考慮されたのでしょうか？　彼らが遠い東洋の更に外れにあるという伝説の国、日本を目指すのに、マゼラン海峡という難所を回り太平洋の最も遠い誰も経験したことのない未知のコースを選択せざるを得ない厳しい背景があったのでしょう。

㈣　苦難の航海（オランダ出航からリーフデ号の黒島漂着まで）

オランダ商船団がオランダ出港から黒島漂着まで、どのようにして辿り着いたのか検証していきたいと思います。

１５９７年に設立されたオランダのロッテルダム会社は１５９８年6月24日に、ホープ号・リーフデ号（エラスムス号）など5隻からなる〝東インド航路開拓船隊〟を派遣しました。ロッテルダムを出航しイギリス海峡を渡りビースケ湾から北アフリカ沿岸を通過頃、順調な2カ月足らずの航海にも関わらず食料不足となった。このことにより、北アフリカ沿岸から直接大西洋を渡りマゼラン海峡を目指すには無理がありアフリカ西海岸のどこかで、食料や水の補給をしなければならなくなりました。このアフリカ西海岸の制海権はポルトガルであり要所はポルトガルの要塞で固められていました。ゼネガル西岸の〝ベルデ岬諸島〟でポルトガルの要塞を占拠したものの肝心の食料調達は果たせず、逆にポルトガルの敵対意識に火を付ける結果となります。栄養不足と暑さなどで体力の消耗が激しくなるなかで、人望の厚かった船団の司令官が病死します。

ベルデ岬諸島での食料調達に失敗し、やむなく次の調達地を目指し更にアフリカ西海岸を南下し赤道ギニアの〝ロペス岬〟で原住民からの食料調達に期待しますが、ここでも果たせず、栄養不足はいよいよ深刻で脚気や壊血病に苦しむ者が多くなりました。

ロペス岬を諦め、ロペス岬の西方にある〝アンボン島〟を目指しますが、ポルトガルの監視が厳しく夜襲に成功するも、ほんの少々の食料しか調達できませんでした。逆にここの環境は最悪で赤痢により多数の死者を出しました。

　1599年1月、アンボン島での食料調達も体力回復も不十分なままアフリカに別れを告げ大西洋を渡り、南米大陸最南端のマゼラン海峡を目指すこととなりました。途中で僚船へローフ号のマストが折れリーフデ号に曳航されました。食事制限が更に強化され、空腹の余りパンを盗んだ者が絞首刑にされ、ついにはロープに巻いてある子牛のなめし革を齧（かじ）る者が出るほどでした。いよいよ脚気や壊血病に脅えながら猛暑の赤道から南緯50度の〝マゼラン海峡〟に1599年3月末、到達しました。

　最大の難所マゼラン海峡を渡る前に何とか少しでも食料を確保し体力を回復させるとともに船団としての態勢を整えるつもりでしたが、周辺の海岸には乗組員をバラバラに引き裂くほどの野蛮人がうじゃうじゃいて沖で停泊している以外になく、餓死その他で3桁を超える死者が出ました。

　それでも1599年9月初め、厳しい冬も峠を越え、船団5隻は揃ってマゼラン海峡を抜け太平洋に

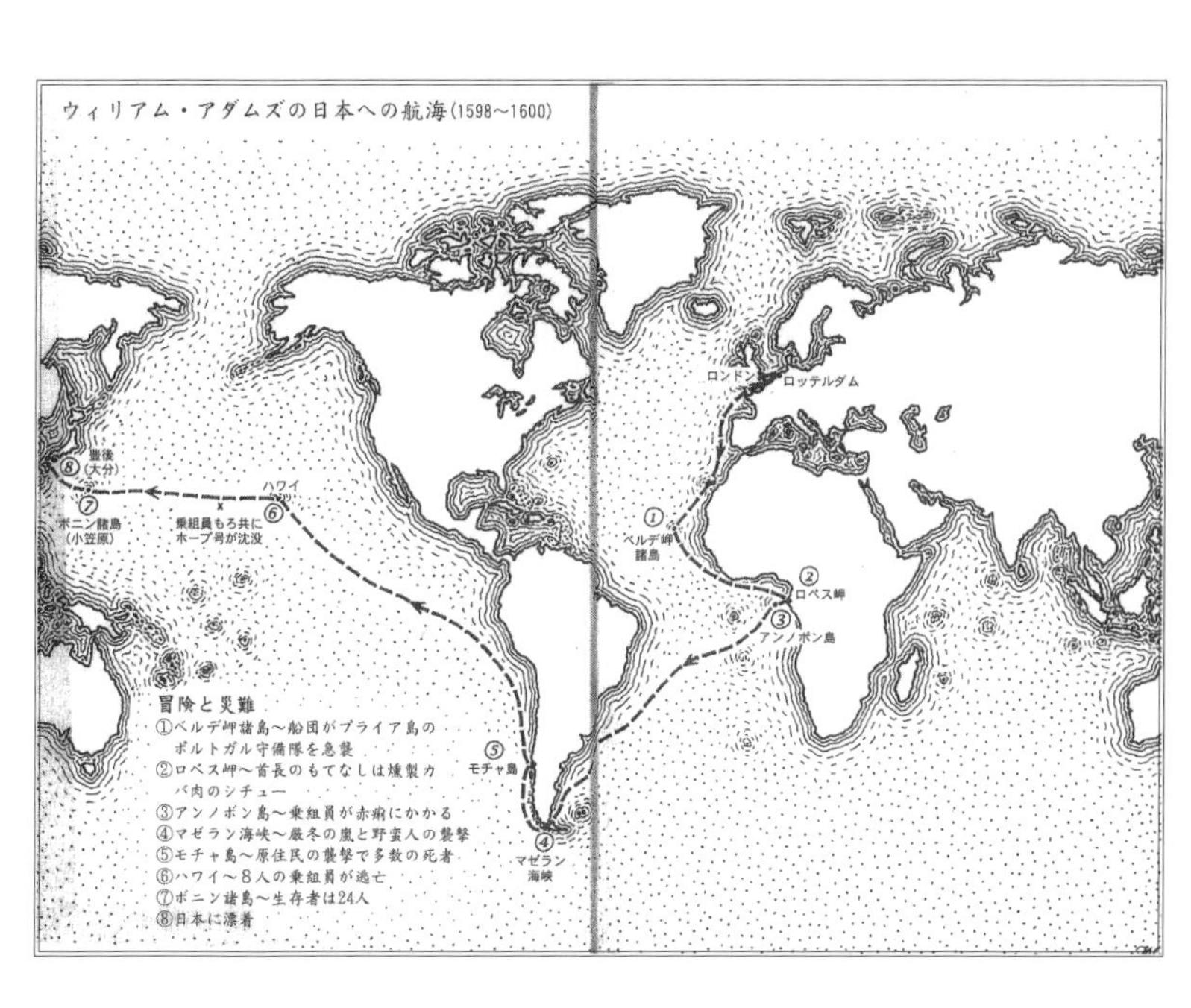

向かいました。6、7日後に激しい嵐に遭遇し、船団は各個前進を余儀なくされ、ペルー海岸で落ち合うことにしましたが、5隻の船団が2度と揃うことはありませんでした。

ブライデ・ボートスハップ号は大破し、スペインに拿捕されました。ヘローフ号は翌年、ロッテルダムに帰港しましたが、109人の乗組員のうち生存者は36人でした。

トラウ号は向きを西にとり東インドを目指し香料諸島に着いた途端、ポルトガルに拿捕されました。乗組員は86人から24人になっていました。この24人は処刑か投獄され、投獄の6人が脱獄しオランダの家族のもとに帰り着いたと言われています。

残るリーフデ号とホープ号は、それぞれ嵐で何度も流されますが、悪戦苦闘の末にペルー沖に辿り着き再会を果たし、揃って伝説の国・日本を目指します。ホープ号は途中で転覆沈没し一人の生存者もなかったと言われていますが正確なことはわかりません。

リーフデ号は嵐で2回も南緯54度まで流されながらも集結地のペルー沖のモチャ島・サンタマリア島で碇泊しペルー沿岸のインディオと食料調達の交渉をしますが裏切られ、後に日本とオランダの橋渡しの中心人物となる航海長の英国人のウイリアム・アダムス（三浦按針）の弟でウイリアム・トマスを含む23人の精鋭上陸部隊が千名以上のインディオの待ち伏せにより全滅します。

一方、ホープ号もこの頃ペルー沖に辿り着いていたが、インディオの襲撃を受け船長と27人の乗組員を失いました。どん底の2隻は偶然に遭遇し癒されますが、当初、5隻550人の船団が2隻でそれぞれ僅かな乗組員となり思案していた時、沿岸警備兵と思われる2人のスペイン人を確保し、これと引換えに思わぬ大量の食料を確保し、乗組員の体力も回復しました。

そこで、これからどこを目指すか再度会議を開きますが、リーフデ号の積荷が〝ラシャ〟（毛織物）であったことから北方にあり気温の低い東洋の伝説の王国〝日本〟を目指すことを再度確認したと言われていますが、彼らにとっては、これからは先は誰も経験したことがない、そして正確な海図などもない正に未知の領域に進んでいくことをよく決心したものです。

1599年11月末、リーフデ号とホープ号は東洋の伝説の国〝ジパング〟を目指しペルー沖を出発します。

それから半年後の1600年4月19日、リーフデ号と24人の乗組員が臼杵市の佐志生の沖にある〝黒島〟に漂着します。初めて日本に着いたオランダ船で、これから後の日蘭交流の中心的役割を果たす航海長のウイリアム・アダムスは最初の来日英国人となりました。

さて、リーフデ号とホープ号はペルー沖からどういうコースを辿ったのでしょうか？　西のはてに〝日本〟という伝説の国があることは知っていましたが、この太平洋がどのくらい広く、潮の流れや風の向きといった情報もなく地図や海図もないに等しい状況のなかで、嵐で船は傷み放題、僅かに残った乗組員は病人ばかりであったことから、途中から日誌や記録さえも残されていません。一説にはハワイ諸島や小笠原諸島を経由したともありますが、正確なコースはわかりません。また、ホープ号の消息についても、一説ではハワイ諸島あたりで転覆沈没し一瞬のうちに全乗組員をのみこんだとも言われているが、これも正確にはわかりません。

リーフデ号が漂着した黒島

マストは折れ無残な廃船状態のリーフデ号には2樽の水と腐りかけたシャガイモが数袋あるだけで、船長を含む殆どの乗組員は脚気や壊血病で倒れ比較

ハウステンボスで復元されたリーフデ号

エラスムス木像
（国立博物館蔵）

的元気な航海長のウイリアム・アダムスが指揮を執っていました。

ともかく、1598年6月24日に地球の裏側のオランダを出航した5隻550人の乗組員の大商船団は1年10ケ月の言語に絶する正に命をかけた遠征で、〝リーフデ号〟1隻と24人（うち6名はまもなく死亡）の乗組員だけが日本に到達することができました。

〔参考〕

・漂着の日は日本では、4月19日となっているが、アダムスの手紙では4月12日となっている。

・リーフデ号は300t、3本マストの木造帆船、砲18門を備え、乗組員は110人であった。旧船名をエラスムス号と言い、船尾にエラスムス像が取り付けてあった。このエラスムス像は、その後、牧野家、栃木県龍江院を経て現在は東京国立博物館に収蔵されている。なお、リーフデ号はハウステンボスで復元され黒島にも回航した。

・デシデリウス・エラスムス：オランダ人でヨーロッパ最高の人文学者と言われ宗教改革にも大きな影響を与えた。

㈤　黒島上陸直後

24人の生存者の多くは立つことすらできず、自分の足で立てたのは、私を除くと6人しかいなかったと、アダムスは書き残しています。24人の生存者のうち重病の6人は漂着後まもなく死亡しました。

土地の者たちが小舟で乗り付け金品を略奪しましたが、リーフデ号と乗組員には既に少しも抵抗する力は残っていませんでした。しかし、これまで遭遇してきた未開人や野蛮人とはまるで違っていたと回想しています。このことがこの地の国王（大友公）の耳に入ると、返品や補償を命じ、船の警護もされました。また、庄屋が乗船してきて大勢の病人を確認し、果実、野菜、水の樽のほどこしもありました。

リーフデ号は臼杵の港に曳航され、家と食料が与えられました。病人は医者によって治療され、民衆も親切でした。数日後、武士が3人のお供と白人の宣教師を連れてきました。

三浦按針上陸記念碑（黒島）

しかし、アダムスたちはポルトガルのイエズス会（耶蘇会）の布教活動の中心地に漂着し上陸したとは露知らずにいました。

このポルトガルのイエズス会の宣教師により、意図的に「この者たち（オランダ人）は海賊で略奪を業としていて決して貿易を営む者ではなく即刻退去させるべき」と進言があり、また、人々を煽動していました。

リーフデ号漂着の記念碑(黒島)

一方、幕府の長崎奉行・寺沢広高は豊後の国に駆けつけ、乗組員や積荷などを調べ、粗末なラシャなど大した商品もなく、大量の銃や甲冑、更に大砲に弾薬などの兵器、そして、みすぼらしい彼らの身なりから、宣教師に言われるまでもなく、商船と貿易商人ではなく、戦士、海賊の部類で、たいした身分、知識もない連中と確信しましたが、更に詳しく航海の目的や航路を確かめたところ、代表のアダムスの振る舞い、説明が殊の外立派で、また通訳の宣教師の一人は、本来アダムスたちを海賊だと煽動していながら、アダムスに敬意を抱いていたようで、ポルトガル語の報告書には、「天文学に詳しく、星占いの知識もあるようだ」と書かれていました。

このようなことから、長崎奉行は処刑を命ずる気には、いま一つなれず、上司の指示を仰ぐため大坂城に遣いを送ります。

大坂から「直ちに代表者を召し出せ」との指示で、病気の船長の代理人としてアダムスが大坂城の徳川家康のもとに送られ、家康自らアダムスを尋問し、その聡明さに感嘆し臼杵での地元民による略奪の補償として、多額の金品を与え、座敷牢から出され旅宿に移されました。2日後に、西の丸の家康に呼ばれ、英国の様子、政治形態、国民気質、戦法、気候風土、産物、食物、家畜などについて訊ねました。家康の関心の深さが伺えます。それからアダムスは更に上等の旅館に移されます。

さて、リーフデ号と残りの乗組員はどうなったのでしょう？　アダムスが大坂で拘束されていた間に、彼らは家康の命を受け大坂の港までリーフデ号を帆走してきていました。全員無事で衰弱した体もだいぶ回復していました。

更に家康の命で、家康の居城のある江戸に向かいます。リーフデ号と彼らは、積荷を整え一日も早くオランダに出航したいとあらゆる手段を使い金の殆ども使い果たしますが実現しませんでした。

その理由はどこにあったのでしょう？

家康は、関ケ原の戦いを控え忙殺されてリーフデ号や乗組員のことどころではなかったが、一方では、リーフデ号の大砲などの武器は大いに威力を発揮するのではないかという期待感もあったのではないでしょうか。

どちらにしてもリーフデ号の出航許可は下りず、今後の方針も定まらない状況で、日本を出る者、残る者と内部分裂が起こり、残金を地位に応じて分配し各個に思うところに旅立つこととしました。

しかし、リーフデ号は既に外洋を渡りきることは不可能な状態に傷んでいましたので、彼ら自身もこの船ではもう帰国できないと諦めるようになり、まもなくリーフデ号は江戸で朽ち果ててしまいます。

実は家康は彼らの、とりわけアダムスの知識や技術に大いに関心を持ち引き止めておきたかったので、一面ではほっとしたようで、一人1日1kg弱の米を与える寛大な措置をとりました。

しかし、リーフデ号を失い、とても残念がったと言われます。

三　徳川家康とウイリアム・アダムス

家康は関ケ原の戦いで勝利し、天下を治めると、アダムスを側近として召し抱え、ヨーロッパの新しい科学知識や数学、幾何学を家康に教え、また天文学、砲術、造船術などの技術者であり、家康にとっては、格好の外交・技術顧問となりました。

家康は、リーフデ号に拘り、アダムスに複製を命じますが、アダムスは造船技術の基礎はあっても実際に船を造ったことはありませんでしたが、家康の信頼を得るチャンスと思い、船大工のペーター・ヤンスゾーンに手伝わせて80ｔのリーフデ号ミニチュア版を造ります。それに家康は大満足します。更に120ｔの船を造り、家康を乗船させ京都から江戸まで航海しました。

これまでのヨーロッパの宣教師は科学技術と共に宗教を必ず持ち出してきましたが、アダムスには宗教的な色彩が全くないところに、家康は心を惹かれたと言われています。

その後、ウイリアム・アダムスは、江戸屋敷（日本橋に近い小田原町の一角で今でも〝按針町〟の地名がある）とともに、相模国三浦（当時の逸見村、現在の横須賀市）に250石の領地（旗本相当）を拝領します。

当時の領主と領民の関係は絶対服従の関係にありアダムスがこの三浦の屋敷に帰ると、領地にいくつ

ウィリアム・アダムス像（黒島）

ヤン・ヨーステン像（黒島）

かある村の農民たち80人から90人が丁重に主人を迎えたと言われます。

なお、ウイリアム・アダムスの日本名〝三浦按針〟は、この三浦と航海長（水先案内人）の按針と言われています。

アダムスのほか、ヤン・ヨーステン（蘭人・高級船員）も幕府に仕え渉外業務で活躍し、江戸八重洲河岸に自宅があてがわれました。八重洲口の銅像はそのためです。

船長ヤコブ・クワッケルナックは、１６０２年、インドネシアに設立されたオランダの「東インド会社」を通して、日蘭国交開始の仲立ちを務めました。

クワッケルナックは、１６０５年、平戸藩主の船で家康の貿易許可の朱印状を持って東インド会社（後のオランダの総督府）が置かれたインドネシアに向かいます。ここの商館長は日本との貿易に関心がなく、後の初代平戸商館長となる〝ヤックス・スペックス〟が精力的に推進し家康の朱印状を取り付けましたが、本国からは何の進展もなく長い年月が過ぎてしまいました。オランダでは日本との貿易を迷っていたようです。東インドの商館長は消極的な上、船も余裕がなかったようです。また、オランダの冒険商人が東インドで知り合った日本の商人から聞いた話として、リーフデ号の日本漂着の話を、本国の商人たちは、かなり早い時期に耳にしていたようで、そのなかで、日本で中心になって活躍しているのは英国人のアダムスであることから、ひょっとして今ひとつ進まなかったのかも知れません。

いずれにしても、ヤックス・スペックスは家康が再度、貿易許可の朱印状を出すかが心配でした。

1609年にやっとオランダ国王・オレンジ侯の親書を携えた2隻のオランダ商船が平戸に入港し、親書が家康のもとに届けられ正式に日蘭の国交がはじまりました。

平戸にオランダ商館が設立され、初代商館長はヤックス・スペックスが就任しました。この平戸商館のあった所は、大変に美しくオランダの景色に似ていたと言われます

このオランダとの国交を家康に決意させ、また交渉や謁見における日本の作法に至るまでアダムスの尽力によるものでありました。

一方、英国人であるアダムスは、1613年、英国船クローブ号（司令官ジョン・セーリス）がジェイムス国王の国書を携えて平戸に来ました。アダムスは平戸の英国船の司令官を表敬訪問した上、駿府の家康拝謁に同行し、英国との国交樹立にも貢献します。この時の家康の返書（英語版）は、アダムスが練ったと言われます。これにより、英国も平戸に商館が設立されます。このイギリス商館が平戸に設立されてからは、アダムスはもっぱらイギリス東インド会社のために働いていました。家康が秀頼や淀君が籠城していた大坂城に大砲を打ち込み悩ませた話は有名ですが、この33ポンドの弾丸を発射する大砲もアダムスの仲介でイギリス東インド会社から調達されたものでした。

四　その後のウイリアム・アダムス

アダムスは平戸を拠点に主として日英貿易の発展に尽くしますが、英国に残した妻子を忘れたわけではなく、これまでも何度か家康に帰国を打診するものの、再来日を危惧する家康から許しが下りませんでした。ところが、先のイギリス国王の国書を携えたセーリス司令官の家康拝謁に同行した折り、最後と思って帰国を願い出たところ、家康もアダムスの

これまでの貢献と心中を察して許可を与えました。しかし、その後アダムスはセーリス司令官の人格や考えに失望し、この男と英国までの長旅には耐えられないと断念します。

それから間もなくの1616年7月17日、大将軍・家康は息を引き取りました。アダムスは偉大な後ろ盾を失うことになります。それは16年余りにわたる幕府との関係の終止符を意味します。

二代将軍・秀忠は、アダムスの居留権は何のためらいもなく以前同様与えますが、〝キリスト教禁止令〟を発布し、イギリスとオランダを除く全てのヨーロッパ人の国外退去を命じ、イギリスとオランダの貿易は平戸のみに制限されました。アダムスは重臣を訪ね改善のため奔走しますが、覆されることは有りませんでした。

その後、アダムスはイギリス商館を去り独立して貿易をはじめます。この頃から日英貿易は一層困難になり、中国との交易にも成功したオランダは、価格競争などでも巧みにイギリスを蹴落とし、その後1623年、イギリスは平戸商館を閉じ、日本から撤退することとなります。

なお、アダムス個人は航海日記では1619年3月、トンキン湾に向けて最後の航海が記録されています。この地でリーフデ号の仲間ヤン・ヨーステンと再会し無事を喜んだそうです。

1620年5月16日、ウイリアム・アダムス（三浦按針）は本国（英国）にも領地（相模）にも帰ることなく平戸の地で息を引き取りました。

彼は亡くなる前、遺産管理人をたて、遺産を英国の妻子や日本の遺族や友人に譲りました。

35歳から55歳までの20年間の日本での生活でしたが、家康と過ごした16年間は、正に充実した日々で日本とヨーロッパの交流に果たした功績も万人が認めるところですが、二代将軍・秀忠の時代の最後の4年間は、家康という後ろ盾をなくし、更にキリスト教禁止令などによる体制の変化により不遇な晩年だったようです。

アダムスの墓は平戸にありますが、相模の三浦（現在の横須賀市）にも三浦按針夫婦塚があります。

五　キリシタンの興廃と島原の乱

キリスト教の普及に危惧した幕府は１６１３年、キリシタン禁止令を出しますが、一方ではヨーロッパとの貿易は続けていましたが、布教活動の取り締りを厳しく行なうため、オランダを除く諸国との貿易も禁じます。何故オランダだけが除外されたかというと、オランダはプロテスタントの国でキリスト教の布教活動をしなかったからです。

１６２３年、イギリスが撤退しオランダは日本との貿易を独占するが、このオランダも１６４１年、長崎の商人たち25人が出資してポルトガル人を閉じ込めるために造った〝長崎の出島〟に移されます。

この島は、本来の日本国土ではないという見解のもとに鎖国政策でこの島に外国人を閉じ込めるための人工島でした。この島は小さな人工島ですが、ヨーロッパの街並みを思わせるような大変美しい約４千坪の扇形の埋め立て地です。

厳しいキリシタン弾圧が続き、天草及び島原に起きた百姓一揆はついに１６３７年、〝島原の乱〟に拡大します。

この百姓一揆から島原の乱に拡大し、そして幕府に鎮圧され終結するまでの概略は、１６３７年10月25日、島原領内有馬村で、宗教儀式を弾圧されたキリシタン農民が、代官を殺害。神社仏閣の焼き討ちがはじまり、一揆と化し、島原城へと迫ります。

幕府は鎮圧のため上使として板倉重昌（三河深溝城主）を派遣し、同年11月10日、鎮圧軍と一揆軍の本格的な最初の軍事衝突で鎮圧軍が大敗します。

一方、天草の北部でも島原の蜂起に呼応して、16歳の少年・益田四郎時貞（天草四郎時貞）を中心に一揆が飛火し、富岡城（天草下島）へと迫ります。その後、島原、天草の両一揆軍は合流し、島原半島の南端にある〝原城〟に集結籠城する。同年12月８日、20日と幕府軍は総攻撃をかけるが、九州各藩からなる幕府軍2万の軍勢も足並が乱れ大敗した。指揮官の板倉重昌は恥じて戦死した。

ちなみに、原城の旧城主・有馬晴信公もキリシタン大名の一人でした。戦国時代から江戸初期にかけて、大友宗麟、大村純忠、高山右近等々数多くのキリシタン大名がいました。

九州の片隅で起きた百姓一揆の弾圧に、幕府はよもやの大苦戦となり、老中・松平信綱を差し向け12万の兵で、一揆軍が籠城する原城を取り囲み、翌年の1638年2月28日に、やっとのおもいで終結した。

この戦いで、一揆軍は総大将・益田四郎時貞（天草四郎時貞）をはじめほぼ全員の3万7千人が命を落とし、幕府軍も死傷者約8千人を出したと言われています。

この戦いで幕府は、当時唯一の外国の窓口であったオランダに依頼して海上から大砲で原城の本丸、二の丸を攻撃させたと記録されています。しかし、直接大きな打撃を与えるには至らなかったようですが、陸からは12万の大軍で取り囲まれているなかで海から大砲を打ち込まれる心理作戦は相当な恐怖感を与えたのではないでしょうか。一方で、オランダが日本の幕府軍の一員としてキリシタンの弾圧に参戦したという事実は重要な歴史となったのではないでしょうか。

余談になりますが、中津藩主・小笠原信濃守が「天草・島原の乱」について幕府に報告した文書によれば、剣豪宮本武蔵が小笠原中津藩から出陣したことが記録されています。この時、武蔵は籠城している敵が投げた石で足に大怪我をしたという話もあります。

六　長崎出島の生活

1634年、幕府は長崎の町人25人に命じて、当時のポルトガル商館前の海中に3924坪の出島（人工島）を築かせました。

1635年にはポルトガル人との貿易を禁止し、日本人の海外渡航や帰国をも禁止する鎖国令を出し、ポルトガル人を出島に押し込め、翌年には妻子を含む287人をことごとくマカオに追放しました。

ポルトガル人の追放で、その貿易を仲介していた長崎の商人たちは大損害を補填するために、平戸のオランダ人を長崎に移して貿易をさせるように幕府に運動していました。もともと、オランダ人もポルトガル人同様キリシタンであり、日曜日を守り、また倉庫などにキリストの誕生からの年号を記して国民に見せているなどの理由から、将軍命により年号を記した建物を破壊させ、商館長は毎年交代させるという厳しい条件が付けられました。幕府の鎖国令に対する決意が伺われます。それにしても先進国のオランダ人がこの屈辱的な条件をのんでまでも留まったのは何故でしょう？　スペインからの独立に耐え忍んできた経験や国土の多くは低地にあるという恵まれない条件を克服してきた国民性は、プライドの高いヨーロッパ先進諸国のなかで、際立って忍耐力に溢れた人たちと言えます。加えて、日本はオランダとの貿易には惜しげもなく黄金で支払い、金が少なくなった後年でも銀で支払ってきた上得意様でありました。

ところで、出島の生活を具体的に紹介すると、長崎奉行が管理し、家賃は、この出島を造った25人の町人に毎年、銀55貫目支払う。出入りは「奉行所の役人、町年寄、乙名と呼ばれる町役人、五ケ所宿老、商人、通詞、遊女」だけが許可された。いわば軟禁状態でありました。

この出島からは許可なしには出られませんし、当然、教会の儀式などは一切禁止され、入港中のオランダ船の武器は出港まで倉庫預かりでした。

出島の生活事情について、当時のオランダ貿易会社員の私信が残されています。一部を紹介しますと、「夏の間、出島はものすごく暑く、不快なことに10万匹の蝿が隣人として住んでいます。また、蚊の大群も馬鹿になりません。……ここでは珍味のきのこも食べられないし、ワインも飲めません。私に肉とかポテトの味がどんなものか教えて下さい……。そこでアルコール類や缶詰類を送って下さい」という家族に宛てた手紙です。

彼らは単調な生活に少しでも変化をつけようと、音楽を楽しんだり、手品をしたり、また、〝オランダ正月〟という祝宴を設けたりしました。

通詞でも、このオランダ正月の祝宴を真似て自宅で開催する者もいて、後に前野良沢の一の弟子と言われる「大槻玄沢」が長崎留学中に招かれ楽しんだことから、江戸に戻った玄沢は、〝新元会〟と称して祝宴を開き、息子の玄幹が死ぬまで44回開催されたそうです。この時には、蘭学者の評判の格付けである相撲見立て図も用意されたそうですが、東西の横綱は前野良沢と杉田玄白だったことからも、良沢の偉大さが読み取れます。

中津でも、この〝オランダ正月料理〟を再現しましたが、牛の頬肉など大変に貴重な素材を使った全14種類の素晴らしい御馳走です。オランダ人は体格の良いヨーロッパ人のなかでも、とりわけ見上げるような体格ですので当時の日本人の食生活と体格から、このオランダ正月料理との関係を結びつけた人も少なくはなかったかも知れません。

この出島にオランダの商船が入港してきた時に、一番先に出入りできたのが、黒田藩（筑前）と佐賀藩でした。従って、黒田藩と佐賀藩はかなり情報を持っていましたので蘭学が発達した理由の一つでしょう。

また、通詞（通訳）の家が40軒ありましたが、世襲制で親から子に言葉で伝えていくため、他人には教えないし、辞書も作らないで秘密の伝授で限られた者だけで独占し、通訳としての経験、練度で稽古通詞、小通詞、中通詞、大通詞と分けていました。そのような状況のなかで、１７７０年、後に蘭学の始祖と言われ杉田玄白とともに、『解体新書』の生みの親である前野良沢の長崎１００日留学で指導をしたのが大通詞の吉雄幸左衛門、楢林、西という人たちでした。当時オランダ船が着くと全国各地から医者や学者たちがヨーロッパの新しい知識を吸収しようと長崎に集まり、通詞に指導を乞うがなかなか相手にしてくれなかったようです。

大通詞の吉雄幸左衛門（耕牛）は、後の解体新書の序文のなかで、前野良沢は豪傑（変わり者？）ながら蘭語の習得に並々ならぬ志を持っていたので、この大業を成し遂げた一番の功労者と讃えている。

この出島にオランダ船が着くと、幕府はオランダ船に『オランダ風説書』を提出させていました。提出された海外情報をオランダ通詞に翻訳させ、鎖国の時代でも、海外事情を幕府はある程度掌握していたものと考えられます。例えば、ペリー来航なども事前に把握していたと言われています。

オランダ船が何を運んできたかと言いますと、毛織物、ガラス、砂糖、鮫の革などで、日本からの輸出は、金、銀、銅、樟脳、陶磁器などです。日本の金や銀はどんどんなくなっていきますが、樟脳はクスノキから作れますし、品質も良く我が国の大事な産業の一つになりました。後には陶磁器が重要な輸出品となりました。

何れにしても、彼らは日本の貿易を独占していたわけですので、莫大な利益をもたらし、出島の過酷な生活を我慢しても余りあるものでした。

七 中津藩（藩主・奥平昌鹿公の時代）と前野良沢と解体新書

前野良沢は筑前藩士・谷口新介の子で、幼くして父母をなくし、中津藩医・前野家の養子となった。叔父の淀藩医・宮田全沢に養育され、中津藩医を継ぎ、奥平時代第三代目藩主（昌鹿公）に仕え江戸屋敷にいました。この時、藩士の一人からオランダの書物を見せられ、「理解できるか」と言われたことが、きっかけでした。そこで何とかオランダ語を学ぼうと決意し、江戸では「此の人しか居ない」と言われた青木昆陽の門をたたきますが、実はこの青木昆陽でさえオランダ語をさほど知らなかったとも言われます。青木昆陽は翌年に亡くなります（「参考」青木昆陽：蘭学者で幕府の書物奉行。小石川の植物園で甘藷の栽培、普及に勧め、没後は甘藷先生と言われる）。

　一方、藩主・昌鹿は母の骨折を蘭方医（大通詞吉雄幸左衛門）が治療したことから、蘭学に興味を抱き、翌年（1770）藩医の前野良沢を長崎に留学させます。良沢46歳（43歳とも）の、当時としてはかなりの高齢でした。この時、小浜藩の杉田玄白たちも一緒に大通詞・吉雄幸左衛門たちに、蘭語・蘭学を学びますが、もともと教育する体制もできてなければ、教えようとも思ってない邪魔者扱いのなかで、しかも短期間での習得に、良沢以外の者はお手上げ状態で成果のないままでした。良沢は短期間に千語以上の知識を得たと言われます。後の『解体新書』のもとになる『ターヘル・アナトミア』（解体図書）も昌鹿公の配慮で入手していました。そして江戸に戻り、翌年には『ターヘル・アナトミア』（ドイツの解体図書のオランダ訳で後の解体新書の原著）の翻訳をはじめたと言われるくらいですので、想像を絶する猛勉強をしたことと思います。もともと相当な奇人で鬼才だったようです。一方で、藩医で高い禄をもらっていながら医者の仕事はしないで翻訳に没頭しているとの周囲の声を藩主・昌鹿は知りながら、「良沢はオランダ人の化け物だからほっておけ」と許していました。それどころか、昌鹿公は200両も払い『プラクテーキ』という内科書を貸し与えたと言います。

奥平昌鹿（1744～1780年、自性寺蔵）

　1771年、江戸の小塚原で人体解剖が行なわれ、これを見にいった良沢、杉田玄白、中川淳庵（じゅんあん）の3人は持参した『ターヘル・アナトミア』の図と解剖所見がことごとく一致していることに感激し、これがターヘル・アナトミアの翻訳にそして『解体新書』の出版へと繋がります。翻訳に1年半位かかり、そして出版まで更に1年半位かかることになります。

江戸築地中津藩中屋敷の良沢邸で、先の3名に加え石川玄常、桂川甫周などが訳者に加わり、ターヘル・アナトミアの翻訳がはじまりました。しかし、蘭語が多少でもわかるのは良沢一人で、従って、翻訳は気難しい変わり者の良沢が中心だったので、良沢は翻訳に没頭し、世話役の中心が玄白でした。しかし、玄白のマネジメントの能力も大変に優れていました。玄白は、医学の進歩のため多くの弟子を育て臨床医学の発展に尽くしています。

この『解体新書』の絵を平賀源内（大変に派手好きな科学者で絵も書き本も執筆する当時のマルチ人間）に依頼したいが、良沢の最も嫌いなタイプであり、玄白は源内に弟子を紹介させて書かせるといった要領も心得ていたようです。

前野良沢（個人蔵）

ともかく苦労しながらも1年半で翻訳できたものが、出版まで更に1年半位かかり、やっと出版された本には、この翻訳の中心であった前野良沢の名前が有りません。このことが翻訳されてから出版まで更に1年半もかかることに関係していたのではないでしょうか？

何故、前野良沢の名前がないのでしょう。これは今でも謎ですが、推測すれば、次の二つが考えられます。

一つは、良沢は変人扱いされるほどの完全主義者であり、名を世にあげることを急ぐより完全なものにしたいという反発心とも、また目立つことが嫌いで研究に没頭したいという性格的なものから自ら強く辞退した。

一つは、当時の社会情勢から、この翻訳の実質的な中心人物で、この新しい研究の第一人者である前野良沢を守りぬくための策であった。

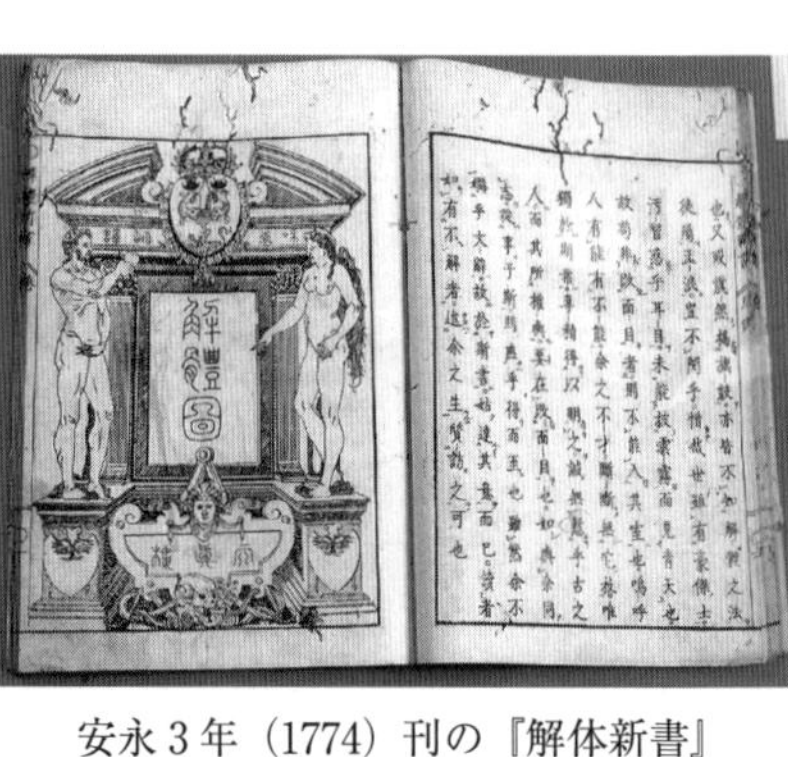

安永３年（1774）刊の『解体新書』
（村上医家史料館蔵）

それは、彼らが事前に『解体約図』を幕府の大奥や京の公家に一部に示し反応を見たりしていることとも繋がります。

何れにしても、『解体新書』の中心人物が「前野良沢」であることは、解体新書の序文を前野良沢に代わって書いた大通詞で蘭医の吉雄幸左衛門の文面からも明明白白であります。

良沢は70歳を過ぎても向学心は衰えず、蘭船が遅れ注文の本が届かないと嘆くほどでした。沢庵とおから（卯の花）で焼酎を飲みながら生涯29冊の本を翻訳しましたが、医学書のみならず薬学、兵書、地理学等々多岐に亘ります。良沢の趣味は、一節截という竹の節が一つある一節切尺八とも言われている竹笛を愛し毎日吹いていたと言われます。この一節截が江戸屋敷の同じ敷地にあった築家や村上医家史料館に残されていますが、最近、中津の研究者が複製に取り組んでいます。

良沢は、１８０３年、江戸で81歳の生涯を静かに閉じました。良沢の江戸屋敷の跡は後に福澤諭吉の慶応義塾発祥の地となります。

そして、杉田玄白が晩年の83歳で書き上げた回顧録『和蘭事始』を福澤諭吉は１８６９年（明治２）『蘭学事始』として復刊しました。

八　中津藩（藩主・奥平昌高公の時代）とシーボルト

奥平時代第五代目藩主（昌高公）は薩摩藩主島津第二十五代・重豪の二男で姉の茂姫は第十一代将軍・家斉の御台所となった人です。奥平四代の死去にともない、昌高公は6歳を12歳と称し中津藩を継ぎます。その後、元服して中津藩奥平家の八千代姫と婚儀を挙げ、名実共に第五代中津藩主となります。父親の島津重豪は進取の気性に富み、蘭学に関心が高く、たびたびオランダ商館を訪れ、シーボルトとも交際し、天体観測や医学の発展にも力を注ぎ薬草園も設けていました。昌高公も父親の血を引き豪放闊達で、文武両道を奨励し人材の育成に力を注ぎました。自らも蘭学を学び、実父の重豪公をも凌ぐ蘭学大名（自ら蘭名フレデリック・ヘンデリックと名乗った）でした。江戸屋敷はオランダの珍品、奇物で溢れ、かの佐久間象山を招き高輪下屋敷で蘭式調練、新式大砲の鋳造、操作を家人に伝授させたとも言われます。また中津に藩校「進修館」を設立しました。ここから幕末三大蘭学者と言われた坪井信道や九州初の人体解剖を行なった村上玄水などを輩出した。

奥平昌高（自性寺蔵）

昌高公は、オランダ商館長やシーボルトと親しく交際し、蘭学によって更に新しい時代を切り開くため和蘭辞書『蘭語訳撰』（１８１０）、蘭和辞書『中津バスタード辞書』（１８２２）を刊行しました。この辞書は日本人のみならずオランダ人の対日外交にも大変に重宝がられたそうです。

昌高公は、幼少で藩主になったこともあったのか45歳で隠居したが、その背景には、蘭学を更に追求するためシーボルトとの交際をもっと親密にしたいという願いがあったと、シーボルトが書き残している。

シーボルトはオランダ軍医として来日した人ですが、江戸時代に来日した医師のなかでも突出人物です。彼は、ドイツで生まれ、父親はウュルツブルグ大学生理学教授で名門の出身です。１８２３年、オランダ軍医として出島に来てシーボルト事件で国外追放になる１８２９年までの6年余り、医学、動物学、植物学、地理学、博物学と多彩な学者で、多くの門下生を日本で育て、また、多くの日本の情報を

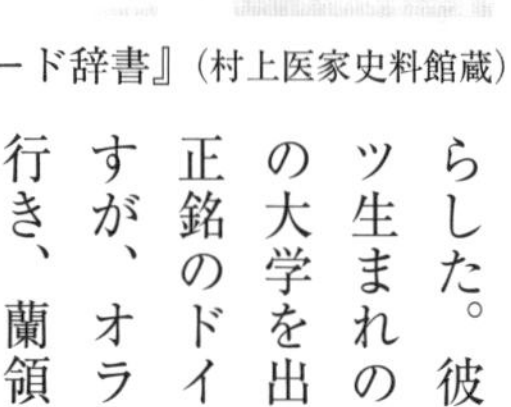

『蘭語訳撰』『中津バスタード辞書』（村上医家史料館蔵）

ヨーロッパにもたらした。彼はドイツ生まれのドイツの大学を出た正真正銘のドイツ人ですが、オランダに行き、蘭領東インド陸軍病院外科少佐の任命を受け、出島の医師として日本に来ましたが、医師のみならず多方面から日本を研究するねらいがありました。そのため日本から持ち出した収集品は25万点にも及んだ。

長崎上陸時、オランダ語を怪しまれ、高地オランダ人（オランダは運河の国で高地はありません）と称して何とか上陸したという逸話もあります。ともあれ、彼のもとには日本の蘭学史に名を残す人物の殆どが集まった訳ですが、その一人に高野長英もいました。この高野長英はシーボルト事件で追われる身となり、途中、村上玄水の計らいで村上家の土蔵に匿（かくま）われていたとの口伝があります。

そして昌高公も人一倍シーボルトとの交流を重ねました。特に昌高公は隠居後は自由にシーボルトに会見できる立場になっていました。

シーボルトの『江戸参府紀行』の中で最も多い登場人物で28回もあり、親交の深さが読み取れる。昌高公は、単なるオランダ趣味ではなく、幅広い国際感覚の持ち主で、蘭学を学問として日本中に普及させた蘭学大名も１８５５年、74歳で亡くなりました。

＊シーボルト事件

5年の任期を終え帰国のためシーボルトが乗り込む予定のオランダ船が、暴風雨で被害を受け修繕のため積荷を降ろしたところシーボルトの積荷から、当時、海外への持ち出しを禁止していた『大日本沿海輿地全図』など発覚し、スパイ容疑で拘束され、翌年に国外追放、再渡航禁止の処分を受け日本を去りました。

しかし、シーボルトは30年後の１８５９年、再び来航し、幕府の外事顧問となり１８６２年、出国し１８６６年に亡くなりました。

＊高野長英

高野長英もシーボルトに蘭学を学び、町医者をしていましたが、幕府の対外政策を批判し永牢のところ、脱獄し諸国に潜伏し、中津でも匿われたという口伝があります。

今から４１０年余り前、１隻のオランダ船が臼杵の黒島に漂着したことがきっかけとなり、オランダとの貿易と同時に蘭学という西洋の学術が日本に入り発展していくことで、この時代は徳川幕府のキリスト教弾圧に伴う長い鎖国状況下にあったにも関わらず、我が国が明治維新後の近代国家への変貌を列国が驚くほどの早さで成し遂げました。

この陰には、徳川家康やウイリアム・アダムスそしてシーボルトと共に中津藩の昌鹿公、昌高公や前野良沢そして福澤諭吉へと引き継がれた、この中津藩を中心とした蘭学の発展が日本の夜明けに大きく関わっていました。

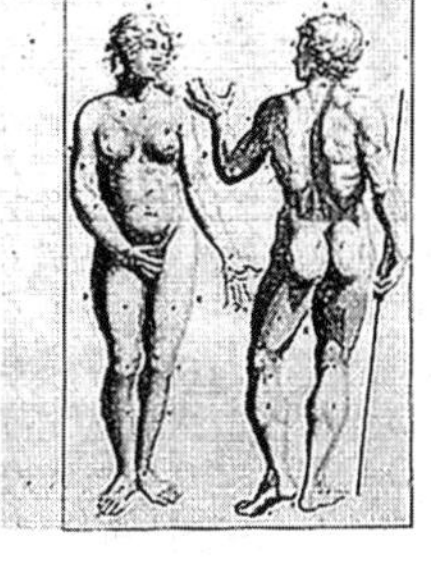

ターヘル・アナトミア（原本）

２０１０年（平成22）７月３日

2　大江雲澤の医学思想

はじめに

「医不仁之術　務欲為仁」（医は仁ならざるの術、務めて仁をなさんと欲す）は、中津医学校初代校長・大江雲澤の医訓ですが、この大江雲澤について は、また代々中津藩の御典医も勤め江戸中期から七代も続いた大江医家についても一般に知られるようになったのは比較的近年です。

（大江家蔵）

　この大江医家の五代目が大江雲澤です。この大江家は代々実直な方々で、貴重な史料を大切に保存されてきましたが、調査などの度に史料が紛失するため、残念ながら本格的な調査の理解は得られず、詳しいことは長年殆どわからないままでした。

　1994年（平成6）、日本高気圧環境医学会が中津で開催されることに伴い、日本各地から604名、世界各地から29名の学者（会長）の来訪がきっかけとなり大江家のご理解、ご協力をいただけることとなりました。そして、北部小学校時代の恩師で郷土史家の松山均先生とご一緒に大江医家に入らせていただき、この「医不仁之術　務欲為仁」の書を発見し、ただならぬものを感じ、福永光司先生（中津出身の元京大・東大教授で中国学の権威）のご協力もいただき、勉強会をして解明したところ、やはり大変に重みのある言葉であることがわかりました。正に『大江雲澤の医学思想』がここにあるのではないでしょうか。

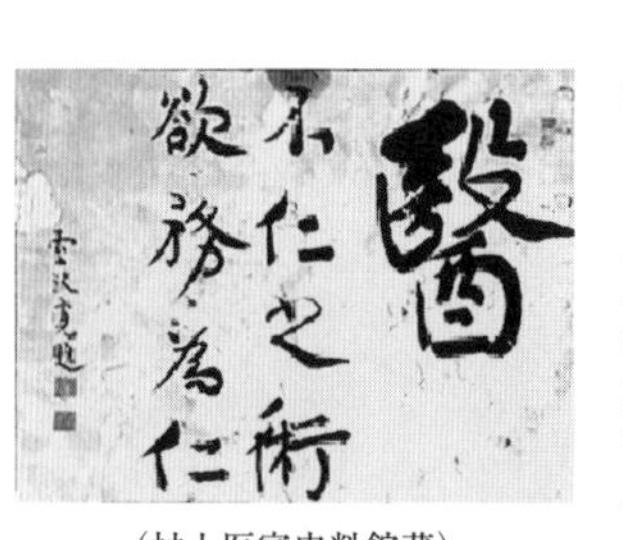

（村上医家史料館蔵）

このことが一つのきっかけとなり、平成6年頃から大江家のご協力と文化財調査員の熱心な調査により貴重な資料が少しずつ明らかになって、更に七代・忠綱氏の没後（平成13年他界）故人の遺志を継いだご遺族により、鷹匠町の大江医家の土地と建物が中津市に寄贈されました。建物は木造平屋（約163㎡）で、明治以降に手を入れた部分もありますが、江戸末期の建物とみられ、当時の医家の面影を残した風雅な建物で、市の文化財に指定されています。

この建物が平成16年に大江医家史料館として開館されました。館内には大江医家の所蔵品や『解体新書』などを展示しています。また、庭にはマンダラゲをはじめとする薬草園も設けられています。

一　九州の蘭学と中津藩の存在

鎖国下の江戸時代、日本で唯一ヨーロッパの近代諸科学と接することができたのが、長崎の出島でオランダ商館を経由して入ってきた蘭学でした。医学、数学、兵学、天文学、植物学等々あらゆる分野のヨーロッパの学術が、オランダを通して蘭学という形で日本に持ち込まれ、我が国の近代化に大きな貢献を果たしました。

とりわけ、中津藩医・前野良沢が実質的な盟主となってヨーロッパの解剖書を翻訳した『解体新書』は蘭学の幕開けとも、日本の近代諸科学史の原点とまでも言われています。その後、福澤諭吉の時代まで数多くの人が蘭学を通して日本の近代化に大きな役割を果たしますが、なかでも蘭学の窓口が長崎であったことから、九州の人たちが沢山いました。そのなかでも中津藩の蘭学者が素晴らしい活躍をしたのです。

２００９年に発刊した、ヴォルフガング・ミヒェル九州大学大学院教授、鳥井裕美子大分大学教授と私（川嶌）の共編『九州の蘭学』は、江戸前期から幕末までの九州出身者、あるいは九州で活躍した主な蘭学者（シーボルトなど外国人も含む）の評伝集です。多くの蘭学者のなかから、特に59名に絞り、その業績などを紹介したものです。そのなかに11名の大分県関係者がいますが、その内10名までもが何と中津藩の人物です。その10名を簡単に紹介します。

【前野良沢】（1723～1803）
中津藩医で蘭学の開祖と言われ、『解体新書』の実質的な中心人物。筑前藩士・谷口新介の子で、中津藩医・前野家の養子となり、伯父の淀藩医・宮田全沢医師に育てられた。竹笛「一節截（ひとよぎり）」の名手。

【辛島正庵】（1779～1857）
中津藩医で中津藩の種痘の研究、普及の中心人物辛島医家は代々、正庵を名乗り、五代目で長齢・蔵春などの呼び名もある。
《参考》六代目は養子・長徳で泰庵の呼び名もある。明の天然痘の図鑑や書籍を収集して種痘の研究を行なう。
七代目も五代目・正庵の養子の春帆で、正庵の呼び名もある。春帆は広瀬淡窓の咸宜園で村上枯南・矢野範次と共に〝豊前の三才子〟と言われ都講を務め、中津藩の最初の種痘を養父の正庵の指導で現地長崎で実施した医師団（9名）の中心人物。

【村上玄水】（1781～1843）
中津藩医であり、村上医家七代で九州初の人体解剖（腑分け）を行ない詳細な記録を残した。

【奥平昌高】（1781～1855）
中津藩主で蘭学大名と呼ばれ、和蘭辞書『蘭語訳撰』・蘭和辞典『中津バスタード辞書』を刊行した。シーボルトの日記に最も多く登場し、蘭学のため45歳の若さで家督を譲った。蘭学への傾倒は実父の薩摩藩主・島津重豪の影響によると言われる。

【神谷弘孝】
中津藩医で藩主・昌高公の側近を務め、日本で最初の和蘭辞書『蘭語訳撰』を長崎の通詞（通訳）

馬場佐十郎の協力のもと編纂した。前野良沢の門人で、赤穂四十七士の一人で磯貝十郎衛門正久の子孫とも言われる。神谷源内は同一人物。

【大江春塘】（1787～1844）
中津藩医で藩主・昌高公の側近医師となり、蘭和辞書『中津バスタード辞書』の編纂をした。医家として現在も引き継がれている。当時の中津藩の医界は春塘と村上玄水によって支えられていたとも言われ、下毛郡誌によると〝春塘を医学の大家〟〝玄水を医術の巨匠〟と評している。

【大江雲澤】（1822～1899）
中津藩医であり、大江医家五代目で華岡医塾の大坂分塾に学び中津医学校の初代校長となる。雲澤の医術と人柄を慕い、門人帳によると萩や秋月、阿波、肥後から44名の入門者があったと記されている。医師で教育者、今日に通じる医学思想を残す。

【藤野玄洋】（1840～1887）
緒方洪庵の適塾で蘭学を学び、長崎医学校では外科学や眼科学を学び、更に大坂医学校で西洋外科学を学び、そして中津医学校附属病院長となり、後の大分医学校の設立にも貢献した。その後、下関に月波楼医院（後の料亭春帆楼）を設立したが、更に大坂に移り開業した。1カ所に留まらない性格の玄洋は49年の生涯を転々としたが、今は妻のミチと共に中津の安全寺の墓地に眠っている。

【田代基徳】（1839～1898）
中津藩の儒医の家に生まれ、中津藩医・田代家の養子となり、大坂の緒方洪庵の適塾で蘭学を学び、江戸医学所の講師や東京医学校（東大医学部の前身）などの教官を勤め、軍医療に転進し陸軍軍医学校長となる。近代医学の先駆者と言われる。なお、東京帝国大学初代整形外科教授で〝日本整形外科の父〟と呼ばれる田代義徳は、田代基徳の娘婿として迎えた養子である。

【福澤諭吉】（1835～1901）
前野良沢が杉田玄白たちとオランダ語の解剖書

を翻訳し、『解体新書』を作りあげた中津藩江戸屋敷は、84年の歳月を経て福澤諭吉の慶應義塾発祥の地となりました。

福澤諭吉は近代日本を代表する啓蒙思想家・教育者ですが、諭吉は長崎で蘭語を学び、医師・緒方洪庵の適塾で蘭学を学んだことからはじまります。とりわけ西洋医学の普及の情熱は並々ならぬものがあり、前野良沢と共に蘭学の開祖となった杉田玄白の、当時の苦心談の記録・蘭東事始を『蘭学事始』として出版しました。決して中津に依怙贔屓した人選ではなく、誰が見ても、何れも名をなし立派な業績を残した人ばかりです。

私が、医学史を中心にした郷土の歴史に取り組むきっかけとなった一つは、たまたま生まれ育った実家が福澤諭吉という偉人の旧家に近かったことと更に恩師で郷土史家の松山均先生との巡り合わせであり、あと一つは、九州労災病院勤務当時、医学史に大変詳しい九大名誉教授で、病院長の天児民和先生との出会いで、先生から「中津藩の蘭学史の研究」というアドバイスをいただく後押しがあったことです。

二　世界の医学史

㈠ 医学の父・ヒポクラテス

古代（紀元前460～375頃）ギリシャの医師で、父はアスクレピオスの神官で医者でありました。この神殿は病院の原形とも言われ、医の神アスクレピオスを祭ったという神殿に、患者を呼び寄せて、神官が立会い宗教的な雰囲気のもとで暗示療法や簡易な外科手術などをしたのです。ギリシャには当時のアスクレピオス神殿の跡が各地に残っています。

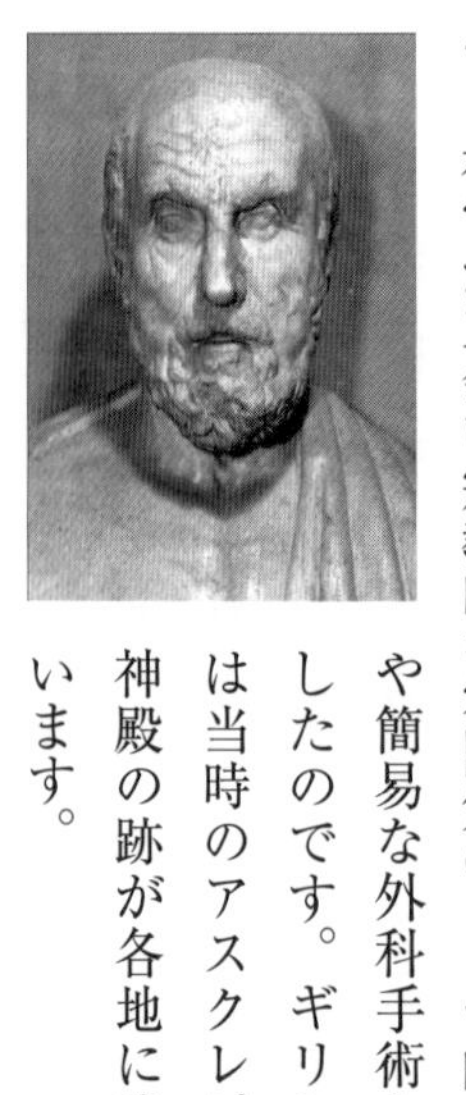

現代の医学においても、病は気からという諺があるように、暗示による薬効などが全くないわけではありませんが、当時の医学が余りにも宗教的、いや宗教と変わらない医療であったため、ヒポクラテスは、このようなまやかしの医療に疑問を持ち、病人の観察や経験を重視し、「患者の上に起こってくる色々な変化を実証的に観察しなさい」と述べています。西洋の近代医学の父、あるいは祖と言われています。

【ヒポクラテスの誓い】
ヒポクラテスの属したコス派の医師集団に由来すると言われる医師の職業倫理を述べた誓文。古今を通じて医師のモラルの最高の指針とされる。
現在も世界の主要な医大や病院などの入学式、卒業式で誓いをたてている。

(二) ファビオラ

〝ファビオラ〟といえば、中津市医師会立「中津ファビオラ看護学校」を思い出していただけると思いますが、ファビオラとは何のことかとなると意外と知られていません。看護の世界でナイチンゲールといえば世界中で知らない人はいません。ファビオラはナイチンゲールに匹敵する素晴らしい人物です。

ギリシャ時代、ローマ時代は、一部の医者も看護婦も奴隷の扱いで、その奴隷としての医者や看護婦が傷ついた戦士、あるいは病人を治療・看護していました。医療行為が非常に低いレベルに位置付けされていました。しかし、キリスト教徒の世界だけは別でした。「自ら仕えることを私は望まない人に仕えることを私は望む」というキリスト教の言葉があるように、他人に奉仕するという隣人愛の精神のなかで、特に貴族の女性たちのなかから他人に奉仕するということを真剣に考える人たちが出始めていました。この他人に奉仕することをディアコニアと

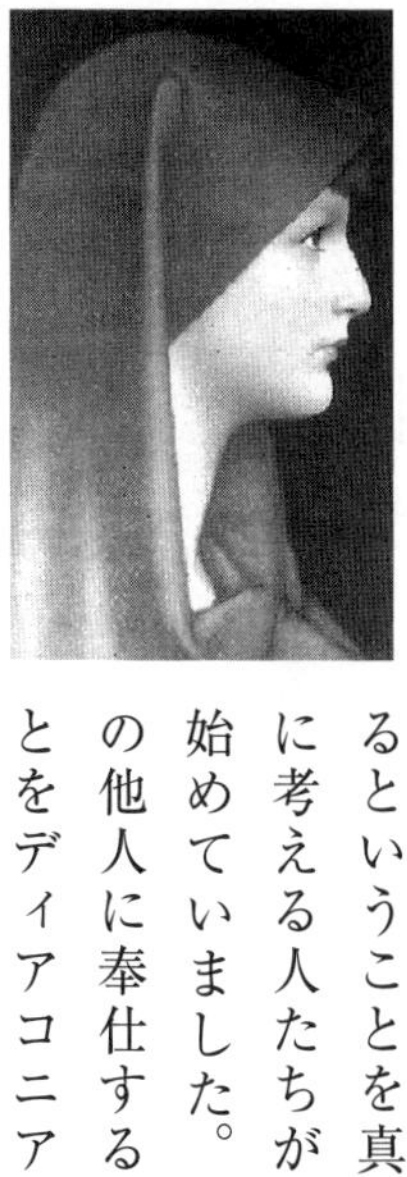

呼び、このディアコニアをする人たちをディアコネスと呼びます。このディアコネスが看護婦のはじまりです。

当時、看護婦は専門職ではありませんでした。このディアコネスの人たちはキリスト教の精神から純粋に傷ついた人、病に倒れた人を看ようという精神を持っていました。その運動のなかからローマ時代の4世紀、貴族のファビアン家の一員ファビオラが現れます。彼女は何一つ不自由のない優雅な貴族の生活から、自ら世界最初の看護教育者マルセラの弟子となり、自身の屋敷や財産を提供し、390年に最初の公立総合病院を建設しました。ファビオラはここで自ら手を汚し看病、介護を行なっていました。ちなみに、この時代の我が国は、国家が出来上がる以前の邪馬台国の時代でした。

【ホスピス】

ファビオラが回復期の患者のため宿泊所を建設したのが本来の語源で、ホテルも語源は同じです。ホスピス・ホテルは行き倒れ人や病人を収容する宿泊所でしたが、段々進歩してホスピタル（現在の病院）となりました。現在のホスピスは死期の最後を迎える所と限定していますが、ローマ時代は全ての宿泊所を意味していました。

【ファビオラ精神とは】

患者に慈愛の気持ちを持って接し、患者の立場にたって看護を実践する。常に謙虚で向上心を持って看護を行なう。

【中津市医師会立　中津ファビオラ看護学校】

1996年4月、中津市医師会（会長・向笠寛医師）により、これからの地域医療体制を支える大きな柱として、3千坪の用地に会員からの多額の献金と公的助力で約12億円をかけ建設されました。医師会の積極的な講師支援などもあり国家資格の合格率も高く、地域医療体制をしっかり支えています。

なお、学校名は当時の向笠会長が、私（川嶌）

が医学史に取り組んでいたこともあり私に考えるようにと命じられ、この【ファビオラ看護学校】の命名となりました。

㈢ 医術の進歩

ヴェサリウスの解剖

アンドレアス・ヴェサリウス（1514～1564）はベルギーのブルッセルの生まれで、イタリアのハドヴァ大学の教授となり本格的な解剖がはじまりました。その解剖は『人体構造論』などの書物として残されて、ヨーロッパ各地で解剖が実施され近代医学の進歩に大きく貢献しました。

当時のヨーロッパの解剖は、有料で見せる『解剖劇場』とも言われ、多くの市民の前で魚でも捌（さば）くようなこともされていました。場所によっては解剖台の下に犬を連れてきて食べさせることもあったようです。中世のヨーロッパでは、人間の魂は天に有り、「死体は既に人間ではなく単なる物」であるという解釈で、人体解剖を『アナトミーシアター』と称して市民に観察させたと言われています。日本ではとても考えられないことです。今日でも、欧米と日本との宗教や倫理観の違いから、同様に臓器の提供や臓器移植の考え方に大きな違いがあります。

ダ・ヴィンチの解剖

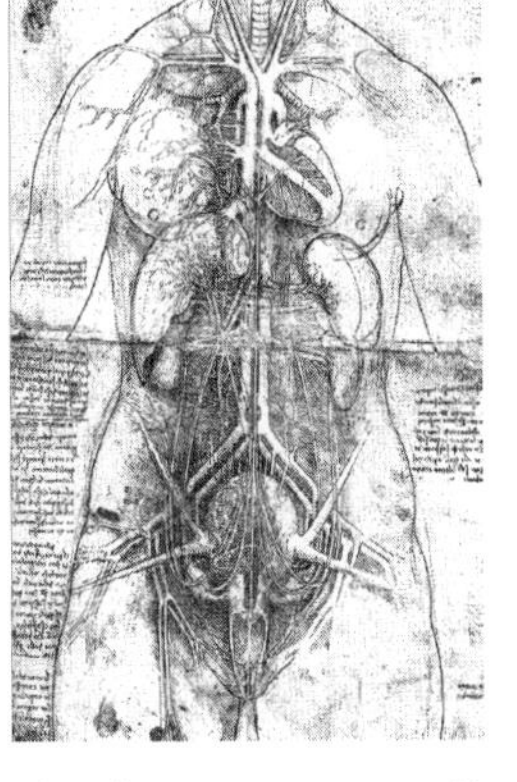

レオナルド・ダ・ヴィンチ（1452～1519）は解剖学の創始者と言われるヴェサリウスが出る少し前で、ルネッサンスの巨匠の画家であり、また建築家・彫刻家あるいは物理学者としても知られ、特に『モナリザ』や『最後の晩餐』などの絵画で有名です。

ところが解剖学者であったことは余り知られていません。ダ・ヴィンチの絵は、あたかも生きているような、極めて写実的ですが、これは絵の才能はもちろんですが、解剖学に裏付けされたものだったのです。絵の才能は彼の解剖図に存分に生かされ現代の解剖図とあまり変わりがありません。逆に言えば解剖学の知識は、彫刻の逞しい筋肉や浮き出た血管など、彫刻や絵に生かされていたということです。つまり、絵も彫刻も解剖学に裏付けされていたということです。実は、ダ・ヴィンチは30体以上の人体解剖を実施し、千枚にも及ぶ解剖図が残されています。しかし、この時代は未だ人体の解剖が簡単に許されておらず、誹謗中傷に晒され、転々と転居し続けていたようです。

この記録が発見されたのは21世紀になって英国王室からであります。だから、５００年くらいはわからなかったわけです。この間、ダ・ヴィンチの絵や彫刻が余りにもリアルであることから解剖との関係に疑問がもたれていたものの解剖図が発見されなかったり、当時の解剖学に対する社会の理解も低かったりすることなどから、ダ・ヴィンチの解剖の実績が世に出るのが遅れたという背景があります。

アンブロワーズ・パレと外科
―救急医療のあり方―

現代では考えも及ばないことですが、刃物を使って仕事をする床屋さんが、その経験に基づき外科（理髪外科）の仕事を兼ねていた時代がありました。

アンブロワーズ・パレもこの床屋外科から外科医の道に入り、大変に勉強をして医者となり解剖学を学び、後に優秀な陸軍の軍医になった人です。そして、止血のため血管を縛ったり、手足を切断するような手術ができるようになりました。それまでは手足に大きな負傷を負うと手の施しようがなく出血多量で死を待つか、せいぜい焼ゴテで傷口を焼くくらいしかない時代でした。

彼は４代の皇帝に外科医として仕え、また市民も診た人で、〝外科医の神様〟と呼ばれました。墓石には、〝私は手当てをしただけで、神が彼を治して下さったのです〟と刻まれています。

昔も今も、本来人間は自然に治る力を備えていますので、その方向にメスを入れ手助けをするのが外科医の役割であます。

昨今の医療の進歩は目覚ましいものがあります。しかし、如何に医学が進歩しても、誰もが一律に90や100歳の長寿を生きられるものでは有りません。人間には、それぞれ寿命があります。医者は神ではありません。

最近は医者に神のような期待をされる事象が多々発生しています。医者にかかれば全てが助かるという間違った期待、思い込みから、期待通りにならないと訴訟を起こすという問題が全国で発生しています。特に救急医療の分野では、心筋梗塞など一刻を争うものですが、医者が最善を尽くしても、皆同じように助けられるものではありません。患者の年令や病状などでそれぞれ条件は異なります。結局このような訴訟問題は地域の医療崩壊へと繋がります。中津市の近くでも訴訟問題から地域ぐるみで救急医療の告知を返上したため、時間外の急患は全て中津市に送られる事態が発生しています。ちなみに、我が国の救急医療の80%は民間医療機関が取り扱い、その約80%は時間外で、しかも、その40%は深夜で、医師やスタッフの確保に苦慮し、その収支はどの病院も赤字と言われています。

そこで、外科医の神様・アンブロワーズ・パレの言葉、「私は手当てをしただけで、神が彼を治して下さったのです」を思い出していただきたいと思います。

ルイス・アルメイダと日本初の洋式病院（南蛮外科）

アルメイダ（１５２５〜１５８３）はポルトガルの貴族の出身で外科医の素養があり、イエズス会士でした。１５５２年、ローマ法王庁から宣教師としてキリスト教の布教活動のために来たはずでしたが、傍らで大友義鎮を口説いて、１５５７年に日本で初めての洋式病院（南蛮外科）と育児院を豊後の府内に建設しました。そこでは、らい病の治療や外科手術も行ない大きな成果を残しています。しかし、アルメイダは医者ではありますが、宣教師として日本での布教活動が本来の来日目的でした。しかし、医療活動に精を出し、肝心の布教活動の実績が上がらず、自らが建設に取り組んだ豊後府内の病院を追放され、その後、一介の宣教師として諫早や島原、天草地方で布教活動をし、天草で没しました。

話は少しそれますが、この時代から50年近く過ぎた頃、オランダのリーフデ号でアダムスたちが臼杵に漂着し、大友の取り調べを受けていますが、この時にポルトガルの宣教師が随行しています。時代的には、この宣教師はアルメイダの少し後輩ということになります。もし、この時の宣教師がアルメイダであったなら、日本の医学史上もしかしたら別の展開があったかも知れないという夢も脹らみます。

なお、現在のアルメイダ病院は、このことに由来して命名された病院ですが、肝心のアルメイダの足跡は消え去り、残念ながら見つかっていません。

ブールハーフェとライデン大学
―シーボルトとライデンの町並み―

ブールハーフェ（１６６８〜１７３８）はオランダの医学者で、ライデン大学の教授ですが、病気の症状、病因、治療法などを系統的に纏めた著書『医学論』で、人体の生理機能について、機械論的説明を与え、医学界に大きな影響を与えました。

このブールハーフェのもとにヨーロッパ中から２万人の医者が集まり、臨床中心のベッドサイド教育が行なわれたと言われます。

オランダのライデン大学は、日本では東京大学に相当し、その歴史は東京大学も遙かに及ばない名門大学ですが、江戸時代、長崎出島に勤務する者の教育も担当していました。奥平昌高公が神谷源内と作った『蘭語訳撰』と大江春塘と作った『中津バスタード辞書』はともに現在もライデン大学に残されています。この『蘭語訳撰』がオランダにおいても活用され研究の対象になっていたことが、鳥井裕美子大分大学教授の研究でも明らかにされています。

このライデン大学のホフマン（１８０５〜１８７８）・初代日本語講座教授によって、長崎出島に勤務する者の教育が行なわれ、この時『蘭語訳撰』や『中津バスタード辞書』が使われていたわけです。

ライデン大学は30万点の日本資料を所蔵していると言われています。なかでも商館医で奥平昌高公との交遊が極めて深かったシーボルトは、医学以外のあらゆる学問にも精通する突出した人物ですが、日本から持ち出した収集品は25万点とも言われています。そして現存するシーボルト植物園にはアジサイやアケビなど数多くの植物が植えられ、殆ど日本名（和名）のままですが、アジサイには〝オタクサン〟と名付けられていて日本での奥さん【扇（そのぎ）滝（たき）】を偲んで付けたのでしょう。そして、これらの日本の収集品は大事に保存され、なかには日本国内では絶滅してしまった動植物の標本や剥製も当時のまま保存されています。

ライデンの町並みは大変に美しく、17世紀の町並みがそのまま残されていますが、中津地方文化財協議会の初代会長・横松宗先生の息子さんで、都市計画の専門家である横松宗治氏がハウステンボスを設計される時、「ライデンの美しい町並みと橋を是非、取り入れたら」と勧めましたところ、自ら現地に何回も足を運ばれるなどの熱意に、ライデン市が橋の設計図などを見せ、全面的な協力をしたそうです。あの美しいライデン橋がハウステンボスに再現し、また使われているタイルは、ライデンのタイルで特徴は極めて硬いということで、ライデンのタイル職人を呼んで造らせたそうです。また、女王の館もオランダの女王の館を真似て造ったものですが、壁面のタイルが本物と比べ30㎝ずれていたというだけで、造り直したというくらい、オランダの町並みを忠実に再現しています。オープンセレモニーに来日されたオランダの女王も、さぞかし驚かれたことと思います。

江戸時代の中期の前野良沢から幕末、明治の福澤諭吉まで、日本の近代国家への幕開けに中津とオランダは大変深く関わってきましたが、時を経て、中津出身の都市計画のエキスパートが、またオランダに拘りをもち関わりをもたれたということは、何かの縁を感じます。ちなみに、黒島に漂着したリーフデ号も復元され、ハウステンボスに係留されています。

オランダのブールハーフェのもとにヨーロッパ中から2万人もの医者が集まり、臨床中心のベッドサイド教育を受けた新しい医学は、エジンバラ（英国）やウィーン（オーストリア）、パリ（フランス）などヨーロッパ中に伝わり、そしてアメリカに伝わり、更にドイツを経由して日本にも伝わってきました。

三　我が国の医学の歴史と中津城の天守閣

我が国では古くから「医は仁なり」という言葉が使われています。しかし、それ以前の太古の時代、いわゆる縄文時代（狩猟民族の時代）は、同族だけが人で、他部族は畜生であり、敵であるという考えがありました。ところが弥生時代になって農耕民族が増え、これでは良くないという思想が芽生え、人は全て人として扱わなければならないという孔子の『儒教』の教えが導入されました。そして、この思想を実践した僧侶に忍性（１２１７～１３０３）という人がいます。この人は大和国の人で、若くして出家し律宗復興の先駆者となり、鎌倉の光泉寺の創建をはじめ社会奉仕に努めた人で、救貧救病所（療養所）を造り、らい病（ハンセン病）患者などの治療にあたり、80％を治癒させたと言われています。この時、儒教の教えと共に、薬草を使った治療をしていることから、医術も学んでいたということになります。

「医は仁術なり」と明確に言ったのは、明の時代の1554年に張果という人が医訓の序文のなかで使ったのが最初で、日本には1658年に導入され、「医はもとより仁術である」とされました。

その後、我が国で「医は仁術なり」という言葉が最も知られるようになったのは、貝原益軒(1630~1714)が、『養生訓』で精神・肉体両面から日常的健康法を説いたなかで記述し、広く愛読されています。正に医学史上の大人物である、貝原益軒大先生ですが、中津については、紀行文のなかで大変に都合の悪いことを残してくれました。

1694年の『豊国紀行』に「城は町の北、海辺に在りて天守なし」と書いています。また、司馬遼太郎は『街道を行く』で、この貝原益軒の「天守なし」を引用して紹介しているため、多くの人々に、「中津城には天守閣が本来なかったのに再建されている」「中津城に天守閣が造られているのはおかしい」と言われてきました。また研究者のなかにも同じ意見があり、論争となっていました。しかし、近年、著名な専門家が相次いで史実の根拠を揃えて、黒田官兵衛が中津城を造った当時から細川時代の途中までは間違いなく天守閣が存在していたことが証明されました。確かに、貝原益軒が訪れた時代や幕末の頃には、天守閣が存在していなかったことは事実ですが、黒田官兵衛が造った中津城には天守閣は間違いなくありました。

では、何故なくなったのでしょうか? 時代とともに城は山から平地に下りて近世城郭を築く時代となり、天守閣に重きが置かれなくなったのでしょうか? 徳川時代の『一国一城令』で小倉城との関係から、あえて天守を下ろしたのでしょうか?

さて、黒田官兵衛が秀吉から豊前6郡を拝領し、中津(丸山城)を拠点と決めて入国しましたが、もともと大友氏や宇都宮氏の配下にあった地域ですので、丸山城も大友氏の配下でした。しかし、明け渡しにあたり決して殺すようなことはしなかったと言われています。ただし、条件として、黒田氏に仕えるか、医者になるか、僧侶になるか、百姓になるか、商人になるかを自分で決めさせたと言われていますが、なかでも医者になる人が大変に多かったようであります。

四　大江医家の歴史について

大江家の本家は蛎瀬（かきぜ）であります。鷹匠町で代々医者をした大江医家も蛎瀬の大江一族の分家になります。大江氏は、もともと大友宗麟の目付で、大江備中守孝範という中津城の前身、丸山城の城主の一族であったと言われます。更に遡れば、この大江氏は、南北朝の頃（1300年代）足利尊氏など追討の征西将軍・懐良（かねなが）親王に付いてきて、それぞれが要職に残った人たちと言われることから、おそらく鎌倉などから親王を補佐してきた有能な武将だったと考えられます。

《参考》懐良親王
かねよし親王とも呼びます。
南北朝期の後醍醐天皇の皇子で、西国（四国・九州）を平定するため、天皇は懐良親王に征西将軍の称号を与え南朝方勢力の総師とし、足利尊氏などの幕府軍を長く苦しめました。
懐良親王は中津平野での激しい戦いにおいて戦死したとの伝承があります（関連史跡：錆矢堂）。

大江医家代々について簡単に説明しますと、初代・大江玄仙（1710～1792）範満・寿漢とも呼ばれ、長崎に留学し栗崎流外科学を学び栗崎流金瘡（きんそう）流外科学の免許状を取得。昌鹿公から九人扶持をもらい藩医となり23年間務めた。大江医家中興の祖と言われる。父は蛎瀬の大江五郎衛門範行。『中津バスタード辞書』の大江春塘と

大江玄明

は親戚筋にあたります。

《参考》栗崎流外科は、初代・栗崎道喜（1582～1665）が九歳でルソン（現フイリッピンの首都・マニラのある島で、当時はスペイン領で日本からも多く渡航していた）に渡り、外科学を修め36歳で帰国し、南蛮流栗崎流の開祖となった。

大江玄仙は、二代目・栗崎道喜に栗崎流を学んだが、同時期に川嶌道庵（川嶌整形外科病院理事長・川嶌眞人の先祖）も栗崎流外科を学ぶ。

二代・大江文明（1757～1812）は範茂・雲沢（初代）とも呼ばれ、100石9人扶持をもらい、藩医を30年間務めました。「医不仁之術　務欲為仁」を最初に言った人です。

本日のメインテーマであります「医不仁之術　務欲為仁」は華岡医塾大坂分塾（合水堂）に学び中津医学校初代校長を務めた『五代目大江雲澤の医訓』として大変に有名な言葉ですが、実は、最近の調査で、この言葉を最初に言ったのは、二代目・文明であることがわかりました。

三代・大江元泉（1768～1825）は範古・一伯とも呼ばれ、文明の弟で順養子となり家督相続。長崎に留学し二代目・吉雄耕牛（よしおこうぎゅう）のもとで整骨図、今の整形外科を学び『杏蔭斎正骨術名之目免許状』を吉原元棟から取得した（現存する日本最古の免許状）。表御医師10人扶持。

《参考》吉雄耕牛（初代）は、オランダ大通詞（通訳）で蘭方医学も修め、吉雄流外科を開いた。前野良沢の蘭語の師で、『解体新書』の序文を書いた。

四代・大江玄明（1799～1877）は範吉とも呼ばれ、面山と号した。藩医を25年間務めました。玄明は藩医として何回も江戸に上がっていますが、その時、華岡青州とは会っていたようです。ま

大江玄仙

大江医家史料館

た、1836年（天保7）に江戸参府の随行記録を遺しています。

五代・大江雲澤は（1822〜1899）範治・達義とも呼ばれ、1841年（天保12）華岡医塾大坂分塾（合水堂）に入門し、華岡青州の医術を青州の娘婿の準平に学び、藩医となる。『奥平藩臣略臣譜集録』には、「大江雲澤家　中津藩分限禄一高百石　御医師大江雲澤　藩医なるも気軽に細民の医療に応じ、時に貧して患家に米塩を給するなど奇特の行あり　巷間仁術の士として謳歌さる」と記されています。また、中津医学校の初代校長を務め後進の教育に尽力した。雲澤入門帳には「萩、秋月、阿波、肥後からも四十四名の入門者あり」と雲澤の医学者、教育者としての名声が記されています。雲澤の妻・イツ（逸子）は、村上医家八代目・村上春海（玄秀）の娘で、戸籍上は村上医家九代目・村上田長の姉にあたる。

大江雲澤の医訓として有名な「医不仁之術　務欲為仁」は、大江医家代々の家訓でもありました。

近年、医療技術が人を苦しめたり、殺したりする事件に巻き込まれる事例が発生していますが、雲澤は既にこのようなことが発生し得ることを予見し、「専門技術や知識の詰め込みだけではなく、人間性の教育も重視して育てる」という考えで、この医訓を大切にしたのではないでしょうか。

このことは、現代の医のリスクマネージメントの提唱者であったとも言います。

六代・大江億司。

七代・大江忠綱。

五　華岡医塾について

華岡青州（1760〜1835）により、旧来の漢方医学に新しい西洋医学の長所を取り入れた〝漢蘭折衷〟の医学で、特に麻酔薬の研究では、動物（犬猫）・人体（母・妻など）実験を経て全身麻酔を開発し、世界初の乳癌の摘出手術に成功した。この陰には、地域から犬の姿が消えた（実験に使われ）とも言われ、また人体実験では、母を亡くし、妻を盲人にする犠牲を払い麻酔薬の『通仙散』を開発しました。ちなみに盲人となった妻は、紀州の殿様の一番目の御仮屋（おかりや）となる大庄屋の娘でした。有吉佐和子の小説『華岡青洲の妻』などでも紹介され話題を呼びました。

華岡青洲画像
（村上医家史料館蔵）

華岡青洲は、紀伊（和歌山）平山村でオランダ医学を学んだ医師の長男として生まれ、京都に遊学し古医方派・吉益南涯（よしますなんがい）に、オランダ流外科を大和見立（やまとけんりゅう）に学び、平山村に帰郷し、家業を継いで日々の診療の傍ら麻酔薬の研究・開発に取り組み数多くの手術に用いて成功した。和歌山の片田舎の平山村に開かれた学塾・春林軒の門人は千有余名を数えました。また、春林軒には、入門規定、塾の掟、塾の罰則、卒業生の誓約書など細かに決まりがありました。

華岡青洲のモットーは「内外合一、活物窮理」、要約すれば、〝内科的に全身をよく観察して、初めて外科的処置を行なうべきである〟、〝生きている人間の身体は一人ひとり個性、特質が異なるものであるから、それをよく見極め、それぞれに合った治療を施さなければならない〟ということです。現代医療にも通じる医の原点ともいえます。

大江雲澤の医訓「医は仁ならざるの術、務めて仁をなさんと欲す」にも通じるのがあるのではないでしょうか。

大江雲澤は、華岡医塾大坂分塾（合水堂）で華岡青州の娘婿、華岡準平に学びました。

華岡青州の乳癌手術で使われた全身麻酔薬の主成分・マンダラゲ（別名チョウセンアサガオ）は、和歌山の地から大江医家史料館の薬草園にも移植され〝マンダラゲの会〟によって立派に育っています。

《参考》華岡医塾は華岡青州の死後、華岡良平（青州の弟鹿城）に引き継がれ、更に華岡準平（青州の娘婿）に、そして二代目華岡良平（良平の四男・積軒）へと継がれた。大江家に残されている華岡家からの手紙三通（華岡準平⇩大江玄明・華岡準平⇩大江雲澤・華岡良平（積軒）⇩大江雲澤）から大江家と華岡家の親密な関係や塾生としての雲澤に対する気遣いが読み取れます。また、雲澤は華岡準平に師事し、他の中津の人たちは二代目良平に師事したことがわかります。

《参考》福澤諭吉は20歳の時、大坂の緒方洪庵の適塾に入門し、2年後には塾長となったが、著書のなかで、大坂には適塾があり、蘭学では何処にも負けないが、医術は華岡塾が最も優れているので、もし自分が病気になったら華岡塾に行くということを書いています。緒方洪庵は当代髄一と言われた医者ですが、それでも特に外科系については圧倒的に華岡塾が優れていたということを裏付けるエピソードです。

《参考》前野良沢とともに『解体新書』の中心的役割を果たした杉田玄白も華岡青州の医術の素晴らしさを率直に認め、相当な高齢にも関わらず「自分がもう少し若ければ学びにいきたいが、それも叶わないので息子を頼む」という趣旨の手紙が残っています。その杉田玄白の息子（杉田立卿）は１８１３年に乳癌の手術に成功しています。

《参考》〝大江風呂〟は、大江家の薬草園で採取された薬草を利用した薬湯で、大分県が正式に許可したものとして、中津市内桜町にあった。大江雲澤も華岡青州と同じように蘭方外科のみならず漢方との折衷派であったことを証明するものです。今、〝マンダラゲの会〟が薬草園で育てた薬草で毎年秋に〝平成の大江風呂〟を楽しんでいます。

七　リスクマネージメント
（医療活動に伴う様々な危険を最小限に抑える管理運営方法）

現代の医療は昔と違い、ある程度危険な手術をしたり、制癌剤の投与などいくらかリスクのある医療行為をしなければ患者を治すことはできません。（患者の要望・要求に答えられない）そのためには、それなりの副作用が伴うことになります。

㈠　欧米の医療安全対策

1999年、米国医学院報告によれば、米国の医療事故は、死因の4位〜9位を占め、毎年4〜9万人が死亡していたことから、時のクリントン大統領が医療事故の減少を宣言し国をあげて取り組んだところ、5年間で半減に成功しました。具体的対策としては、『リーダーシップ』『報告制度』『標準化』『施設での執行』でした。

そこで日本も医療事故の減少に取り組んでいこうという風潮にあります。

㈡　中津の産婦人科医問題

福島大野病院事件と大江雲澤の医学思想

最近になって、やっと中津市民病院の産科が再開され、少し安堵している市民も多いことと思います。お産を中津市内でするとすれば、開業医一軒という非常事態が続いていました。また、このことは看護師の養成（ファビオラ看護学校）の実習ができなくなるということでもあり、正に非常事態でありました。この産婦人科医の問題は、365日、24時間臨戦態勢を確保しなければならないという産科の超過酷な勤務等々、慢性的な産科医不足もありますが、この産婦人科医不足、産院不足に拍車をかけて決定的にしたのは、ある事件がきっかけでした。

福島県立大野病院で2006年、帝王切開時の癒着胎盤手術を担当した医師が1年半後に突然逮捕された事件です。

本来、通常の医療行為そのものが人間の生命に直結した危険性を伴うものであり、そのことを十分に自覚し、最善を尽くしているにも関わらず刑事責任の対象にされては、リスクの高い患者からは遠ざかり、また産婦人科や外科系、小児科、救急科などは敬遠され、医師が存在しなくなってしまうことは明白です。

世界の先進国では通常の医療行為で、賠償責任など（民事責任）はあっても刑事責任を問う事例は、悪質な例外を除きありません。

しかし、大江雲澤は、今日の展開を予見していたのかも知れません。

「医は不仁の術、務めて仁をなさんと欲す」と述べ、医術そのものに大きな危険性が伴うものであるから、医師は全力を挙げて勉学し、情報を集め、臨床経験を積まなければならないことを医師養成の基本哲学にしています。

正に医のリスクマネージメントの提唱者であったのではないでしょうか。

大分大学の医学の殿堂に前野良沢、福澤諭吉と並んで、この度、大江雲澤が掲げられることとなりました。医学を志す人たちは必ずここを通り大江雲澤の業績・医訓をこれからの医学に活かしてくれるものと思います。

大野病院の医療事故に対し、福島地裁が無罪判決を下したことは、医療崩壊に、取りあえず堰堤ができたことであり、ようやく一筋の明かりが見えてきました。

大江雲澤もほんの少しだけ安堵したのではないでしょうか。

2013年（平成23）6月26日　講演

3　辛島正庵と種痘

はじめに

私たちの住む豊前中津を語る時、蘭学の話なしに語ることはできません。日本における蘭学の幕開けともなった江戸中期の前野良沢から福澤諭吉の時代、更にその精神を引き継ぎ近代日本への歴史的転換期に、この中津からは数多くの傑出した人物を輩出しています。世界の国々が驚くスピードで近代化を果たした日本でしたが、その影には中津の先人たちの蘭学が大きな役割果たしました。

初代・辛島正庵

2009年に発刊された『九州の蘭学』（ヴォルフガング・ミヒェル九州大学教授、鳥井裕美子大分大学教授、川嶌眞人共編）は、江戸前期から幕末までの九州出身者あるいは九州で活躍した蘭学者（外国人を含む）の評伝集です。数多くの蘭学者のなかから特に59名に絞り、その業績などを紹介したものです。この59名のなかの11名が大分県関係者で、その内の10名までが中津の先人で占められています。

それぞれ素晴らしい業績を残した人たちで、個々の紹介は後ほど致しますが、本日は、このなかから、江戸後期の蘭方医で中津藩医を勤めた辛島正庵を中心とした中津藩の〝種痘〟の話を致します。

一　世界の医学史

(一)　アスクレピオスの神殿

医の神アスクレピオスを祭った神殿に、患者を呼び寄せて神官が宗教的な雰囲気のもとで暗示療法や簡単な外科手術をしました。ギリシャには当時の神殿跡が各地に残っています。

〝医学の父〟と呼ばれるヒポクラテスの父親は、この神官であり医者でした。

㈡ ヒポクラテスの誓い

医師の職業倫理を述べた誓文で、能力と判断力の限りを尽くし全力で患者の命を救うために努力します。

医師のモラルの最高指針とされ、現在でも世界の主要な医療関係の入学式や卒業式で誓いとして使われています。

㈢ ヴエサリウスの解剖

イタリアのパドヴア大学のヴエサリウス（１５１４～１５６４）は、〝解剖学の創始者〟と言われ本格的な解剖をし『人体構造論』を残しました。この時代のヨーロッパの考え方は〝死体〟は既に人間ではなく単なる〝物〟と解釈され、人体解剖を「アナトミーシアター」（解剖劇場）と称して、多くの市民の前で実施していました。欧米と日本の倫理感の違いが、今でも臓器の提供や移植の考え方に大きな違いを生じています。

㈣ レオナルド・ダ・ヴィンチの解剖

ルネッサンスの巨匠と言われるレオナルド・ダ・ヴィンチ（１４５２～１５１９）の絵画は『モナリザ』や『最後の晩餐』などに代表されるように、今にも画面から飛び出てくるような、あたかも生きているように写実的です。これは解剖学に裏付けされていなければ表現できないものです。ヴエサリウスの少し前の時代ですので、まだ人体解剖が簡単に許可されていなかったため、ダ・ヴィンチは転居を繰り返し誹謗中傷と闘ったようです。５００年後に英国王室から、30体以上の人体解剖による千枚にも及ぶ解剖図が発見され解剖学に裏付けされたものであることが証明されました。

二　九州の蘭学と中津の医学史

２００９年に『九州の蘭学』という本を、ヴォルフガング・ミヒェル九州大学教授、鳥井裕美子大分大学教授と私（川嶌眞人）の共編で発刊しました。この時代に活躍した蘭学者はまだまだ数多くいますが、そのなかから特に59名に絞り業績などを紹介したものです。人選にあたっては、主にミヒェル教授と鳥井教授に白紙的にお願いをし、間違っても手前味噌とは言われないように配慮し選んだ59名の偉人の評伝集です。このなかに10名もの中津の先人が選ばれていますが、この10名以外にも数多くのパイオニア的人材を輩出しています。

本日は、中根忠之さんがお見えですが、中根さんは中根家十四代で先祖は、初代は織田信長の弟で、後に岡崎の徳川譜代大名本多家の家老を勤めた由緒ある家柄ですが、忠之氏の祖父にあたる中根時雄氏（中根家十二代）は、明治23年、東京の医学専門学校を卒業し、縁（実姉が中津在住であった）あって、中津（耶馬渓）で開業された人ですが、縁があったというものの当時の中津の医学の名声は中央まで知られていたのではないでしょうか。この中根医師は明治・大正・昭和にかけて耶馬渓町口の林（耶馬渓高校下の集落）で開業し医師会でも活躍された方ですが、開業当時には大江雲澤先生も健在で当時の医師会名簿には長老格の雲澤先生と若手バリバリの中根医師のお二人が名前を連ねています。この中根医師は大変貴重面に当時の医事史料を残しておられ、現在の十四代中根忠之氏に引き継がれています。そのなかには１９１８年（大正7）のスペイン風邪（インフルエンザ）が大流行した時に徹夜で治療にあたった様子や学校の休校なども克明に医事日誌に残されています。

さて、九州の蘭学を代表する中津の10名を簡単に紹介しますと、

①　前野良沢は、中津藩医で蘭学の開祖と言われ『解体新書』の実質的な中心人物であること

は、解体新書の序文を書いた大通詞・吉雄耕牛の文面からも明白です。竹笛〝一節截〟の名手でした。

②村上玄水は、村上医家七代目で、九州初の人体解剖を行ない詳細な解剖記録を残しました。

　この時代の解剖は、医師が直接執刀するのではなく解剖人が解剖した臓器などを観察するのが医師の仕事でしたが、この時は医師が直接執刀した全国で2例目の解剖とも言われています。

③奥平昌高は、第五代奥平中津藩主で、蘭学大名の異名をもち、和蘭辞書『蘭語訳撰』と蘭和辞書『中津バスタード辞書』を刊行しました。また、シーボルトの日記に最も多く登場する人物名とも言われます。

④神谷弘孝（源内）は、前野良沢の門人で、中津藩医を勤め昌高公の側近医師となり、『蘭語訳撰』（和蘭辞書）を編纂しました。また〝一節截〟の継承者でもありました。

⑤大江春塘は、大江医家の大江雲澤たちの家系と家祖を同じくし、中津藩医を務め昌高公の側近医師となり、『中津バスタード辞書』（蘭和辞書）を編纂しました。村上玄水とは同時代の人で、二人は〝大家と巨匠〟と呼ばれ当時の中津の医学界の双璧でした。

⑥大江雲澤は、大江医家五代目で華岡医塾（大坂分塾）で学び、中津藩の御典医を務め、中津医学校の初代校長となりました。「医不仁之術務欲為仁」（医は仁ならざるの術、務めて仁をなさんと欲す）の言葉は中津医学校長時代の有名な医訓で、教育者としても今日に通じる医学思想を残しました。

　大江医家史料館の薬草園には、和歌山の華岡医塾縁の地から移植されたマンダラゲ（朝鮮朝顔）等々沢山の薬草が〝マンダラゲの会〟により育てられていて、秋には薬草風呂で効能を楽しんでいます。

⑦藤野玄洋は、大坂の緒方洪庵の適塾で学び、

更に長崎医学校や大坂医学校で学び、中津医学校付属病院長となり、後に下関の月波楼医院を設立した。月波楼医院は後に料亭春帆楼となり、日清戦争の講和条約の談判会場となって歴史に名を刻みました。

なお、玄洋の父（藤野啓庵）は、辛島正庵たちが種痘を普及させるため嘆願書を連名で出した時の町医者の一人でした。放浪癖のある玄洋でしたが妻のミチと市内安全寺に眠っています。

⑧ 田代基徳は、緒方洪庵の適塾で学び、江戸医学所や東京医学校（東大医学部の前身）の教官を勤め、軍医療に転進し陸軍軍医学校長となり、〃近代医学の先駆者〃と言われます。なお、東京大学の初代整形外科教授で〃日本整形外科の父〃と言われる田代義徳は養子で娘婿です。

今年春の「マンダラゲの会」では研究者による講演会も予定しています。

⑨ 福澤諭吉は、日本を代表する啓蒙思想家で教育者ですが、長崎で蘭学を学び緒方洪庵の適塾で更に蘭学を勉強したことが後の福澤諭吉を育てるはじまりです。杉田玄白の苦心談『蘭東事始』を『蘭学事始』として出版しました。また『解体新書』の舞台となった中津藩江戸屋敷は、後に慶応義塾発祥の地となりました。

⑩ 最後の辛島正庵は、中津藩医で中津藩の種痘の研究、普及の中心人物です。後ほど詳しくお話をいたします。

三　今日も続く感染症との闘い

感染症との闘いは、今日も世界中で続いております。インフルエンザ（スペイン風邪）では１９１８～１９１９年（大正7～8）世界中に猛威を振い4千万人の人が亡くなったと言われ、日本でも38万人が命を落としました。その時のことを裏付けるように、先程紹介しました耶馬渓の中根医師の日誌にも不眠不休で治療にあたった貴重な記録が残されています。感染症との闘いは、今日でも余り変わりなく続いているのが実態です。

近年では、肺炎球菌による肺炎で重症化する人が特に高齢者に多くなって死因の3位にまでなっています。この肺炎に関しては有効なワクチンが開発されて、ワクチン接種により5年間有効とされていますが、このワクチンでも完全というわけにはいきませんが、非常に有効であることは確かで接種が勧められています。（90種ほどある肺炎球菌のうち発症頻度の高い23種の菌が対象となっている）ヨーロッパの先進国では普及が進んでいますが、日本では補助の対象になっていないため普及が遅れていました。しかし、近年は7千円の負担で5年間、非常に有効なワクチンということから普及が進んできました。公的補助金の対象にして普及のスピードを上げるよう国に働きかけているところです。

ポリオは、日本でも１９６０年頃から大発生が続いていましたが、世界中のロータリークラブが先頭に立って撲滅運動に取り組みワクチンによって激減していました。しかし、近年アフリカなどの戦争の影響からポリオが勢力を盛り返しているため、また撲滅の支援に取り組んでいます。感染症は撲滅させない限り、少しでも残っていると何かの条件が揃うと必ず大発生します。ノロウイルスは、現在あちこちで発生し死亡も出ています。特に老健施設では非常事態で部外との接触をシャットダウンするなどしてウイルスの侵入予防に神経を尖らしています。もしお年寄りを喜ばそうとして持ち込んだ好物のお寿司でウイルスが施設内に持ち込まれますと一気に拡大して大変なことになります。あるホテルで起きた事例では、ノロウイルスに罹った客が嘔吐した汚物の片付けに掃除機を使用したためウイルス菌を撒き散らすことになり大変な事件となりました。

インフルエンザにしろノロウイルスにしろ感染症の特効薬はなく、感染症との闘いの状況は医学の進歩した現在でも何ら片付いていません。ただ唯一、片付いたのがこれからお話します天然痘で、この天然痘だけは完璧に絶滅させました。これは人類とウイルスの闘いの歴史といえます。

四 天然痘（痘瘡）

天然痘は疱瘡とも言います。天然痘ウイルスによって起こる急性伝染病で、その歴史は古く、紀元前1157年前のラミレス五世のミイラの顔のなかに天然痘（痘瘡）の跡が見られることから、天然痘撲滅は人類永遠のテーマであったことがわかります。この天然痘はどこで発生したかと言いますと、元はインドであったようです。ここから色々な経緯を経て6世紀頃シリアやアラビア・エジプトを経由してヨーロッパに、更に10世紀には十字軍の移動、更にはノルマン人の移動など、人の移動で世界中に広まっていきました。

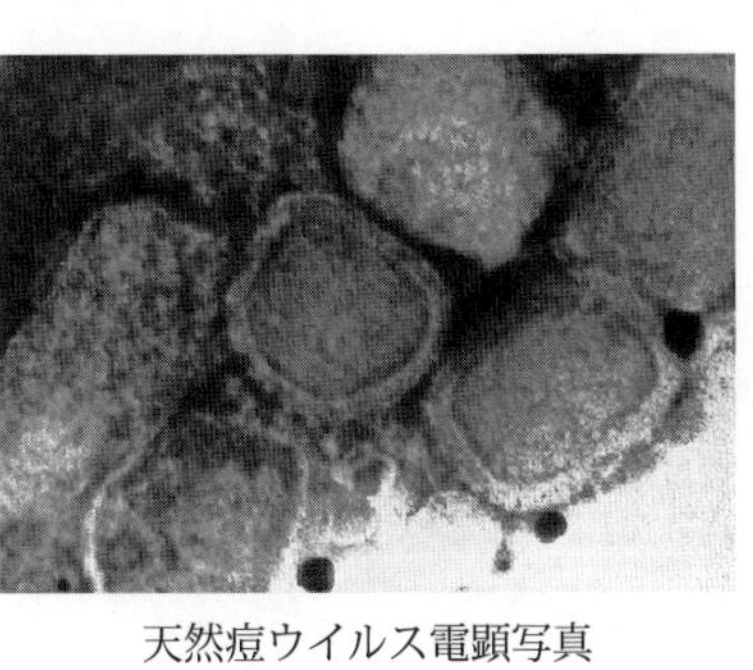
天然痘ウイルス電顕写真

当時の天然痘の死亡率は25％とも言われ、極めて恐ろしい病気で有史以来、人類に多大の恐怖と惨禍を与え続けてきました。ところが、英国のエドワード・ジェンナー（1749～1919）の牛痘接種によって人類がウイルスを絶滅させるという快挙を成し遂げることができました（1979年10月26日、WHOが天然痘根絶宣言）。

五 日本の天然痘（痘瘡）の歴史

我が国の天然痘は、中国経由で仏教の伝来552年、百済の聖明王が仏像と経典を献上）とともに流行したことが記録されています。人の交流のなかで発症し流行してきたことはヨーロッパなどの歴史と変わることはありません。その後も敏立天皇の時代、天平の時代と流行した記録が残されていますが、737年（天平9）には聖武天皇の后、光明皇后の兄の藤原四兄弟が天然痘で命を落としています。その後も天然痘はたびたび流行し、天皇も数多く命を落されています。そのため年号がたびたび改元されています。

種痘が行なわれ出した近世でも1876年（明治9）～1979年（昭和54）までの104年間の統計でも患者337、776人中92、018人が死亡（致命率27・24％）するという大変に恐ろしいものでした。1795年（寛政7）、上杉鷹山の米沢藩の記録では、患者が8、389人で死亡、2、064人で実に藩の人口の20％が死亡したことになります。

徳川将軍15名中6名（家光・家綱・綱吉・家治・家斉・家慶）が罹患したが平癒したと言われます。独眼竜・伊達政宗の片目の失明も幼の頃の天然痘に起因するとの説もあります。歴史上の人物では、その他にも家光の乳母・春日局、源頼家、源実朝、北条時宗、淀君、豊臣秀頼、新井白石、頼山陽、夏目漱石などが知られています。一方、外国人でも、ジョージ・ワシントン、リンカーン、モーツァルトなどが知られています。天然痘は平癒しても痘痕（あばた）が残ることから、顔の絵や写真などからその痕跡を見ることができます。耶馬渓出身で日本を代表する大実業家・朝吹英二は幼少に天然痘に罹り、運良く平癒したものの顔の痘痕は相当にひどかったようです。日本人の3分の1くらいは天然痘に罹り、2割5分から3割の人が亡くなったのではないでしょうか。

種痘による予防法が普及しても、根絶までには長い年月を要したわけですが、この間も最後は神頼みしかなく、住吉大明神が天然痘の神様となっていたようです。海、山に人形を捨てるという儀式を行ないます。

中津藩の医師・香月牛山は天然痘が胎毒と気象的因子とが相乗して発症するという説を唱え、「米糠の汁に酒と鼠の糞を加え沸騰させたもので沐浴させると良い」と医学書のなかに書いています。中津藩の名医の一人にしては、とんでもないことを書いていますが､それほど難病だったということでょうか。

一方では、赤い色が天然痘を退治するというので､赤い着物を着せました。60歳のお祝いに赤のチャンチャンコを着ますが、そこからきています。赤色が魔物を退治するという道教の思想からきているのです。宇佐神宮の鳥居や神殿などに赤い色を用いるのは魔物を退治するということに由来します。

中津の大新田の白髭神社は、天然痘を治す神様と言われ、天保6年の町役人の日誌『惣町大帳簿』の記録では、藩主が天然痘の祈祷を命じ、祈祷後のご洗米を天然痘封じとして藩内に配付したとあり、中津でも天然痘の流行に苦慮していた様子がうかがえます。

鍋島には痘瘡神社がありますが、ここでも痘瘡神にすがるほかないということで祈祷をしていたようです。

橋本伯寿は1810年（文化7）、『断毒論』を著し、天然痘は伝染病であることを論述し、隔離の必要性、看護人の特定を称えたことは先見の明があり、正に正論ですが、残念ながら行き着くところは患者を捨てる以外にありませんでした。福澤諭吉の親友で明治政府の医務局長となった長与専斎は『旧大村藩種痘之話』（1902）のなかで痘瘡患者は山中に隔離され、10人中7、8人は野垂れ死にさせていたと、悲惨なこの世の地獄について記録しています。

前野良沢の数少ない弟子で、一の弟子と言われる大槻玄沢（1757~1827・仙台藩の侍医）は、初孫を天然痘で亡くし、医者であるのにどうして助けられなかったのかと悩み、蘭学者として長崎に出入りする度に、天然痘を助ける方法はないものかとオランダ人に西洋の新しい情報の入手を質問していたようです。そこで「ヨーロッパでは既に後の種痘と同じようなことをしているらしい」という情報を得ます。しかし、この時はジェンナーの牛痘接種が世に出る前ですので種痘ではありません。天然痘に罹った患者のなかで治癒に向かっている患者の瘡蓋（かさぶた）を接種（塗り付ける）方法でトルコ式人痘種痘法があることを知ります。この方法は、いうなれば研究段階の動物実験みたいなもので、助かる人もいましたが、天然痘に罹って死ぬ人も沢山いました。当然日本では導入されていませんでしたが、大槻玄沢は1813年（文化10）『接痘編（せっとうへん）』を出版しています。

一方、中国にも中国式人痘種痘法があり、天然痘患者の着た衣服を着せて感染させたり、痘痂を粉末にして鼻腔内に入れたりしていました。

日本でも中国式人痘種痘法は、秋月藩の緒方春朔という医者が瘡蓋を粉末にして鼻腔内に吹き込む方法（人痘種痘）を広めました。5年間に400名も種痘を行ない全国的に相当な広がりをみせますが、当時の幕府の専門医は不安定で危険なことから普及に異論を称えています。また、英国でも1804年まで人痘種痘がされていたようです。

しかし、人痘種痘は助かる人がいる反面、命を落とす人も少なくなく、場合によっては天然痘が大発生する危惧もあります。当時は天然痘が何によって伝染するのか皆目わからないわけで、当然ウイルス菌など知る由もなく伝染病のなかでも極めて高い死亡率の恐怖に脅えていましたので、ありとあらゆる可能性に賭けること以外なかったのでしょう。

六　エドワード・ジェンナーと種痘

ジェンナー（1749〜1823）は、英国の牧師の子として生まれ、ロンドンで医学を修めました。ある時、乳牛の乳搾りたちが牛痘(牛の天然痘)に感染すると、それ以後は人の天然痘に罹らないという話を耳にし関心をもっていました。長年注意深く調査して、その言い伝えが間違いないことを確信しました。1796年5月14

加藤四郎（大阪大学名誉教授）著『ジェンナーの贈り物』より

日、牛痘に感染した乳搾りの膿を、ジームス・フイップス少年（8歳）に植えると、感染が起こり、間もなく治癒しました。更に、この少年に天然痘を接種しましたが感染せず、更に試みましたが感染しないことが確認され、人類史上の大発見となった世界最初のワクチンの誕生となりました。

しかし、この世紀の大発見も簡単には受入れてもらえず、1798年、学会誌に発表しようとしますが批難囂々で、「牛の菌を植えると牛になる」とまで言われ、受理されずやむなく自費出版し、その後米国に渡り、米国で大いに評価されます。英国でも時とともにその真価が認められ、1802年には英国議会もその効果を認め、1万ポンドの研究費を交付し公的にも高く評価されました。

七　牛痘苗の伝来

我が国の牛痘種痘の導入には、大きく分けて越前計画と佐賀計画に分けられます。

越前計画は、福井藩が清国から牛痘苗の輸入を図ったものの失敗に終わります。

佐賀計画は、佐賀藩主・鍋島閑叟直正という幕末の名君の一人で、この素晴らしいリーダーがいたお陰で苦労の末、牛痘の種痘に成功します。佐賀藩は1848年（嘉永元）、オランダ商館の蘭医・モーニッケを通して入手した牛痘漿で種痘を行なったが、既に効力を失っていたため成功しなかった。1849年（嘉永2）、再度、モーニッケ医師はバタビアの医務局主任であったボッシュに依頼して牛痘漿と牛痘痂を入手し3人の子供に種痘を行ない、一人が善感したため、藩主の世子にも行ないました。この成功が引き金となり全国に普及されました。

（シークレット記念館蔵）

佐賀藩の種痘で中心

になり活躍したのが、通詞、医師の名家で楢林医家の楢林宗建です。実は、最初は宗建の兄・栄建が種痘に取り組んでいましたが成功するまでに至らず、弟の宗建に託し、兄の栄建は京都の医者になります。最初に種痘を試みた3人は楢林宗建や関係した通詞の子供たちでした。そして一応の成功は確信したものの、まだまだ不完全な状況のなかで藩主が世子を命懸けの実験台に使って種痘の有効性を実証し、全国に痘苗を分け普及を図った佐賀藩主・鍋島閑叟直正が日本の種痘元年の最大の功労者といえます。

従って、1849年（嘉永2）という年は、日本における本格的な種痘の元年ということになります。この年の7月24日、長崎の出島において佐賀藩が日本最初の種痘を行ないました。この時には、7月20日に長崎から各地の医師に種痘菌を分苗する由の通達が出ていましたので、通達が出される前に「長崎に種痘菌がくるぞ」という情報は入っていたのでしょう。中津藩も既に3月には辛島正庵を筆頭に10名の医師たちを長崎に派遣しています。

中津藩が種痘を実施した日は特定されていませんが、佐賀藩の情報、呼び掛けに真っ先に駆けつけたのが中津藩ですので、佐賀藩が実施して間もなくと言われることから、7月から12月の間と言われています。また、山国の中摩の町医者・村上枯南もこれからさほど日を置かずに独力で種痘に成功しています。

全国各地に普及されるなか、当然江戸にもその情報は伝わり、漫画家・手塚治虫の曾祖父・手塚良斎、本間玄調、大槻俊斎たちが普及しようと試みますが、幕府の責任者である池田瑞仙の大反対によって受入れられず、江戸では闇で実施されていたようです。幕府が正式に種痘を承認したのは、中津より9年遅れて1858年に伊東玄朴が、お玉ヶ池種痘所で行ないました。ここは1860年、幕府直轄の種痘所となり、更に西洋医学所と変わり、やがて東京大学医学部になります。このお玉ヶ池種痘所は580両の金を個人（民間）が出して設立されたものです。丁度その時期に十三代将軍・徳川家定が重病になり漢方医が総力をあげて治療にあたりますが、治らないため幕府は伊東玄朴に何とかしてほしいと懇願します。その時、玄朴は「蘭方医（西洋医学）は科目ごとに専門医が必要なので最低10人の医者がいないと将軍の治療にはあたれない」と言って、蘭方医の御典医を増やすことを条件にさせます。このことにより蘭方医を一気に増強して最初にしたのが種痘で、一気に天然痘を減少させることに成功したため、漢方医と蘭方医の立場が逆転することになります。

一方で、お玉ヶ池種痘所は西洋医学所となり漢方の医学館を圧倒し初代頭取・大槻俊斎、二代・緒方洪庵、三代・松本良順と続きます。そして本郷に移し東京医学校など名を変え東京大学医学部へと発展していきます。

種痘の研究、普及が出発点となって蘭学、医学の発展へと繋がっているのは江戸だけではなく、中津においても同じであります。

桑田立斎（１８１１～１８６８）は、北海道開拓のなかで原住民のアイヌ人にも天然痘が出ていることを知りアイヌ人にも種痘をした人です。その時に痘瘡絵や子守歌で接種の普及を計りますが、反対勢力の漢方医たちに「牛の菌を植え付けられると牛になる」と喧伝されたりしたそうです。そのためお米やお菓子で子どもを集めて種痘をしたりして苦労したようです。中津においても基本的には同じ状況でした。立斎は、１８４９～１８５８年に１７、０００人に接種しました。

緒方洪庵（１８１０～１８６３）は、最初、人痘種痘をして死なせて悔やんでいた矢先に、長崎の牛痘種痘成功の情報を得ますが、種痘苗の入手に苦慮していた時、湯布院出身の日野鼎哉（ひのていさい）（1797〜1850）経由で越前松平藩の蘭方医・笠原良策から大坂の除痘館で分苗し普及します。これらの普及には分苗するため必ず子供を連れて遠隔の地まで行っていたわけですから大変な苦労を伴いました。この緒方洪庵は福澤諭吉の師でもありますが、除痘館で医師たちを集め無料で種痘を普及させます。さすがの幕府も知らない顔はできず除痘館を幕府がやるようになります。医師には免許証を発行し、この者だけに種痘をさせました。中津でも同様でした。

《参考》バタビア：インドネシアの首都ジャカルタのオランダ領時代の名

実はこの越前計画では佐賀計画の前に牛痘種痘に取り組んだ人物がいます。陸奥国北郡川内村の中川五郎治という人物で、1812年（文化9）ロシアで幽囚生活を送った折り（エトロフ島の番人小屋勤務中にロシア人に捕まった）、牛痘種痘法の実際を学び帰国時に『種痘書』を持ち帰り、1824年、接種を施したが普及するまでに至りませんでした。ただ、当時、日本を代表する通詞の一人で、『中津バスタード辞書』の編纂にも関わった馬場春男が書いた本でも紹介されています。しかし、中川五郎治という人物像も余りはっきりしませんし、金儲けのためにしたという説もあり、また牛に自然に発生する痘瘡であったのではないかという説もあり、これは普及しないままに終わりました。

八　シーボルトと蘭学

シーボルト（1796〜1866）はオランダ商館の医師として来日した人です。彼はドイツの名門の出身でドイツの大学を出てオランダに行き、蘭領東印度陸軍病院外科少佐という肩書で長崎の出島の医師として来日した人物です。医学、動物学、植物学、地理学、博物学と多彩な学者で多くの門下生を日本で育て、また、多くの日本の情報をヨーロッパにもたらしました。中津の殿様・奥平昌高公との親交も深く、昌高公はシーボルトとの親交をより深めるため45歳の若さで家督を譲ったとも言われます。

　１８２３年、来日し１８２８年に帰国の際、荷物のなかに国禁の日本地図が発見され国外追放となりましたが、１８５９年、再来日し幕府の外事顧問を勤め１８２６年に帰国しました。

九　辛島正庵と種痘

　中津で種痘に最も深く関わった医師として辛島家の一族がいます。辛島家は代々医師の家系であり当主は辛島正信氏で耳鼻科をされています。家系図が紛失しているため家系の詳細はわかりませんが、菩提寺の大法寺の太田全士住職の協力により辛島家に残されている初代・辛島正庵の肖像画と経歴を記した掛け軸によって、これまで知られていなかったことが判明しました。


　これによりますと、初代・正庵は宇佐郡辛島村の出身で本姓を漆嶋（うるしま）と言い、１６９９年（元禄12）、21歳の時に小倉藩小笠原侯の医官・平田道巳のもとで医術を学び、１７０１年（元禄14）、京都に遊学、更に長崎で蘭方瘍科を学びんだ。１７３９年（元文４）、61歳で侍医となりました。これからすれば、１６７８年（延宝６）の生まれとなります。

　そして、１７４６年（延享３）に68歳で家禄を玄桂（二代目）に継承しました。四代目は三輪家からの養子で長賢（１７４６～１８１９）と言い、字を一貫、号を静斎と言いました。（侍医三輪東庵の第三子）１７６６年（明和３）７月、表御医師３人扶持を賜った。藩命により江戸藩邸の医官・山辺文伯（当時、既に西洋式産科学を紹介）に産科を学び、１７７３年（安永２）、近習医師となる。１７７６年（安永５）10月に家督を継ぎました。

　五代目が辛島長齢（１７７９～１８５７）、字は正庵、東郷、東作、号は蔵春、蕉庵、東渓と言いました。この人物が日本における種痘元年と言われる

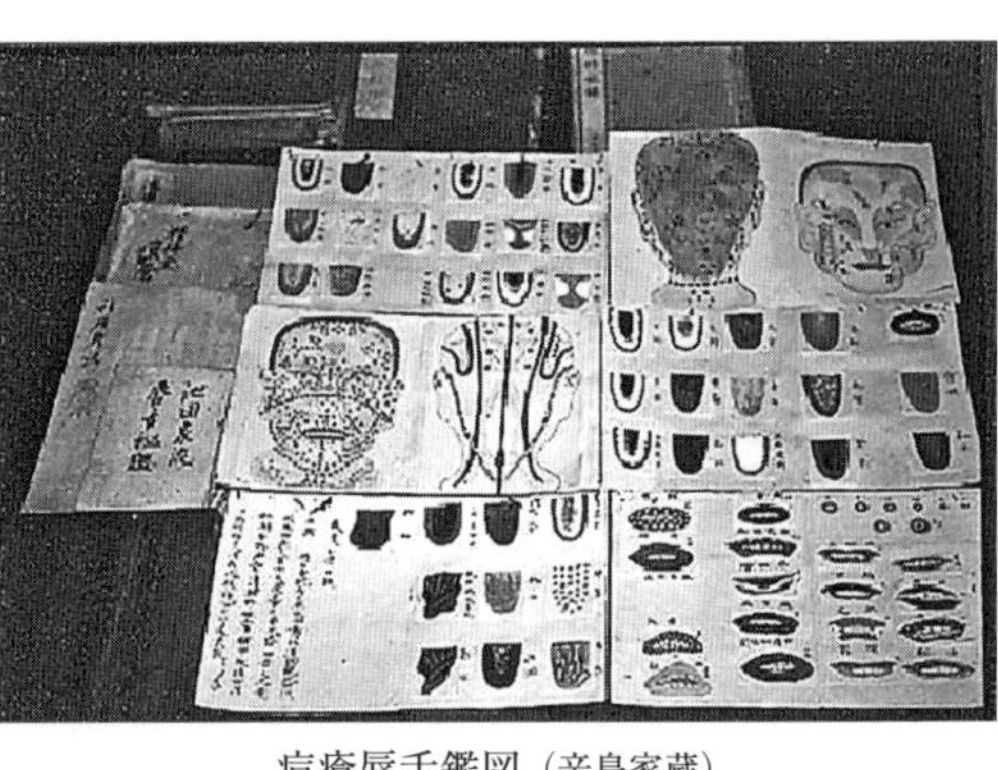
痘瘡唇舌鑑図（辛島家蔵）

1849年（嘉永2）に長崎から中津藩に種痘の苗と技術を持ち帰り接種に成功した中津医師団の最高顧問とでも言える人物で、この長齢（正庵）は長男の章司を1806年（文化3）、6歳で痘瘡で亡くしています（大法寺の智水童子の墓に記録されている）。そのショックから痘瘡の書を集め、10人位の医者で種痘の勉強会をはじめています。最初は人痘の研究をしますが、人痘は危険だということから、天然痘の病理について勉強会をしていたようです。そのことは辛島家から中津市に寄贈された500冊の書籍から判明しました。

長齢（正庵）は実子の章司が天然痘で亡くなったため養子・長徳（1806~1845）をもらい岩国の中村一安の所に送り、明の載曼公が池田家に伝えた『痘瘡唇舌鑑図』などを入手しています。これは大変に貴重なものですが、中国式人痘種痘法ですので、残念ながら岩国の池田家では、この医術には大反対でした。なお、痘瘡関連の図書として辛島家からは、『痘科辧用』、『痘瘡新論』、『痘疹金鏡録』、『池田家秘書痘疹戒草』などが発見されました。

一方、この頃、幕末江戸三大蘭方医の一人と称される坪井信道が中津を訪れ、辛島家で宇田川玄真の『医範提綱』を見て蘭方医になる決心をしたということが、信道の日記に記載されています。

この長徳が六代目を継ぎ、号は泰庵と言い、1835年（天保6）、御目見得医師、1837年（天保8）に表御医師　召出三人扶持となり、1843年（天保14）に御近習医師となりましたが、40歳で死去しました。

七代目の辛島春帆（1818~1859）は、種任、丈庵、正庵とも言います。この人は、日田の相良文教の弟で、辛島家に養子として迎えられます。広瀬淡窓の咸宜園の都議（熟頭）を務め、1846年（弘化3）に辛島家の家督を継ぎました。

1848年（嘉永元）、御朱印を頂戴し、1849年（嘉永2）、年老いた養父・長齢（正庵）の命を受け9人の医師とその子供を連れ長崎で中津藩最初の種痘を行ないました。この時同行した医師として西周哲、横井玄伯、神尾雄策、藤野東海（啓庵）、藤本玄泰、小幡竜州、松川清庵、原岡平泉、久松方庵がいました。そしてこの時には、それぞれの子供を同行させていますので、情報としてモーニッケ医師の牛痘苗がそろそろ長崎に入りそうだということを把握していたのではないかと推測されます。

この年の12月に医師団の神尾雄策、藤野東海（啓庵）が藩主・奥平昌服に種痘許可の請願書を提出しました。この時の中津藩の対応がすごいのは、直ちに許可を出しています。幕府などは何年もかかってやっと許可したことを考えれば、中津は藩も医学者も時代の先端をいく知識と考え方を持っていたといえます。中津藩『惣町大帳』（町屋の記録）によれば、「長崎から持ち帰った病苗を藤本玄泰、久松方庵という2人の町医者が自分の子に試みたところ善感したので、無料で生後3カ月以上の子供に実施させてほしい」というのが請願書の内容でした。

1861年（文久元）2月、村上玄秀、西千枝、神尾雄朔、藤野東海、藤本玄袋、原岡平泉、久松方庵らが中心になって、種痘を行ない医師の教育をも行なう医学館の設立が提案されました。

種痘の成功に感謝した小幡省吾、小松儀兵衛など多くの住民がお金はもとより、石屋は石を畳屋は畳を寄付し、ついに上勢溜（かみせいだまる）に医学館が建設されました。福澤諭吉は多くの医書を寄贈したと言います。この医学館から耶馬渓、本耶馬渓（屋方）や宇島等々の医者にも苗を分けて普及に務めています。廃藩置県時の272藩のなかで独立した医学校を有していたのは29藩にすぎませんでした。

福澤諭吉と並ぶ教育者で麗沢大学創始者の廣池千

九郎先生の書のなかに、医学館は１８７１年（明治4）12月、片端町に医学校として移設され、校長に大江雲澤、教頭に大江春水、病院長に藤野玄洋が着任したことが書かれています。

中津医学校の初代校長・大江雲澤の医訓「医は不仁の術　務めて仁をなさんと欲す」は、今日の展開を予見していたかのように、本来、医術は大きな危険性が伴うものであり、そのことを十分に覚悟して受けてもらいたい。一方で医師は全力を挙げて勉強し、情報を集め、臨床経験を積まなければならないと、正に医のリスクマネージメントを提唱しています。この医訓は現在、日本の主要な医学会や大学でも提唱されています。

１９７９年10月26日、ＷＨＯ（世界保健機構）は〝世界天然痘根絶宣言〟をし、唯一人類が感染症状ウイルスに挑み勝利した病原菌です。なお、これからも戦争などで天然痘ウイルス菌が悪用されれば人類は絶滅の危険にさらされることになります。そのため人類の英知で天然痘ウイルス菌は世界のどこかでワクチン用として密かに保管されています。

シーボルトの弟子で近代医学（蘭学）の吸収、普及に命がけで取り組み、中津にも潜伏したと言われる高野長英は、「最後までやりぬかなければ、最初からしない方がよい」と学問訓を残しています。

中津藩の蘭学者たちは、疱瘡というやっかいな伝染病に、種痘元年と言われる年に早期から挑み、藩と医師と町民が一体となって種痘の普及に取り組み、医学館が建設され、更に大分県最初の医学校設立までに発展させました。医師の献身的な努力と挑戦が、最後は市や県まで動かして取り組ませますが、絶滅までには更に長い年月を要した疱瘡の歴史がありました。

中津藩の先人たちの素晴らしいエネルギーを誇りにして若い人たちが受け継いでいってほしいと念願して話を終わります。

２０１１年（平成23）６月26日　講演

4　村上巧児と童心会館・中津RC60年の歩み

はじめに

郷土の文化向上のための事業の文柱になる施設と位置付けとして村上巧児翁が私財を投じて1963年（昭和38）12月14日に〝童心会館〟を竣工しました。また、巧児翁は1954年（昭和29）に創設された〝中津ロータリークラブ〟の生みの親でもあります。

（中津市村上記念童心館蔵）

巧児翁は、現在も代々続いている村上医家一族で、父に村上田長、曾祖父に村上玄水をもち、また、日本のアンデルセンと称される童話作家の久留島武彦を竹馬の友にもち、そして、九州水力電気（現在の九電）の取締役や西鉄・井筒屋の社長等々、西日本の産業・経済界の重鎮として、本家の医療とは別の分野で大変な活躍をし貢献をした〝村上巧児翁の生涯と童心会館〟について紹介し、併せて〝中津ロータリークラブ〟が丁度、60周年記念にあたることから〝中津ロータリークラブ60年の歩み〟についてお話をします。

【村上家の系図】

1793年（寛政5）、癸丑記の村上家の系図によれば、「夫れ村上宗伯は豊前小倉領今井浄喜寺蓮休の子なり。幼にして医道に志し、大坂に古林見宜という医に名あるを其門に入り、医を業として豊前中津諸町東一町目北側に住す…」とあり、中津村上医家に始祖は宗伯で現在、十二代玄一氏が継承している。なお中津村上医家の家祖は、現在の行橋市の浄喜寺からはじまる。浄喜寺五世蓮休の三男・良道が中津村上医家の始祖となる（号を宗伯）。
また、山国町中摩の「村上姑南翁」も同じ浄喜寺を家祖とする。浄喜寺三世・良慶は、石山合戦で信長に対抗し後に東本願寺を開き真宗大谷派始祖となった〝教如〟を守る大きな貢献をした歴史上の人物と言われている。

浄喜寺一世・良成⇩二世・良祐⇩三世・良慶⇩四世・慶安⇩五世・蓮休

五世・蓮休
- 長男・良受（故あって津民　厳浄寺）
- 二男・良残（中津　宝蓮坊・中津浄喜寺とも言う）
- 三男・良道（中津で医業に就く・村上医家の祖となる・号は宗伯）

（中津村上医家）
宗伯⇩養玄⇩玄水（初代）⇩玄洞（玄水の弟）⇩長庵⇩玄秀⇩玄水（二代目）⇩春海⇩又玄（田長と改める）⇩和三（巧児の兄）⇩健一⇩玄児（現在）

村上医家の墓地は鷹匠町の東林寺にあるが、明治維新の後に、自性寺に代々の位牌類を移し寺籍変更されている。

【巧児翁の曾祖父・村上玄水（二代目玄水）（１７８１〜１８４３）】

玄水は〝中津蘭医学の開祖〟と言われ、１８１９年（文政２）、中津の長浜刑場で重刑囚の屍体を自ら執刀し解剖した。『解体図説（臓腑脈絡之説）』上下２巻を刊行した。絵師２人（片山東籬・佐久間玉江）に解剖に立ち会わせ写生させた。そして、序文は帆足万里が書いた。『下毛郡誌』には、「玄水の此の壮挙を以て本邦第二の解剖をなす」とあるが、これまでの山脇東洋の解剖や、１７７１年（明和８）江戸小塚原での解剖を前野良沢たちが見てから４年の歳月をかけ『解体新書』が刊行され、解剖が各地で行なわれるようになるが、この時代の解剖は、医師が自ら執刀するのではなく解剖人が解剖したのを医師が観臓していた。医師自らが執刀し、その記録が詳細に残されているものとしては九州で最初の時期の解剖といえる。少なくとも詳細な解剖記録が残されているものとして九州では他に例がない。

【巧児翁の父・村上田長（1839〜1906）】

歴代村上家のなかでも医師として、教育者として、また行政官としてなど多方面で他に追従を許さない才能を発揮し地域に大きな貢献したのが、巧児翁の父・村上田長である。

田長は、秋月藩の御典医・杉全健甫の三男として生まれ、村上家に養子として迎えられた。杉全家の遠祖は、武田信玄の幕下に軍師の役を仰せつかっていた軍略家の一人であった。武田氏の滅亡後は秀吉に従い筑前で代々医を業とする名門であった。

（村上医家史料館蔵）

田長は、藤野玄洋（後の中津医学校付属病院長など経て月波楼医院の設立者）とともに藩の選抜留学で大坂医学校での西洋医学を修め帰国し御典医となる。まもなく会津戦争に医官として従軍し賞典録を賜った。この時の従軍日記を『非常日記』として残している。

また、藩の学監も務め、一方で羅漢寺に〝水雲舎〟塾を開き、更に場所を跡田に移し〝鎮西義塾〟と変えて私塾を開き教育にも心血を注いだ。この塾からも後の東京美術学校長や九州鉄道社長等々逸材を輩出した。この塾の漢学の講師として、中津村上医家と同じ行橋浄喜寺を家祖とする山国町中摩の村上姑南翁も招聘されている。この姑南翁も医者としては一介の田舎医者が個人の力で種痘術の取得・普及に尽力し中津藩に間を置かず全国でも早い時期に成功した人物として知られている。また、政治的手腕も素晴らしいものがあり、松方正義が日田県知事当時（後に大蔵大臣・総理大臣となる）長州奇兵隊脱徒らによる暴動の説得に成功するなど松方正義が総理大臣になっても厚い信頼を寄せていた人物であった。

田長は明治18年、初代大分中学校長（現在の上野

丘高等学校長）、大分師範学校長（現在の大分大学長）を務めた。

更に、明治19年には玖珠郡長に栄転し、山間部の厳しい環境を改善すべく産業・経済の振興に取り組みその第一目標を〝交通網の整備〟と定め、深耶馬渓を通り中津と結ぶ〝耶馬渓道路〟の整備に心血を注いだ。相継ぐ難工事のため経費負担が大きく県会に予算を否決され加えて関係町村の殆どが反対にまわるなか、初志貫徹したが反対一派の策略で竣工式直前郡長職を罷免されるも、何事もなかったように中津に引き揚げていった器の大きな人物であった。巧児翁は、父の田長と共に森町の学友に見送られながら、父の造った耶馬渓道路を通り故郷中津へ引き揚げた。

また、1876年（明治9）大分県で最初の新聞『田舎新聞』を発刊した。増田宋太郎を編集長として、活版刷の本格的新聞としては全国屈指の創刊であった。資本金は5円株190株（950円）、購読料は、1枚1銭5厘、3カ月18銭、月曜発行。

『日本新聞年鑑』によると、主要新聞の発刊は次のように記されている。

朝日新聞　1876年　毎日新聞　1872年
読売新聞　1874年　産経新聞　1933年
日経新聞　1876年　西日本新聞　1877年

『田舎新聞』は、4カ月で編集長の増田宋太郎が西南之役に中津隊を率いて挙兵するが、田長社長のもと数年発行を続けた。後に村上巧児翁が、学校（早稲田大学）を出て最初の職業として大阪毎日新聞社に入社するきっかけは、ここにあったのかも知れない。

【児翁（1879〜1963）と童心会館】

一　幼年期の巧児翁

村上巧児は明治12年8月24日に中津諸町村上家の四男として生まれた。父・田長は西南役の直後で『田舎新聞』編集長の増田宋太郎を失い田長社長自ら多忙であった。近くには後の井筒屋社長・菊池安右衛門氏の本家〝室屋〟や後の東邦電力社長となった竹岡陽一氏の実家も近い。中上川彦次郎氏（三井）や磯村豊太郎氏（北海道炭鉱汽船社長）、水島銕也氏（神戸高商校長）などの諸氏も近くであった。また、和田豊治氏（富士紡社長・和田奨学金）や福澤先生宅ともさほど距離はなく、何れも後年、日本を代表する教育者や実業家となった人物であり、何らかの形で繋がっていたと考えられる。

（村上医家史料館蔵）

明治18年春、巧児は父・田長の大分中学初代校長就任に伴い大分で1年を過ごし、翌年、田長の玖珠郡長就任に伴い森町（現在の玖珠町森）に移り、明治19年、森小学校に入学した。後年、竹馬の友となる久留島武彦氏（童話作家・日本のアンデルセン）の祖父・通寛は十二代森藩主で母は中津の奥平家から嫁いでいた。

ひ弱かった巧児は、森での4年間で見違えるほどの元気で活発な子となった。成績も極めて良く、特進により兄の章二、和三と3人同じ学級にいることもあった。

小学校4年生の時、父の郡長辞職に伴い中津に帰ることとなり、友人たちが開いてくれた送別会で味噌田楽を焼いてもらったことを晩年まで懐かしんでいたという。

4年間、父の田長が心血を注ぎ竣工式を挙げるばかりになっていた中津森道路を通り学友たちに郡境の橋（深瀬橋）まで見送られ中津に帰った。

二　勉学時代の巧児翁

巧児翁は中津に帰り、片端の中津高等小学に通った。明治26年、中津尋常中学が発足し翌年、大分尋常中学中津分校となった。巧児翁はこの中津尋常中学の第2期生として倉知四郎（後の鐘紡社長）、半田貢（後の京浜電鉄重役）、司城元義（後の日銀理事）らと入学し、4年の時に中学校令の改正により大分中学本校に統合され、父・田長が初代校長を務めた大分中学に転校し、2年間の寄宿舎生活をおくる。巧児翁は同校創立50周年記念誌に、中津と大分の往復（片道20里）の話で、人力車で通せば賃金1円、途中で立石に泊まれば宿料15銭だったが、殆どは草鞋脚絆（わらじきゃはん）に身をかため2、3人で淋しい山道を歩いたことなどとともに、学校の10分間の休憩時間に校庭の塀を乗り越えて〝うどん屋〟に集まり1杯1銭の珍味に舌鼓を打ったことなど述懐している。

巧児翁は中学卒業後、文筆を志して1899年（明治32）、早稲田大学政治経済科に入学するも、文科の講義の方によく出ていたという。東京では中津出身で、当時東京高商教授であった水島銕也先生宅に身を寄せていた。水島銕也氏（後の神戸大学初代校長）の厳父である村上均氏（小倉、中津支庁長など歴任）は増田宋太郎の妻・鹿さんの実兄にあたることから父・田長とは懇意であった。鹿さんは、巧児翁が大学を卒業しても長く身の廻りの世話一切をしたと言う。

また、巧児翁は中学時代1年先輩で親交のあった奥平昌恭氏（旧中津藩主長男）の自宅のある芝高輪の〝御殿〟によく出入りしていた。このことが、巧児翁が最初の職業に就くきっかけとなり、更には良き伴侶となった冬子夫人（奥平家の家令滝沢家三女）と巡り合うこととなる。

《参考》家令（律令制で、親王・内親王・正三位以上などの家で家務・会計を管理した人。明治以後、宮家や華族の家務を管理し、家扶以下を監督した者）

三　新聞記者時代の巧児翁

巧児翁は明治36年、早稲田大学を卒業すると、大阪毎日新聞社に入社した。文筆活動は本人の志望でもあり、また父・田長は〝田舎新聞〟の創業者でもあったことを考えれば、極めて順調なスタートであった。

二代社長・高木喜一郎氏は中津出身で、六代社長・奥村信太郎氏も中津関係者であることからも郷里中津と人物的に繋がりの深い新聞社であったといえる。

また、巧児翁が入社当時に経済部長をしていた高木利太氏の紹介で入社した奥村信太郎氏（後の六代社長）は奥平昌恭氏の義兄にあたり、奥平家から高木部長に巧児翁の入社も後押しがあったと言われている。

毎日新聞は日露戦争の従軍報道などの活躍で大発展し、優秀な記者をぞくぞくと海外に派遣した。巧児翁も北米特派員となっていたが、南米移民がこれからというタイミングであり、行くなら南米だと社命に反して南米に行った。チリで新聞社主催の見本市日本博を開く約束をして帰ったが、本社で採択されなかった。それどころか社命違反を問われ苦境に追い込まれ、中津の先輩・和田豊治氏の支援を受け渡航費用を弁済し毎日新聞を退社した。もともと、巧児翁は記者生活は40歳までと決めていたようだが、それでも十年も早い勇退であった。

四　新興の「三越」へ

巧児翁は１９０８年（明治41）30歳の年、大阪毎日新聞を退社して三越呉服店に入社した。三越呉服店は旧三井呉服店の営業を引継ぎ、発足早々であった。三越の専務（日比翁助氏）は和田豊治氏と慶応義塾の同窓で学生時代から親交があった。

巧児翁は三越での4年間で大変に貴重な〝番頭経験〟した。後に「実業人として立ち得るだけの画期的な変化を受けたことは、まことに甚大であり、私の一生を通して忘れ得ぬ感銘である。日比翁健在ならば、あるいは私の番頭生活は、なお数年、若しくは十数年継続されたかも知れぬが、時も時、水力電気勃興時代に転業の機運を与えられたことも有難い機縁と感謝せざるを得ない」と述べている。

五　巧児翁九州水力電気へ入社

巧児翁は大正元年8月、九州水力電気に入った。これにも中津の先輩・和田豊治氏が関係していた。和田豊治が中津絹糸紡績会社（後の富士紡中津工場）設立にあたり、その原動力として耶馬渓の山国川に発電所を設置することからはじまっている。和田氏は九州水力電気の相談役となり巧児翁は営業課長となった。創業時代の九州水力電気の主力供給先は八幡製鉄を中心とする北九州工業地帯と筑豊の炭鉱であった。当時は東邦電力や九州電軌など多数の電力会社があった。そのなかで九州水力電気は日本有数の規模となり、火力発電の九州電軌も配下に治め、九州水力電気の太田黒取締役が社長となり専務取締役には巧児翁（当時、九州水力電気専務から）が就任した。

この九州電軌の専務に就任直後の１９３０年（昭和5）、〝手形不詳事件〟という大事件に遭遇するが、苦難の末、再建に成功し１９３５年（昭和10）、社長に推挙された。

１９３８年（昭和13）の同社30周年では、巧児翁の彰功委員会がつくられ、委員長の安川第五郎氏（安川電気育ての親）が代表して、巧児翁の彰功の辞を述べている。なお、１９５１年（昭和26）、電力再編で一本化され〝九州電力（株）〟となった。

六　西鉄の誕生と、その初代社長へ巧児翁

戦時下の1942年（昭和17）、〝電力は戦力〟のもとに国の管理に入り合併統合の大改革がはじまり電鉄事業も再編必至となり、九州鉄道、博多湾鉄道汽船、筑前参宮鉄道、福博電車の4社は九州電気軌道に吸収合併し、社名を〝西日本鉄道株式会社〟に改め、本社を小倉より福岡に移した。ここに巧児翁は初代西鉄社長として就任した。

この統合を官側の責任者として立ち会ったのが、鉄道省監督局長の佐藤栄作氏（後の総理大臣）であった。佐藤局長は、全国にさきがけ北部九州の私鉄統合が成功したことを賞賛する局長談話を発表するほどであった。

西日本鉄道社歌（村上巧児作詩・服部正作曲）

一　西日本の　西日本の
交通奉仕は　吾等の任務
八紘一字の　宏謨を讃へ
陸と海との　職場を守り
興亜の聖業に　捧げん力

二　西日本の　西日本の
交通確保は　吾等の任務
八千の同志　勢ふところ
産業興り　文化高まり
皇国の富強は　いよよ進まん

七　井筒屋デパートと巧児翁

これまでのような小規模な地方百貨店とは異なる鉄筋コンクリート建地下一階、地上七階建の堂々たる豪華デパート〝井筒屋〟が製鉄、石炭で活気のある小倉の地に昭和11年秋に竣工した。しかし、運転資金の不足などから赤字経営が続き、昭和12年秋には巧児翁の九軸による経営再建に委ねられ、巧児翁は相談役となった。しかし、支那事変から第二次大戦へと続く国家の非常事態の時局であり、巧児翁は昭和15年春、自ら社長に就任した。厳しい戦中、戦後を乗り切り井筒屋の黄金期を造り上げ、昭和30年秋、社長を辞任した。しかし、翌年には初代会長に推され、1963年（昭和38）秋、逝去するまでその職を全うした。

八　西鉄球団・到津遊園地と巧児翁

プロ野球ファンでは今でも語り種となっている日本選手権三連覇の輝かしい記録を持つ〝西鉄ライオンズ〟球団の生みの親も巧児翁であり、稲尾・中西・河村等々、巨人と人気を二分する黄金期のオーナーであった。ちなみに稲尾の仲人は巧児翁の娘婿（当時の社長）で、巧児翁も出席している。

一方、小倉の到津遊園地は昭和7年、巧児翁が九州電軌の専務時代に開園した施設であり、竹馬の友の童話作家・久留島武彦氏を夏期林間学園長や顧問に招き、西日本に誇りえる大遊園地と動物園を造り上げた。

九　耶馬渓観光ホテルと巧児翁

郷里〝中津の〟文化向上と観光振興のために、既に第一線を退いていた巧児翁は深耶馬に近代的なホテルを造ることを提言し、地元の相良伸彦氏や平田武夫氏たちの協力のもとに深耶馬渓の入口にあたる鳴良部落に〝耶馬渓観光ホテル株式会社〟を設立し自ら社長となった（昭和27年秋）。

十　巧児翁と久留島武彦氏
（1874～1960　86歳没）

久留島武彦氏の祖父・久留島通靖氏は森藩十二代藩主であった。長子である父・通寛氏が十三代を継ぐべきところ病弱のため森藩の家督は叔父が継いだ。武彦は幼年期を森・中津で過ごし、大分中学から関西学院に転学した。巧児翁とは、父・田長が玖珠郡長の時代からの親友で、田長が夜間、子供たちに漢学の勉強の後、昔話や民話を聞かしたことから童話作家となり、日本のアンデルセンとまで呼ばれる日本を代表する童話作家となった。

また、母の生家は中津の奥平家であり、中津とも巧児翁とも縁は深かった。巧児翁の到津遊園地にも童心会館にも関わりがあり、巧児翁の生涯の友であった。

現在も、日本童話祭が毎年春に森町（現在の玖珠町）で開催されている。

十一　巧児翁と童心会館

若き日の文学青年であり、新聞記者を社会人のスタートとした巧児翁は、元来、書を読むことを好み、晩年、別府隠遁後は読書に明け暮れていた。一面、童心を最後まで失わなかった。別府南風荘の菊地社長から寄贈された中津市殿町の童心園（バラ園）の土地に、巧児翁からの1００万円を基に有志の寄付で鉄筋2階建ての児童図書館と２００人収容の文化ホールを持つ〝童心会館〟が、昭和38年12月14日、竣工式を挙げた。巧児翁は竣工式を心待ちしていたが、残念ながら直前の10月21日永眠した。

この童心会館は建設費用とともに、運営にも相当な経費が必要であり、その後も巧児翁と繋がりのあった個人、企業などの浄財により運営されてきた。

十二　童心会館の現状

現在も大人から幼児まで年間2万人を越える沢山の人たちが利用しています。この施設は誰でも無料で利用できますが、公共の図書館のように公的運営ではありません。人件費、施設の維持管理費など全ての経費は寄付、ボランティアによって運営されています。創設期から村上巧児翁の有形、無形の人脈により北部九州の大企業の多くの支えにより円滑に運営されてきました。

しかし、近年の不況や企業の統廃合等々により、一部（西鉄、村上記念病院、川嶌整形外科病院など）を除き恒常的（毎年）に支援をいただける企業・団体などがなくなりました。

大幅に人件費の削減（館長のリストラなど）や経費の削減を敢行していますが、施設の老朽化対策費用などは年々増大し、極めて厳しい財政状況が続いています。

十三　中津ロータリークラブ（RC）60周年の歩み

【中津ロータリークラブ（RC）】

中津RCは1954年1月6日、発会式を行ない、同年2月8日、RI承認113番目として創設され、今年60周年を迎えた。

別府RCをスポンサークラブとして、村上巧児翁の呼びかけに応じて、中津出身の別府RC所属の菊池次郎氏らの助力により21名で発会した。

初代会長　安田勇治（中津鋼板社長）

初代幹事　佐藤九十郎（宇佐屋二代目社長）

以後、節目節目で種々の事業を実施してきた。

20周年（1973～74）では、初代移動図書館車〝友の輪号〟を中津市に寄贈した。また、公会堂（現在の小幡記念図書館の付近に市庁舎と並んで建っていた）玄関前に中津市の木〝くろがねもち〟を植樹

2001年(平成13年)3月23日　金曜日
大分合同新聞（朝刊）

童心会館で活用を
中津の川嶌整形外科　20周年行事の益金贈る

寄付金の贈呈

中津市宮夫の川嶌整形外科病院（川嶌眞人院長）は二十一日、運営が苦しくなっている市内殿町の子ども図書館「童心会館」に、現金六十三万三千八百四十円を贈った。

この日は川嶌院長と職員十人が同会館を訪れた。川嶌院長が「子どもの心の成長を願って取り組んでいる童心会館を今後も存続させようと、全職員で取り組んだ記念行事などの益金です。運営に役立ててください」と、あいさつ。職員を代表して永芳郁文医師（[illegible]）が寄付金を同会館の横松宗常務理事に手渡した。

横松常務理事、長野豊啓館長が「多くの人が童心会館を救おうと、多忙な中でイベントを企画してくれた心が何よりうれしい。お金は大切に使わせていただきます」とお礼を述べた。

同病院は永芳医師を委員長に、職員で二十周年記念行事実行委員会を組織。今月十八日に創立二十周年祭、前日の十七日夕には前夜祭として「童心会館支援チャリティーコンサート」を催した。この日の寄付は、二十周年祭でのバザーとコンサートの益金、取り組みに賛同して関係業者や有志から寄せられた協賛金、川嶌院長の著書の売上金を加えたもの。

した。当時、公会堂は種々の行事とともに結婚式などの会場にも使われ中津市の表玄関であった。時の市長は八並操五郎氏であった。

30周年（1983～84）では、2台目移動図書館車〝友の輪号〟を寄贈した。

35周年では、中津駅前に中津の生んだ蘭学者の顕彰碑を設置した。

40周年（1993～94）では、環境問題に取り組み、紙のリサイクル、環境問題シンポジムを開催した。また、青少年サッカー大会を開催し健全な青少年の育成に寄与した。（永添サッカー場に600人のファンを集め国見高校と中津市高校選抜試合を実施）

50周年（2003～04）では、〝蘭学の里中津シンポジウム〟を開催（中津文化会館で開催し、1000人を越す入場者があった。蘭学物産展も実施された）、またシンポジウムでは、骨髄炎治療用の〝川嶌式局所持続洗浄チューブ〟30セットが、北京中日骨髄炎研究所の王興義院長、河南医科大学の許振華教授に贈呈された。

《参考》川嶌式局所持続洗浄チューブ

筆者が虎の門病院勤務時代に骨髄炎の治療として開発し、更に九州労災病院勤務時代に閉塞防止回路の改良を加え確立した。国内はもとより、米国や中国など多くの国で採用され、今日でも年間700セットが発売されている。

60周年（2013～14）では、〝童心会館支援チャリティー音楽会〟を開催した。

1961年（昭和38）暮に村上巧児翁最後の仕事でできた〝童心会館〟の運営も時代の経過とともに

極めて厳しい財政状況にあり、巧児翁が産みの親でもある中津RCが、60周年の記念事業として中津文化会館で、〝童心会館支援チャリティー音楽会 ～ソプラノとラテンの夕べ～〟を開いたが、多くの市民が足を運び、益金は童心会館に寄付された。

【中津ロータリークラブから国際ロータリークラブ会長に就任（向笠廣次氏）】

この片田舎の中津RCから日本で2人目の国際ロータリークラブ会長に就任したのが、第九代中津RC会長（1962～63）を務めた向笠廣次氏である。入会当時から時間には人一倍厳しく、当時では珍しく国際感覚を最初から備えていた人であった。

《向笠廣次氏年表》

1957年（昭和32）4月
　中津RC入会
1962～63年（昭和37～38）
　第九代中津RC会長
1967年（昭和42）
　第370地区ガバナー就任
1970年（昭和45）
　国際ロータリークラブ広報諮問委員就任
1974年（昭和49）
　在日本ロータリー財団諮問委員就任
1977年（昭和52）
　国際ロータリークラブアジア地区諮問委員就任
1978年（昭和53）
　国際ロータリークラブ理事就任
1980年（昭和55）

この間、青少年奉仕に非常に関心が高く、ドンボスコ学園の恵まれない子供たちの1日父親となり到津動物園に連れていったりして交流した。また、中津東高校に日本で3番目、九州で最初のインターアクトクラブを結成し、現在も東九州龍谷高校に受け継がれている。

国際ロータリークラブ会長ノミネート

１９８２年（昭和57）６月

ダラス国際大会で「国際ロータリークラブ会長」任命

このダラス国際大会には、97カ国１４、０１５人が出席し、中津からも永吉凱会長はじめ４名が出席した。

向笠会長は、任期中（1年間）に44カ国、延べ旅程15万kmを訪問し、友情の橋を架けた。任期を終える時にはホワイトハウスのロナルドレーガン合衆国大統領から、向笠会長がテーマとして心血を注ぎ取り組んだ「人類は一つ」の業績を書面で讃えたものが残されている。

また、全世界を駆け回った時の貴重な遺品が数多く残されていて、その国際的な活躍を知ることができる。

（向笠国際ロータリークラブ会長挨拶）

「人類は疑いもなく　一つの大きな家族である」

（同喜代子夫人）

「他人というのは　我々がまだ会ったことのない友人である」

２０１４年（平成26）２月22日　講演

5　奥平昌高と島津重豪

はじめに

私は、中津市船場町で育ちました。近くには中津城や福澤諭吉旧居などの史跡が沢山あります。また、本会の発起人の一人でもありました松山均先生は恩師で子供の頃から何かと薫陶を受ける機会に恵まれ、郷土史と関わるきっかけとなりました。

私たち中津の先人は、前野良沢の『解体新書』をはじめとする蘭学で近代日本の礎となる表舞台に出たあと87年の時を経て、福澤諭吉の洋学へと繋がりました。近代日本への変革の原動力の中心は、この中津の先人たちであったといっても過言ではありません。

1771年（明和8）3月4日、前野良沢や杉田玄白らが江戸小塚原（骨ケ原刑場）における腑分け（人体解剖）の見学に出向きました。その時、良沢は殿様（奥平昌鹿公）の配慮で入手していたオランダの医学書『ターヘル・アナトミア』（原書はドイツの解体図書でオランダ語に訳したもの）を持参していました。解剖図の余りの正確さに感銘を受け、翌日の3月5日、江戸築地の中津藩中屋敷で前野良沢は杉田玄白らと『ターヘル・アナトミア』の翻訳にかかり、3年後の1774年（安永3）、『解体新書』として出版されました。そして、この『解体新書』は杉田玄白が何人かの仲間の協力を得て翻訳し刊行したとされていました。教科書にもそのように書かれていましたので、世間一般では、『解体新書』は杉田玄白となっていました。ところが、当時の日本ではドイツ語にしてもオランダ語にしてもわかる人は殆どなく、また辞書もなく、僅かにいた通詞（通訳）だけが頼りでしたが、更に医学のような専門的なことになると皆無に近い状況でした。『解体新書』出版に関わった主要な5人のメンバーでもオランダ語を理解できていたのは前野良沢ただ一人であったと言われています。ところが『解体新書』には何故か前野良沢だけは名前が出てきません。理由は諸説あり、名前を載せなかったのは本人の意思であったようですが、翻訳の中心は前野良沢であったことは疑う余地がありません。そのことは、『解体新書』の序論を書いた医者で大通詞の吉雄耕牛が明確に述べています。何れにしても西洋の医学書を翻訳し新しい知識を取得するための辞書などはなく語学の大きな壁に大変苦労をしました。

　時を経て奥平昌鹿公から昌高公の時代となり、ますます西洋の新しい情報、知識は不可欠なものとなり、その窓口となる蘭学の重要性を人一倍認識していたのが昌高公であったとも言えます。そのためには辞書の刊行が不可欠との考えから自ら辞書の編纂事業に取り組み、それらの辞書は日本のみならず、オランダにおいても対日外交などに大いに活用されました。

奥平昌高（自性寺蔵）

　この中津藩主五代・奥平昌高公と並び蘭学大名とか蘭癖大名とか呼ばれ共に異端視された薩摩藩主島津家二五代・重豪公は、昌高公の実父で血の繋がった親子でした。二人とも近代日本の夜明けとなる人材を育て明治維新後の近代国家への変貌を短期間で成し遂げる礎に大きく貢献する人物となりました。二人とも大変に長生きし家督は譲っても藩の実権を握り続けていたことや、大変に厳しい財政のなかで浪費と批判され、藩の財政を苦しめたことまでも似ています。

島津重豪（尚古集成館蔵）

　島津家最大の傑出した大人物と言われる島津家二八代斉彬（なりあきら）は、この二人の指導や影響を最も受けて育ったと言われるため、薩摩藩の財政再建に心血を注いだ一派には斉彬公の藩主就任に抵抗した人たちがいたくらいでした。

本日は、この蘭癖大名と呼ばれた奥平昌高（まさたか）、島津重豪（しげひで）親子を中心にお話しします。

《参考》前野良沢が江戸小塚原の人体解剖見学の時に持参した高価で貴重な蘭語解剖図書『ターヘル・アナトミア』は杉田玄白も持参していました。

一　前野良沢と中津城

ＮＨＫ大河ドラマ黒田官兵衛で中津城にも大勢の観光客が来てくれました。

中津城の三階には、『解体新書』の前野良沢のコーナーを設けてあります。これは、中津ロータリークラブの50周年記念で「中津の蘭学のシンポジウム」を開催した折りに設けたもので２０１４年、60周年記念の際に改訂されています。

良沢は奥平時代の中津藩の御典医（殿様のお抱え医師）でした。しかし、本務の医者の仕事はそこそこにして翻訳ばかりに没頭しているため、周囲の評判は決して良くはありませんでした。元来、交際嫌いで、典型的な学者、研究者タイプで門弟も余り好まず大槻玄沢など極少数でした。その一方で、殿様（三代昌鹿公）は、「良沢はオランダ人の化け物だから放っておけ」と言いながら高価な洋書（現在に換算すれば２００万円とも３００万円とも言われる）を買い与えたと言われています。68歳で藩医を勇退した後も蘭学の研究心は衰えず、大槻玄沢の書によると、「72歳で昌高公（五代）といまだ関わっていたと」記されています。

良沢は47歳で初めて蘭語を学ぼうと、甘諸先生で名高い青木昆陽の門をたたきましたが、間もなく師匠が没したため、１７７０年、１００日間の長崎留学が許可されます。長崎では吉雄耕牛（幸左衛門）たちに師事し、この青木昆陽と百日間の長崎留学の短期間に2000語以上の言葉を修めていたと言われます。

本当のことは、一般的には『解体新書』は杉田玄白を中心に翻訳され刊行されたとなっており、前野良沢の名前は出てきません。しかし、吉雄耕牛の序文のなかでも翻訳の中心は前野良沢であったことは明明白白であります。強いてあげれば、刊行までの全体のマネージメントは杉田玄白であったのではないでしょうか。前野良沢の名前が出てこないのは本人の希望であったことは間違いないようですが、何故そのようになったのか背景にあるものは諸説あり本当のことはわかりません。刊行後、良沢と玄白は疎遠になったようですが、2人とも蘭学への情熱は死ぬまで衰えることはありませんでした。

杉田玄白は、蘭学者として多くの弟子を育てるとともに世相の観察や批判、絵画、詩歌に至るまで活躍し、晩年『蘭学事始』を書き、良沢について業績を讃えています。

一方、前野良沢も70歳を過ぎても蘭学の向学心は衰えず、死ぬまで蘭学を追求しています。良沢の趣味は、一節截（ひとよぎり）という竹の一節で作った一節尺八と言われる竹笛を吹くことだったと言われています。この竹笛が江戸屋敷にあった築家や村上医家史料館で発見され保存されています。最近では本会の本徳先生が複製に取り組み〝一節截の会〟も結成され演奏活動を行なっています。

一節截（築家蔵）

また、中津城三階の展示コーナーには、日本人として二人目の国際ロータリークラブ会長となられ1年間の任期中に44ケ国、延べ15万㎞を親善訪問された向笠廣次第九代中津RC会長の遺品を展示してあります。遺品の一部は川嶌整形外科病院・かわしまメモリアルミュージアムにも展示（見学無料）されています。

《参考》『解体新書』誕生の地、江戸中津藩中屋敷、良沢邸は後の福澤諭吉の慶応義塾発祥の地となり、現在は聖路加国際病院となっている。

《参考》「杉田玄白賞」は、福井県南西部に位置する小浜市が、古くは若狭国小浜藩で、藩医で「医食同源」を唱え、『解体新書』の発刊をはじめとする数々の業績を残した杉田玄白の功績を讃えて平成14年度に創設され、平成20年度（第7回）受賞者には私（川嶌眞人）が選ばれ、賞金50万円をいただき、その全額を中津市の文化諸団体に寄贈した。

《参考》第九代中津RC会長・向笠廣次氏は精神科医で、国際RC会長としての業績「人類は一つ」に、当時のロナルド・レーガン合衆国大統領が書面で讃えたものが残されている。

二　奥平家の歴史

奥平氏は戦国時代の三河の国人領主で江戸時代は徳川氏の譜代大名です。奥平宗家の七代が奥平初代中津藩主・昌成（まさしげ）であります。奥平宗家二代・信昌（のぶまさ）の時代に、武田軍と織田・徳川連合軍が戦った〝長篠の合戦〟において、長篠城に籠城し堀のタニシを食べて飢えを凌ぎ武田軍から城を守り抜き、織田・徳川連合軍勝利の立役者となって徳川家康の嫡女・亀姫を妻とした。従って、三代・家昌（いえまさ）は家康の孫になります。中津城においても、この故事にちなみ〝タニシ祭り〟が奥平神社で行なわれています。

奥平家が中津藩主として過ごした時代は、小笠原氏の後1718年（享保3）から1872年（明治5）までの154年間でした。

《参考》譜代大名は、江戸時代の大名の家格の一つ、関ケ原の戦い以前から徳川氏の臣であった者、及びその家格に準ぜられた者。

【中津奥平家代々】

代	藩主	（藩主在任期間）	（享年）
初代	奥平昌成（まさしげ）	1718～1747	53
二代	昌敦（まさあつ）	1747～1758	35

三代	昌鹿（まさか）	1757～1780	37
四代	昌男（まさお）	1780～1785	24
五代	昌高（まさたか）	1785～1825	75
六代	昌暢（まさのぶ）	1825～1833	24
七代	昌猷（まさみち）	1833～1842	29
八代	昌服（まさもと）	1842～1868	72
九代	昌邁（まさゆき）	1868～1872	30

代々のなかには、若死にした藩主が目立ちますが、この時代は、若くして急死し跡目相続の男児がいないと藩はお家断絶となりましたので、四代・昌男の急死では、島津重豪（島津二五代）の二男・富之進（後の昌高）6歳を12歳と偽り跡目を継がせました。

《参考》ちょうどこの時代の『惣町大帳簿』には、薩摩藩の来訪者が再三あり、〃町年寄〃が宿の手配などした様子が記録されており、昌高公の養子縁組と関連があるのかも知れません。

三　奥平昌鹿（中津奥平三代）と蘭学

昌鹿の母親が江戸で下腿の骨折で、なかなか治癒しないで困っていた時、たまたま長崎出島の蘭人一行の江戸参府に随行していた大通詞（通訳）で蘭方医の吉雄耕牛に治療してもらったところ、見事に全治したことから、殿様の昌鹿公が蘭学に関心を持ち、藩医であった前野良沢を長崎に留学させるきっかけとなりました。

前野良沢が、当時既に蘭語の大学者で大通詞と呼ばれていた俊才・吉雄耕牛に師事できたのも昌鹿公の紹介があったからと言われています。そして、貴重なオランダの解剖書『ターヘル・アナトミア』と『マーリン蘭仏辞典』を取得することもできました。それだけではなく昌鹿公は、蘭語の内科書に数百両も支払い、買い与えました。

蘭学の開祖と言われる前野良沢を物心両面から支えたのは昌鹿公であり、中津藩はもとより日本の蘭学の発展に果たした役割は極めて大きいといえます。大きな変革、発展には奇人と呼ばれる研究熱心な人物とそれを支えるスポンサーがいると言われますが、良沢と昌鹿公の関係がそれでありました。

昌鹿公は、和歌や書画も好み、参勤の道中に次の和歌を残しています。

〝さぬつ鳥きぎす啼くなる岡の邉の
　賤が軒ばに桃の花さく〟

また、江戸では庭に歌碑を造って風流を楽しんだと言われます。良沢の唯一の趣味〝一節截（ひとよぎり）〟の原点もこの辺りにあるのでしょうか。

奥平昌鹿公は、温厚で聡明な人柄で、老臣の意見をよく聴き、自らは質素倹約を旨とし人望がある名君でしたが、残念ながら37歳の若さで江戸で没しました。

四　奥平昌高（中津奥平五代）とシーボルト

シーボルトは1823年（文政6）、オランダ軍医として来日した人です。しかし当時は日本は鎖国政策で、入国を許していませんので、オランダ商館（長崎出島）の医師として日本に入ります。もともとドイツ人で大学もドイツですがオランダに行き、蘭領東印度陸軍病院の外科少佐の資格で出島の医師として来日しました。彼は医学の他に動物学、植物学、地理学、博物学など多彩な学者でした。5年の任期を終えて帰国する時、当時海外持ち出しが禁じられていた『大日本沿興地全海図』などが発覚し、スパイ容疑で拘束され、後に国外追放となりました。し

シーボルト肖像（エドアルド・キヨッソーネ筆）
（ライデン国立民族学博物館蔵）

かし、30年後の1859年（安政6）、再来日し、幕府の外事顧問となり1862年（文久2）に日本を出て4年後、故郷ドイツのミュンヘンで亡くなりました。

シーボルトが日本に来た本来の目的は、東の果てで鎖国政策をとっている不気味な国の日本研究で、その手段として医学伝習を主とした博学であったのでしょうか。門人たちの筆録本は『シーボルトの治療日記』、『シーボルトの直伝方治療法』、『叱勃児督処方録』、『矢乙勃児杜方府』、『食勃児度経験方』などがありますが、シーボルトの来日は医学部卒業後間もない経験の殆どない時期であり、内容的には大学で学んだそのままを示したのではないかと言われています（叱勃児督・矢乙勃児杜・食勃児度はいずれもシーボルトと読む）。

シーボルトの来日の主目的は日本の調査研究であったことは間違いありませんが、日本に対する敵意などは毛頭なく、時を経て日本の外事顧問として再来日するなど、日本の夜明けに大変な貢献をしました。シーボルトの記念碑は日本のみならず、豪州、ドイツ、オランダの各国に存在し、それぞれの国から高い評価を得ています。

オランダのライデン国立民族博物館（かつてライデン大学の一部）には、シーボルトが日本で収集し持ち帰った25万点に及ぶものがあると言われています。

シーボルトは、従来の出島の医師とは別格の扱いで、出島の外の往診も許され、鳴滝に塾を作り、教えることも許されました。高野長英や伊東玄朴など名のある者も多く学びました。

シーボルトは、オランダ商館長が将軍に拝謁し献上品などを贈る〝江戸参府〟に随行し、昌高やその父の島津重豪としばしば逢っていたことがシーボルトの『江戸参府紀行』に出てきます。この日記のなかには、薩摩の若君というくだりもあり、重豪の曾孫の斉彬（なりあきら）も登場し、重豪、昌高親子の薫陶を受けていたことが伺えます。昌高は、既に46歳で家督を昌暢に譲ったのもシーボルトと逢うことを優先したためとも言われています。

コック・ブロムホフ

『江戸参府紀行』のなかで出てくる人物の1位は奥平昌高28回、2位が島津重豪24回と言われています（法政大学のシーボルト研究会会誌から）。極端に言えば、親子でシーボルトを奪い合っていたくらいの状況だったようです。

昌高は歴代のオランダ商館長ともたびたび書信などで交際があり、その一人のドゥーフ商館長からは、フレデリック・ヘンデリックの蘭名をもらっています。（下関の本陣伊藤家には蘭文詩が残されている）後年、コック・ブロムホフ商館長は〃江戸参府〃の折り、同じ下関の本陣伊藤家に宿泊し先人の蘭文詩に感激して昌高公を讃える詩を残しています。

【シーボルト事件】

シーボルトは滞在中幕府の保護を受けていましたが、幕府の天文方、高橋景保と普請役、間宮林蔵に送った手紙と贈り物が露見して以来、警戒されていました（一説によれば、間宮林蔵の密告とも言われています）。

5年の任期を終え帰国するためシーボルトが乗り込む予定のオランダ船が暴風雨で被害を受け、修繕のため積荷を降ろしたところ、シーボルトの積荷から当時、海外への持ち出しが禁じられていた『大日本沿海輿地全図』などが発覚しスパイ容疑で拘束され、翌年、国外追放・再渡航禁止の処分を受け日本を去りました。関連して多くの役人などが処分を受けました。シーボルトは当然『大日本沿海輿地全図』など没収されました。しかし、シーボルトは事前に写し取ったものを本国に送っており、本国で出版し、皮肉にも〃間宮海峡〃を世界に知らしめる結果となりました。

【シーボルトの日本研究の三部作】

シーボルトはオランダに帰ってから、日本研究の纏めにかかり、『日本』、『日本動物誌』、『日本植物誌』

と纏めました。これらをシーボルトの日本研究の三部作と呼んでいます。

【シーボルトの娘・楠本イネ（1827〜1903）】
シーボルトと其扇（お滝）の子として長崎出島で生まれ、後に日本で最初の近代産婦人科医となりました。楠本は母・お滝の生家の姓と言われています。明治の初めに東京築地で開業、蘭方女医として名をあげました。その陰には、シーボルトが物心両面から面倒をみて蘭方医となりシーボルト事件に連座して長崎払いとなった二宮敬作が養育をし、福澤諭吉の支援もあったと言われています。二宮敬作は逃亡中の高野長英を匿ったことでも知られています。敬作は、30年後、幕府の外事顧問として再来日したシーボルトと長崎で再会を果たした後、同地で亡くなりました。

【シーボルトと高野長英と村上玄水（二代目玄水）】
高野長英（1804〜1850）の養父は杉田玄白の門人であった。長英は杉田伯元（玄白の養子）、吉田長淑（蘭方医、蘭医学書を原書で読む英才）らに師事した後、シーボルトの鳴滝塾に入塾、この人も英才で〝ドクトル〟の称号を与えられました。更に長崎で化学や生理学の研究を続けていた1828年（文政11）のシーボルト事件に巻き込まれ身を隠しますが、その逃亡の過程で1829年（文政12）、日田経由で中津の村上医家の土蔵に40余日匿われました。この時、村上玄水は家人にも内緒にして自ら膳を運び、そして小祝港から舟で広島に脱出させたという伝承があります。村上医家に残る蘭文の学問訓「書斉、水滴は石をも穿つ、一度初めたものは最後までやりぬけ」という意味の書は、長英の座右の銘の学問訓であり、本人の直

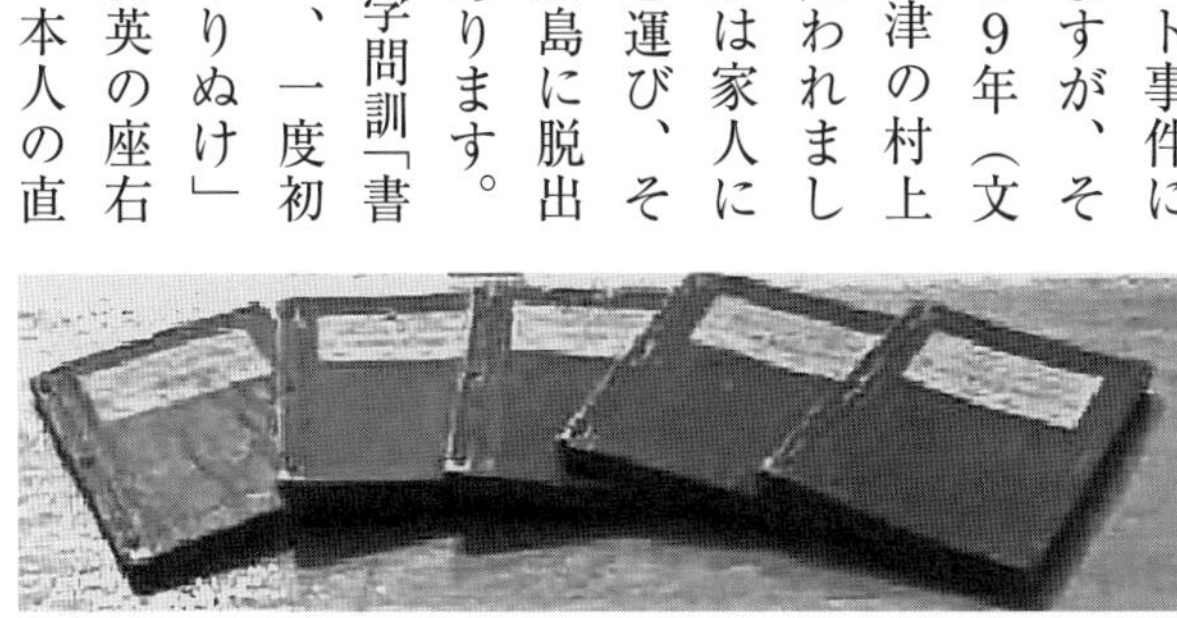

蘭語訳撰（中津市蔵）

筆か否かは鑑定されていませんが、いずれにしても長英との関わりを示していると言えます。

また、玄水は同年『シーボルト経験録』を筆写しており、その写本が発見されましたが、長英滞在と言われている時期とも一致し、長英から借りて筆写したと考えられます。長英は、その後も身を隠して蘭書の翻訳などしながら幕府批判を続けたので投獄されます。しかし、脱獄し名を変え開業していましたが捕吏に襲われ47歳で自殺しました。

玄水は、１８１９年（文政２）、中津の長浜刑場で重刑囚の屍体を自ら執刀し解剖しました。絵師の二人にも立ち会あわせ写生をさせました。序文は帆足万里が書き、『解体図説（臓腑脈絡之説）』上下２巻を刊行しました。当時は医者自らが執刀し解剖するのではなく、解剖人が解剖したのを医者は観察する〝観臓〟でした。医者自らが執刀した解剖例としては九州では最初の時期でした。少なくとも詳細な解剖記録が残されているものとしては九州で最初と言われ、玄水を〝中津蘭医学の開祖〟と呼んでいます。

【ブロムホフの商館日誌と大江春塘（しゅんとう）】

大江春塘は中津藩医で藩主・昌高公の側近医師となり、昌高公の命により蘭和辞書『中津バスタード辞書』（外来語辞典）を編纂しました。巻頭のなかで昌高公はオランダ語の序文で、時計の製造には様々な道具が必要であるのと同じく、オランダの書物を読み、理解するには、種々の辞書、とりわけ外来語辞典が必要であると強調しています。ブロムホフは長崎出島の商館長（１８１７〜１８２３）で、２度江戸参府をしています。この人は商館長になる前の出島勤務があり滞日期間は10年余りもあり日本人との接触も多くありました。この商館長の日誌によれば、春塘は１８２３年（文政６）にルネサンス医学の巨匠・パラケルススを思わせる蘭名のヤコブス・パラケルスを授けられています。この時代の中津藩には、いま一人、村上玄水もいて、二人を〝医学の大家〟と〝医学の巨匠〟と評していました。

【奥平昌高と進脩館】

昌高公は、1790年（寛政2）、中津に藩学〝進脩館〟を設立しました。現在の市立小幡記念図書館がその場所です。中津藩のこれからの人材を育成するための藩校で、初代教授には倉成龍渚と野本雪巌が就任しました。龍渚は、後のケネディ大統領もその政策を褒め称えたという上杉鷹山（米沢藩主）からも招かれ、教授を頼まれたという記録もあります。また、有名な緒方洪庵の師で幕末三大蘭学者の一人と言われた坪井信道は、江戸勤番中の龍渚の屋敷に住み込んで学んだとも言われています。また、龍渚は、頼山陽が『耶馬渓図巻記』で耶馬渓・羅漢寺を全国に紹介する前に、羅漢寺の記録として『耆闍崛山記（ぎしゃくつさんき）』を出しています。頼山陽は龍渚とも交流があったことから、頼山陽は事前にこれを読み、現地を見て書いたのかも知れないとも言われています。

【奥平昌高の側近神谷弘孝】

神谷弘孝はシーボルトの参府日記にたびたび出てくる人物で、神谷源内のことであります。源内も良沢の門人の一人で、『蘭語訳撰』の刊行の中心人物です。神谷家は赤穂四十七士の一人であり、磯貝十郎左衛門正久の血縁で、現在も子孫が上毛町に在住と聞きおよんでいます。『蘭語訳撰』はオランダにおいても大変活用されたようです。また、源内の長男は佐久間象山に師事したとも言われています。

【活躍した人たち】

今も続いている村上医家代々や大江雲澤の医家代々、種痘の辛島正庵、中津医学校校長など務め月波楼医院をおこした藤野玄洋。月波楼医院は春帆楼となり日清講和条約締結の歴史の舞台となりました。陸軍軍医学校長になった田代基徳と東大初代整形外科教授となり日本整形外科の父と呼ばれる田代義徳親子、日本の歯科医の先駆者・小幡英之助、そして福澤諭吉や廣池千九郎などの教育者、その諭吉に育てられ日本の実業会を牽引してきた和田豊治、朝吹英二、中上川彦次郎など多くの人たちが歴史的転換期に時代を切り開き中津のみならず日本を先導しました。

五　黒沢庄右衛門と天保改革

黒沢庄右衛門は、下級武士の出身から抜擢され中津藩の財政改革に取り組んだ人物ですが、進脩館などで学び、殿様昌高公の茶坊主として御側に仕え、江戸詰も許され昌高公に信頼され昌高公が隠居されると隠居付になるほどでした。昌高公の隠居は蘭学に専念したいという一面と、財政困窮の一面もあったようです。しかし、家督は譲っても45歳で元気な隠居で実権は全て持っていました。

藩の財政は、薩摩藩ほどではないものの破綻状態で、〝日田金〟や大坂商人からの借金で四苦八苦している時に庄右衛門は藩財政改革の責任者に抜擢されます。庄右衛門は中津藩は10万石の稼ぎで20万石の生活をしているので、これを5万石に改めるべきだと提言したところ、御隠居の昌高公は、今の年5千両の生活を、2千両で5カ年間暮らすと宣言したと言われています。

上級武士ほど厳しい倹約を強いられ不満も出ましたが、それなりに財政を建て直すことができたと言われています。庄右衛門は、自叙伝『午睡録（ごすいろく）』で書き残しました。

この時代には、薩摩でも財政改革が進められ、その責任者は殿様の茶坊主から家老にまで上りつめ、藩の財政も抜群に改善されますが、幕府からの改善経過を追求され、責任を一手にとり自殺したと言われています。一方、中津藩の責任者も後に上級武士などから迫害も受けますが、庄右衛門は最後まで、家老職などの役をもらうことなく一役人として改革を断行したため、失脚処罰などはなく生涯を閉じました。

六　島津家の歴史

鎌倉幕府の設立とともに中世の薩摩地方（薩摩・大隅・日向）も関東御家人と言われる千葉介常胤、鮫島宗家、島津忠久、渋谷氏一族、二階堂氏などが入り、なかでも最も大きな影響力を持っていたのが島津氏と言われています。

島津氏初代・忠久から三代までは鎌倉を本拠地にしていたと言われています。初代から五代までの墓は熊本県との境の出水市野田の感応寺にあり、島津氏も関東から下向し、すぐに薩摩を掌握したのではなく、落ち着くまでには長い歳月を要しています。幕府は蒙古襲来に備え鎮西談義所後の鎮西探題を設置し北条氏が鎮西探題として下向し、島津氏、大友氏、少弐氏などが警護役（九州の有力守護）を務めていました。宇都宮氏も全盛期にはその一人でした。

島津氏は同じ関東御家人の渋谷氏一族などとの戦いや、島津一門が総州家と奥州家に分裂しての危機を乗り越え、島津一五代・貴久は1550年（天文19）、鹿児島に内城を築き拠点とし、1577年（天正5）、薩摩、大隅、日向を統一しました。

一六代・義久は1578年（天正6）、耳川合戦で大友宗麟に大勝利し九州の覇者となる勢いであったが、1587年（天正15）、秀吉の九州平定で屈伏し、泰平寺（薩摩川内市）で義久は剃髪し降伏しました。これにより、拡大していた領地は、薩摩、大隅、日向諸県一部及び佐土原（宮崎）の旧領に縮小されました。

1600年（慶長5）の、関ケ原の戦いでは、島津義弘は徳川方に参陣するため伏見城に向かったが、手違いから入城を拒否され西軍の一翼を担うこととなります。しかし、終始動かず、決着が付くと敵方となった東軍の陣中を突破し鹿児島に戻り着きました。その結果、家康からは旧領を安堵されました。

時を経て、前野良沢が『解体新書』を刊行する頃、薩摩藩主は二五代・島津重豪でありました。重豪公は奥平昌高公の実父（昌高公は重豪公の二男）であり、一一代将軍・徳川家斉の御台所となった茂姫の実父でもあります。ということは、昌高公は将軍の御台所の弟となります。

この重豪公のDNAをそっくり受け継いだのが昌高公であり、この重豪公と昌高公二人の影響を最も受けて育ったのが島津家二八代・斉彬（なりあきら）であり、江戸後期を代表する一人と言われる大人物でした。この人も大河ドラマになった篤姫を島津の分家から養女に迎え一三代将軍・徳川家定の御台所として送り込み、幕府との繋がりを盤石にし、薩摩藩が幕府や他藩に先駆け西洋の最先端の工業技術と設備（「集成館事業」）を備えるに至りました。斉彬公は、世子時代から高野長英ら蘭学者との親交も深めていたと言われています。

七　島津重豪（しげひで）

島津重豪は、二四代・島津重年の一人息子。1745年（延享2）に生まれ、父の重年が若くして亡くなったため、重豪は11歳で二四代・島津家を継いだ。大変長生きして1833年（天保4）、89歳で亡くなった。

（一）島津家と将軍家の繋がり

五代将軍・徳川綱吉の養女で竹姫（公家出身）が二二代・島津継豊に嫁ぎ、その子の菊姫は福岡藩主黒田重政に嫁ぎました。島津二三代、二四代が若くして病死し、二四代の一人息子重豪は11歳で家督を継承しましたが、その教育は、もっぱら二二代の奥方、京生まれの大奥育ちの竹姫の手に委ねられました。薩摩の武骨な風俗を嫌い、文化人としての影響は、この辺りによるのかも知れません。この重豪の祖母にあたる竹姫は徳川家と島津家の血縁を強く望んでいました。

1762年（宝暦12）、重豪の奥方に、竹姫は義弟で一橋宗尹（むねただ）の娘・保姫を迎えていますが、この話は義弟の九代将軍・家重から竹姫に持ち込まれたと言われています。しかし、保姫は１７６９年（明和６）に病死し、続いて竹姫も病死しますが、死ぬまで将軍家との繋がりが途絶えることを憂い、身籠っていた重豪の側室が女子を生んだら、徳川家に嫁がせるようにと遺言を残したと言われます。その執念が現実のものとなり、女子が生まれ、一橋徳川家の治済(はるさだ)の嫡男・豊千代に嫁がせました。豊千代は１７８１年（天明元）十代将軍・家治の養子となり、家斉(いえなり)と改名し一一代将軍に就任しました。

重豪の娘・茂姫はいったん、近衛経熙(つねひろ)の養女となり将軍家に入輿しました。これにより、島津重豪は将軍家斉の岳父（義父）になりました。将軍・家斉の在任期間は足かけ50年にも及び、その後も大御所として実権を握り、また茂姫も御台所として大奥を束ね、島津家も大きな恩恵を受けたと言われています。

その後も、一三代将軍・家定の御台所に、島津二八代・斉彬の養女で篤姫が入り明治維新を迎えたことについては大河ドラマとなりましたのでよくご存知のことと思います。

このように徳川家と島津家の結びつきは、いやが上にも島津家の地位が向上したので、単なる外様大名として扱えなくなったと言えます。

㈡　日本一の貧乏殿様

薩摩藩の石高は77万石余り、金沢藩に次ぐ天下第二の大藩でした。しかし、この数字は籾(もみ)高で、他藩なみに米高にすれば40万石にも満たなかったとも言われています。それでも天下第二の面子を選んだとも言われています。それを補うため貿易や金山の開発に力を入れていましたが、江戸参府や参勤交代に伴う経費や度重なる大火、更に追い討ちをかけたのが、幕府の御手伝普請の木曽川治水工事でした。この工事費用は10万～15万両と見積もられていましたが、最終的には40万両に達し、犠牲者も80余人を出しました。工事責任者の家老・平田靱負は、幕府の検分（工事完了の確認）が終わると自刃して果てました。藩主の島津重年（重豪の父）も心労から後を追うように27歳で病死しました。しかし、後にはこの工事が縁で鹿児島県と岐阜県は姉妹県の盟約を結び、鹿児島大水害では、いち早く岐阜県から支援の手が差し延べられています。

また、二二代藩主・島津継豊には五代将軍の養女・竹姫が嫁いできましたが、この竹姫は婚約者に二度も先立たれ、婚期を逸していたとも言われます。この話には継豊公自身は余り乗り気はなかったようですが、将軍家が熱心で、改めて八代将軍・吉宗の養女として薩摩藩に入りました。藩主自身が消極的であった理由の一つは、将軍家からの入輿は莫大な経費を必要とするからでもありました。

そのような厳しい財政のなかで重豪は二五代藩主となりますが、蘭癖大名と呼ばれる程の開化政策はそれ相応の出費を伴い重荷となっていました。更には娘の茂姫が一一代将軍・家斉の御台所となり、1829年（文政12）には、藩の借金が500万両に達しています。この頃の年平均産物収入が14万両となっていますので、いかに莫大な額であったか伺えます。

㈢　調所笑左衛門（広郷）の財政改革

財政改革で余り成果の上がらない重豪は、茶坊主をしていた調所笑左衛門の手腕に着目し、1828年（文政11）、調所を財政改革主任に大抜擢します。調所は唐貿易などで成果を上げていました。

調所は大坂商人たちから当座の資金の融資に成功し、安堵した重豪は1830年（天保元）、これから10年で50万両備蓄することや、古い借金証文の取り返しなどを命じた上で、調所を家老格に任じました。そして翌年、重豪は89歳の天寿を全うしました。

その後の斉宣、斉興も調所を厚く信頼し、調所は唐貿易の拡大などの諸施策とともに、借金の250年賦返済の暴令で世間が沸騰し裁判にまでなりましたが、薩摩が何か処分を受けたという記録はなく、この時、薩摩は10万両を幕府に献金していることからも、幕府と薩摩の関係が何となく読み取れる気がします。

調所は、このほか大胆なことを二つしています。一つは偽金つくり（お金方）と言い、もう一つは琉球を隠れ蓑とする密貿易（唐物方）でありました。特に大規模な密貿易（唐物方）で得た利益は莫大なものとなり、幕府の隠密に嗅ぎ出され、その責任を一人で負って江戸藩邸で自殺しました。この密貿易を断罪したのは老中の阿部正弘ですが、その先には将軍・家慶がいて、更には斉彬の画策もあったのでしょう。

薩摩藩では調所の財政改革には、皆がその功績を称えていましたが、その実績と家老としての権力を楯に農政や軍政の改革に着手するとたちまち非難の的にされ一人で責任を負ったと言われています。調所個人が一人で責任を負ったということは島津家と徳川家との血筋が何らかの役割を果たしていたことは否定できません。斉彬の狙いは島津二七代・斉興の引退でした。

斉興はなかなか引退を承知しませんが、右腕であった調所の失脚は、斉彬の島津二八代就任に抵抗していた壁が打ち破られるきっかけとなりました。斉興の引退は老中・阿部正弘の意向でもありましたが、伯父にあたる昌高公や南部信順（陸奥　八戸藩主で昌高の弟）の説得もあったと言われています。

(四) 島津重豪と〝造士館〟・島津斉彬と〝集成館事業〟

〝造士館〟は重豪が薩摩藩の文化向上を図り創建した藩校で演武館が併設されています。教授・助教・都講などの教師陣が朱子学などを上下士の子弟に教え、商人の子弟たちも聴講を許されました。

斉彬は、藩主となって最初に手がけたのが、洋式の鉄製砲を鋳造するための反射炉の建設でした。佐賀藩から翻訳書を譲り受け、鶴丸城内で模型の実験をした後、別邸磯御殿に工場建設し苦難の末１８５６年（安政３）に完成、鉄製砲の鋳造にも成功した。その直後には我が国初の溶鉱炉が完成した。ガラス工場や蒸気機関製造所などが造られ１２００人が工場群となり、この工場群は１８５７年（安政４）、斉彬によって〝集成館〟と命名されました。

まとめ

島津重豪と奥平昌高は親子とはいえ、これほど似た生涯を送った人は珍しく、共に将軍家との関係をもち、共に財政建て直しに苦慮し、共に蘭狂いと呼ばれ、共に歴史を切り開いた多くの偉人を育て、共に大変長生きをした二人でした。そして、その一つの舞台は中津でした。

２０１５年（平成27）３月14日　講演

6　大坂と中津を結ぶ医学史
―適塾と中津を中心に―

はじめに

私は福澤旧居のほぼ裏にあたる中津市船場町の生まれで、福沢公園は少年時代の遊び場であり、また子供会で掃除をして育ちました。いつもとてつもない偉大な福澤諭吉がどうして此処から出たのだろうかと、子供の頃から思いながら育ちました。

その後、私は医学の道に進み、九州労災病院に勤務し専攻医学（高気圧治療など）の研究に没頭していた時代、天児民和病院長に、「君は研究に

緒方洪庵

没頭しているが、没頭すればするほどバランス感覚に留意しなければいけない。ついては、日本の近代文化の発展に大きく貢献した中津の歴史、とりわけ医学史の研究について勉強してみてはどうか」と勧められたことがきっかけで、今日があります。

天児先生は、中津について「中津は長崎とともに日本の近代文化の発展の基地と言い得る町である」とおっしゃっていました。

その頃から村上記念病院の当直勤務をすることとなりました。丁度時を同じくして村上医家史料館の発掘作業がはじまり、大変貴重な史料が多数出てきて、のめり込んでいくこととなりました。

本日の命題である『大坂と中津を結ぶ医学史』を考えてみると、多くの中津人が緒方洪庵の〝適塾〟や華岡青洲の華岡医塾の大坂分塾、〝合水堂〟に学びました。ここでの教育は中津の医学の発展はもとより、福澤諭吉をはじめとする多くの人材が育成され、大きく成長し、その後の日本を背負う人材を輩出し、日本の近代化に大きな功績を残しました。

江戸時代、中津の人々は大坂で教育され、後に日本を背負う人物を多く輩出しましたが、まさに大坂はその意味では人材育成のメッカともいえる役割を果たしていました。

《参考》合水堂（華岡医塾の大坂分塾）

華岡青洲の弟、華岡良平（鹿城）（1779〜1827）が1816年（文化12）、大坂中之島の山崎に開設。良平の死後、華岡青洲の娘婿・華岡準平（1797〜1865）が継承し、華岡良平の遺児である康平（良平）を守り立てた。

大江医家五代・雲澤は合水堂に学んだ。大江医家史料館には合水堂の華岡準平からの手紙が三通残されている。

一　大坂という町、そして豊前中津との関係

大坂というと、どうしても商人（あきんど）の街という先入観で、学問とか医学とかは何となくイメージしにくい面がありますが、江戸時代には福澤諭吉が学んだ緒方洪庵の〝適々斎塾〟（通称〝適塾〟）や華岡医塾の大坂分塾の〝合水堂〟など日本を代表する医塾があり学術の拠点でもありました。

私は折りに触れ大阪を訪問し関心を持ってきました。また、現在も適塾の会会員でもあり定期的に会報もいただき関わりを続けています。

大阪というと、どうしても、算盤片手に「モウカリマッカー」と単純な発想が浮かぶ訳ですが、実は大変な検討違いで、経済の基になる歴史をしっかり持っている町ということです。

『大阪府の教育史』（思文閣出版）によりますと、4世紀には王仁（わに）という人物が百済より来朝し論語、千字文、漢字をもたらし、子孫の史部（ふひとべ）は河内国に居住し、文筆を専門として朝廷に仕えました。王仁は漢の高祖の子孫で応神天皇の時に来朝したと言われています。

大阪の歴史は、壬申の乱（672）に勝利した天武天皇（第四〇代）は、畿内の外港（堺）を抱える要地難波宮を副都とし国司を置く代わりに、津国を管掌する機関として特に摂津職（せっつしき）を置きました。大和朝廷時代は遣隋使や遣唐使を住吉津や難波津から送り出す国際港として賑わっていました。またキリスト教の宣教師・ガスパル・ヴィレラ（ラッファル・リベイラ）は「国中戦争あるもここは相敵するのも知人の如く談話往来している」と述べ、自律性、連帯性、開明性について本国に報告しています。

長崎の出島に来ていたドイツ人の外科医のエンゲルベルト・ケンペル（1651〜1716・オランダ船船医として渡来、商館付医員として2年間滞在）は、著書『日本誌』のなかで大坂の当時の人口など詳しく書き残しています。富裕な商人、製造業

者が多く、人口が多い（1665年26万人、1703年35万人、1739年40万人）と書いています。この人は絵に描いて残しているので非常にわかりやすく書かれています。

商人の自治による環濠都市を形成し、千利休をはじめとする茶道や連歌などの町人文化や鉄砲鍛冶などの産業も盛んでした。

また、日本最初のキリスト教伝道者のフランシスコ・ザビエル（1506~1552）も来日直後の書簡で日本を代表する経済都市と報告しています。

堺市は、現在は大阪市の南隣に位置する政令指定都市ですが、元来、大坂の一角で中国や朝鮮との貿易港として繁栄し、16世紀には遣明船、南蛮船の往来が盛んでした。従って、大坂は名実ともに首都京都の副都であったわけです。

私たちの住む中津とはどんな関係であったかといえば、大坂とは瀬戸内海で繋がっており、早い時代から海路で交易や人、文化の交流が盛んでした。大陸への使節団なども大坂を起点として出発して途中、中津港を経由していたことからも、大坂と中津の往来は盛んであったことは間違いありません。また、黒田官兵衛が中津に入り最初の拠点として築いたのが中津城で、九州では山から下り平地に造った最初の近世城郭で、京都、大坂の情報をいち早く掴み、そして交易を盛んにするために海路に重きを置いたと言われています。また、黒田官兵衛は秀吉の主要幕僚のなかでただ一人中津にいながらも、大坂や広島（毛利氏）のいち早い情報が不可欠ということで早船を用意していましたので、中津は大坂の情報や人の交流は早い時期から非常に進んでいたことは間違いありません。

諸大名は主要な港（大坂、大津、江戸、敦賀、長崎など）に蔵屋敷を置いて倉庫と販売事務所を兼ねていました。とりわけ、大坂はその代表格で福澤諭吉の父の百助も中津藩の役人として大坂蔵屋敷に勤めていましたが、大変に貴重な史料（中国の高価な書籍など）を数多く収集していたことからも、百助は普通の下士ではなく相当な勉強家であり学者であったことや当時の大坂の町の状況が読み取れます。百助の収集していた貴重な史料（書籍）の多くは、残念ながら、百助の突然の死により、諭吉が金策のため臼杵藩・稲葉家に売却したと言われています。現在は臼杵市立図書館（稲葉家下屋敷）に保管されています。

《参考》エンゲルベルト・ケンペル

ドイツの〝30年戦争〟直後の社会的困難な状況下で、ドイツ人牧師の次男として生まれ、実家からの経済的支援を受けずに文献学、歴史学、地理学、哲学、古典文学など幅広く学び大学入学資格を得てクラカウ大学で医学と哲学を専攻した。更にケーニヒルベルグ大学医学部に入学、更にアルベルトユス大学で法学を志した勉強家で極めて幅広い知識を習得し、スウェーデンの使節団の一員として働いた。使節団の帰途にともないペルシャに残りオランダ東インド会社に転進して、長崎出島の医師として来日し、商館長の江戸参府にも2度随行した。あらゆる学問を習得していたため、僅か2年間の滞在で、日本の自然、歴史、社会、文化に関する資料を入手したり、地図を作ったり植物標本を収集した。帰国後、オランダのライデン大学医学部に入学し医学博士号を取得した。多くの著書を残したが、なかでも『日本誌』はベストセラーとなった。

二　大坂の学問史

大坂は、富が文化を発展させました。領主、大名がいない自由な文化生活があり、各大名の蔵屋敷に学問・文化を愛好する侍が多くいました。また、蔵屋敷に出入りする町民も文化、学問の素養が必要になってきました。

㈠ 懐徳堂（1726～1869）
別名・懐徳堂書院

大坂は、商工業の発達のみならず、茶道や連歌など町人文化も日本を代表する所となったため、町人

（商人）も学問を修めていないと相手にされないという状況になりました。それに応えるようにできたのが、〝懐徳堂〟です。三宅石庵を学主・五井蘭州を助教として、三星屋武右衛門（中村良斎）など町人5人衆の出資で創設し、彼らの基金で運営されました。今でいう大学の教育学部を町民が自分たちで造ったわけです。教師には三宅石庵（1665～1730）、中井甃庵（1693～1758）、中井竹山（1730～1804）、中井履軒（1732～1817）などがあたり、儒学教育を主眼にあらゆる学問を教えたようです。そして、庶民・武士共学・自由な学風で知られ、所用のある者は退席を認め、また特定の授業料は取らないなど町人の学校に相応しい活動をし、日本一の盛況を呈した時期もありました。

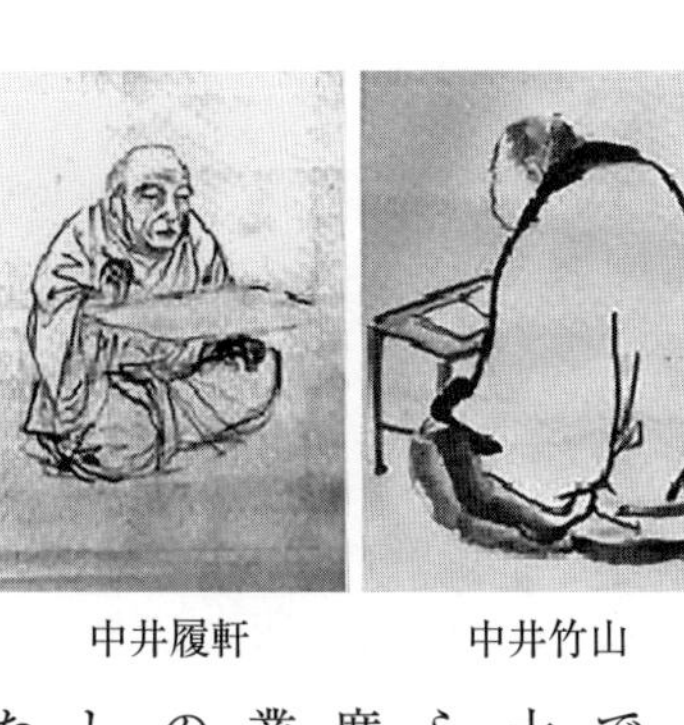
中井竹山　中井履軒

1869年（明治2）に閉校され、1910年（明治43）に懐徳堂記念会が引継ぎ、更に1983年（昭和58）、懐徳堂友の会が設立され、現在は大阪大学に史料が寄贈され保存されています。

(二) 近世京阪の医学

●曲直瀬道三（1507～1594）
安土桃山時代の医学者で京都の人。会津で中国の李朱医学を学び、京都に医学校啓廸院を開き、信長・秀吉らの厚遇を受け、〝日本の医学中興の祖〟と言われた。

●施薬院全宗（1526～1599）
織田信長の延暦寺焼打ちの後、僧侶から医者となり豊臣秀吉に重用され、再び僧侶となり、比叡山の復興に貢献した。

●曲直瀬玄朔（1549～1631）
安土桃山・江戸前期の医学者で二代目・道三を継ぐ（母は初代曲直瀬道三の妹）初代・道三とともに〝日本の医学中興の祖〟と言われ、中国金元医学を広めた。岡本玄冶、饗庭東庵など近世前期の著名な医師を多く育てた。

●古林見宜（1579〜1657）
播磨の国の出身、曲直瀬玄朔（正紹）に朱子医学を学んだ。大坂聚楽町で開業、門下生は3千人と言われ、生涯市井の一医人として生きたが、当時の大坂の名医を代表する人物で、中津の村上医家初代・良道（宗伯）も古林見宜に学んだ。村上家には古林見宜からもらった免許が2通残されている。なお本家古林家の史料は戦災で殆ど焼失している。

《参考》市井：中国の故事から、井戸のある所（水のある所）に人が集まり市ができたことから、人家の集まっているところ（まち）。

●後藤艮山（1659〜1733）
江戸中期の儒医。古医方の祖。貧苦のなかで独学で医学を学び救民のために尽くした。灸、熊胆、温泉を賞揚し、湯熊灸庵と親しまれた。門人は200人を越え、香川修徳・山脇東洋らを育てた。

●吉益東洞（1702〜1773）
江戸中期の漢方医。山脇東洋と交流し有名になった。万病一毒説（毒をもって毒を攻め、毒を去れば病は治まる）を説き、脈診よりも腹診に重きをおいた。

●山脇東洋（1705〜1762）
江戸中期の医師（本名：清水尚徳）、実験医学の先駆者で、刑死体を解剖し、日本初の解剖図鑑『蔵志』で日本初の実証的解剖所見を刊行した。丹波亀山の出身で、伝統的な李朱医学の流れをくむ名門、京都の山脇家の養子となりながら、新しい医学の流れの旗頭であった古医方の後藤艮山に学んだ。東洋に人体解剖のきっかけを与えてくれたのは後藤艮山であったと『蔵志』のなかに書かれている。解剖が厳しく非難された江戸時代にこの一族は三代で14体の解剖をしたことが山脇社中解剖供養碑に刻まれている。

この時代の解剖は、解剖人（解体人）が解剖した臓器を医者が観る観臓と言われるものでした。東洋の解剖も同じでした。

●小石元俊（1743～1808）
江戸中期、山城の出身、最初古医方を学び、大坂で開業、40歳頃江戸で蘭学を学び（解体新書に感銘し杉田玄白・大槻玄沢らに師事）、京都に戻って人体解剖を盛んに行なった。

●橋本宗吉（1763～1836）
江戸後期の蘭学者。大坂の傘職人であったが、小石元俊らに見出され支援を受けながら江戸の大槻玄沢に学び、オランダ語を習得して大坂に帰り医業と翻訳に精を出し、医院と蘭学塾を兼ねた絲漢堂を開き、大坂蘭学勃興の基盤をつくった。また、訳書には『喎蘭新訳地球全図』『阿蘭陀始制エレキテル究理原』などがあり、自分で製作した摩擦起電気の実験を公開した。

●各務文献（1755～1819）
整骨医、人骨の模型・木製全身骨格模型「模骨」（東京大学蔵）

●中川修亭（1771～1850）
華岡青洲の末弟・鹿城が開いた大坂合水堂に学んだ。

●華岡鹿城（良平）（1776～1827）
華岡青洲の末弟で、1816年、38歳の時、華岡医塾大坂分塾〝大坂合水堂〟を大坂中之島の山崎に開いた。鹿城が亡くなった後は、青洲の娘婿・華岡準平（1797～1865）が塾長を引き継ぎ鹿城の遺児も立派な医師に育てた。大江雲澤（大江医家五代目）は1841年（天保12）は大坂合水堂に入門していることから、既に鹿城（良平）は亡く準平に師事した。

●高良斉（1799～1846）
江戸時代後期の蘭方医。1823年（文政6）、シーボルトに師事し高弟となったが、シーボルト事件に連座して入獄。後に大坂で洋方眼科を開業の傍ら蘭書の訳述に力を注ぎ、『耳眼詳説』は耳科で我が国最初の訳書である。

●中天游（なかてんゆう）（１７８３～１８３５）
丹後の儒医の子で、母方の姓を名乗った。大槻玄沢の芝蘭堂で学び、長崎に遊学、天游44歳の時、緒方洪庵17歳が学び、その後、江戸の坪井信道に洪庵を紹介した。
●緒方洪庵（おがたこうあん）（１８１０～１８６３）

三　村上医家と浄喜寺

中津の村上医家は江戸時代から代々続いてきた医家で、初代から十二代までの史料３千余点が収録された中津市歴史民俗資料館分館・村上医家史料館があります。

村上医家の初代は、行橋の浄喜寺（じょうきじ）五世の三男が医学を学び中津で村上医家の家祖となりました。

㈠　浄喜寺の歴史

村上家の出自は信濃源氏で、村上天皇第六王子・源良国・浪華太郎を家祖としています。良国より数代を経て、良氏が豊前仲津郡（現在の行橋地方）を領し、村上左頭良氏と称しました。良氏より数代を経た良成は仏門に入り慶善を号し、蓮如上人の直弟子となって現在の行橋市大字今井に浄喜寺を建立しました。浄喜寺三世・良慶は、軍学、武術にも秀でていて、石山合戦（現在の大阪城の位置）や紀州の鷺の森合戦で豊前の門徒衆を率い本願寺教如上人を、圧倒的な信長の軍勢から守り、命の恩人と賞賛され宗門のなかでは特別な位置付けでした。また、小倉藩主の細川忠興が帰依し、寺領３００石を寄進され、小倉城築城の際は総監督の大役を果たしました。良慶は細川家の信任厚く小倉に浄喜寺を建立し、忠興（三斎）が中津城に隠居すると宝蓮坊を建立しました。

浄喜寺五世蓮休の三男・良道は大坂の古林見宜に医学を学び、１６４０年（寛永17）、免許皆伝を受け、村上宗伯と改名し中津で開業し、村上医家の家祖となりました。

1838年（天保9）頃の配下の末、寺は百ケ寺とも言われ、浄土真宗東本願寺派の九州最大拠点で、近くには、〝今井の祇園さん〟で有名な古社の須佐神社もあり門前町を形成していた。

(二) 村上医家

●村上宗伯（むらかみそうはく）（ ? ～1670）

村上医家の家祖で行橋浄喜寺五世蓮休の三男・良道は大坂の古林見宜に医学を学び1640年、免許皆伝を許され、中津で宗伯と名乗り医業を開業した。

医師の技術、医学の見識は、その人がどのような人に師事したかにより左右されます。宗伯は、当時、大坂で名医中の名医と言われ、全国から3千人もの門下生が集まったという古林見宜に師事していた。古林見宜医塾の免許本が村上医家に残っている。

村上医家史料館

村上医家史料館には宗伯の自筆で〝医亦従自然也〟の書が残されている。

宗伯は中津で30年間医業を続け、中津藩主・小笠原公の御典医を勤め1670年（寛文10）亡くなった。

●村上玄水（むらかみげんすい）（1781～1843）

村上医家七代・玄水は、中津藩主・奥平昌高の設立した藩校、進脩館（しんしゅうかん）で儒学者の倉成龍渚（くらなりりゅうしょ）と野本雪巌（のもとせつがん）に国学、漢学、洋学、筆道、算術、兵学、弓術、馬術、剣術、槍術、砲術、抜合、柔術、遊泳と幅広い分野の教育を受けた。その後、久留米の儒官・梯隆恭（かけはしりゅうきょう）に兵法と軍学を3年間学び帰郷した。この頃、広島の高名な蘭方医・中井厚沢（なかいこうたく）が長崎遊学の帰路、中津に立ち寄ったことから、玄水は大きな影響を受け、医業（蘭方医）に進むことを決意し医業に励み、医

1811年（文化8）、父の玄秀（村上医家六代）の隠居に伴い奥平藩の御典医となり、御近習医師のお墨付をもらった。玄水は帆足万里を生涯の友人とし、高野長英とも親しく村上家の土蔵に潜伏の話が口伝として残っている。玄水の生涯で最大の業績は、九州では最初期（自ら執刀し正確な記録が残されているものとしては、九州最初の）の人体解剖です。このことについては別項で詳しく紹介する。

●村上田長（1836~1906）

村上医家九代の田長は、秋月藩の御典医・杉全健甫の三男として生まれ、村上家に養子として迎えられた。中津藩の選抜留学で大坂医学校での西洋医学を修め御典医となった。

医学のみならず、教育者としては大分中学校（現上野丘高校）、大分師範学校（現大分大学）初代校長を務めた。また、羅漢寺の私塾〝水雲舎〟（後に場所を替え鎮西義塾となる）でも心血を注ぎ逸材を輩出した。行政官としては玖珠郡長を務め玖珠・耶馬渓道路を造った。また、ジャーナリストとしても、全国有数の県内最初の本格的新聞『田舎新聞』を発刊した。

●村上功児（1876~1963）

九代田長の四男で、早稲田大学に進んで大阪毎日新聞記者を経て、実業界に入り西鉄や井筒屋デパートの初代社長など西日本実業界の重鎮となりました。プロ野球球団ソフトバンクの前身、〝西鉄ライオンズ〟球団の生みの親で、黄金期のオーナーを務めた。また、日本のアンデルセンと呼ばれている童話作家・久留島武彦（祖父は森藩十二代藩主）とは生涯の友であった。また、郷土の文化向上の支柱になる施設として、私財を投じて中津に童心会館を竣工した。

㈢ 村上玄水の人体解剖

1819年（文政2）、玄水は自らの執刀のもとに人体解剖をしました。中津の長浜（刑場）で若い四人（21、22の強壮な男性）が処刑され、玄水は人体解剖を願い出て許されたましたが、早い時期から願い出て藩主（奥平昌高）の了解を得ていたようです。当日、中津藩内はもとより大坂、筑前、肥前、日田なども含め57人の医師が集まっていました。そのなかには辛島正庵、松川修山、大江軍司、根来東淑、根来東林、藤本玄泰、藤野玄悦、田代一徳、横井湧泉、篠島白民、簗玄亭、田口明哲、田淵元亭、恒遠文恭、大辺杏寿など中津の医学史上に名を残した医師たちも多くいました。大辺杏寿は銀幕の大スター・大河内伝次郎の祖父で、田代一徳の養子の田代基徳は大坂の緒方洪庵の適塾で学び、明治期の医学教育界、軍医界で活躍し、近代医学の先駆者と呼ばれ、更に基徳の養子の田代義徳は東京帝国大学初代整形外科教授を務め日本整形外科の父と呼ばれます。

この時代には、人体解剖は山脇東洋をはじめ全国的には数十件（21件とも）行なわれていましたが、正式な記録を残した解剖としては九州で最も早期であったと考えられます。

これまでの人体解剖は、医師が自ら執刀して解剖するのではなく、解剖人（解体人）が解剖した臓器を医師は観る〝観臓〟でした。ところが玄水は、解剖人を使うのではなく自ら執刀し解剖しました。玄水は、そのため事前に鍛冶屋に執刀の器具を作らせたり、動物実験を繰り返したり周到な準備をしていたことが『下毛郡誌』でわかりました。

更に玄水は、解剖図は中津藩の画員（片山東籬・佐久間玉江）に詳細に写生させ、『解剖図説』を作り、その序文を帆足万里が書きました。序文が残されていますが、図譜は残念ながら原図のみが残されており、カラーの解剖図は私が東京都中央図書館からコピーの許可をいただいて展示しています。

㈣　村上玄水と高野長英

高野長英（たかのちょうえい）（１８０４～１８５０）は江戸後期の蘭学者で、長崎でシーボルトに蘭学を学び、ドクトルの称号を与えられる。シーボルト事件ではいち早く身を隠し江戸に戻り、町医をしながら生理学の研究に従事する一方、渡辺崋山、小関三英らと海外事情の研究グループを結成、幕府の批判を続け投獄されたが脱獄し江戸に潜伏するも追い込まれ自殺して生涯を閉じます。

長英はシーボルト事件で長崎を追われた後、行方が不明な期間があります。口伝によれば、シーボルト事件の翌年（１８２９）、日田を経て村上家の土蔵に匿まわれ、玄水は家人に一切内緒で、40余日自ら膳を運び、小祝港から密かに舟で脱出させ、6、7月頃、広島に出たとも言われています。

村上医家に残る蘭文の学問訓は、〝書斉、水滴は石をも穿つ〟（一度はじめたものは最後までやりぬけ）、という意味が書かれ、診察室に掲げてありました。これは、長英の学問訓に間違いありませんが、長英の自筆か否かは不明です。

玄水は、ちょうど同じ年（１８２９）『シーボルト経験録』を筆写していますが、その写本が発見され、長英の滞在時期とも一致することから、本人から直接借りて写したものと考えられます。

四　緒方洪庵（おがたこうあん）（１８１０〜１８６３）

緒方洪庵は、江戸後期の蘭医。諱は章。号は適々斉、通称は三平、後に洪庵。

備中国（岡山）足守（現在の岡山市足守）で足守藩士・佐伯左衛門惟因（これより）の三男として生まれ、蘭学医・中天游、坪井信道、宇田川玄真らに学び、更に長崎に2年間遊学し、１８３８年、大坂瓦街（１８４３年過書町に移転）で蘭学私塾〝適塾〟（適々斉塾）を開塾しました。１８６２年に江戸に発つまでの間に、延べ６００人の入寮生と3、０００人の通学生に蘭医学や蘭語を教育しました。そのなかからは、緒方郁蔵、長与専斎、池田謙斎、大村益次郎、橋本左内、佐野常民、福澤諭吉等々、日本の夜明けとなる近代化で中心的役割を果たした大人物を多く輩出しました。

㈠　岡山市足守と緒方洪庵

洪庵の父・佐伯惟因（瀬左衛門）左衛門惟因は、備中国足守藩士で、33俵4扶持で、洪庵元服の年（1825）には大坂の藩の蔵屋敷の留守居役となったことから、洪庵は16歳の時、大坂に出て、中天游に医学を学ぶこととなります。

洪庵は生まれつき柔弱で、自分は武士に向かないと考え、足守を出る時に、医学の道に進ませてほしいと、両親に許可を求める手紙を残しています。

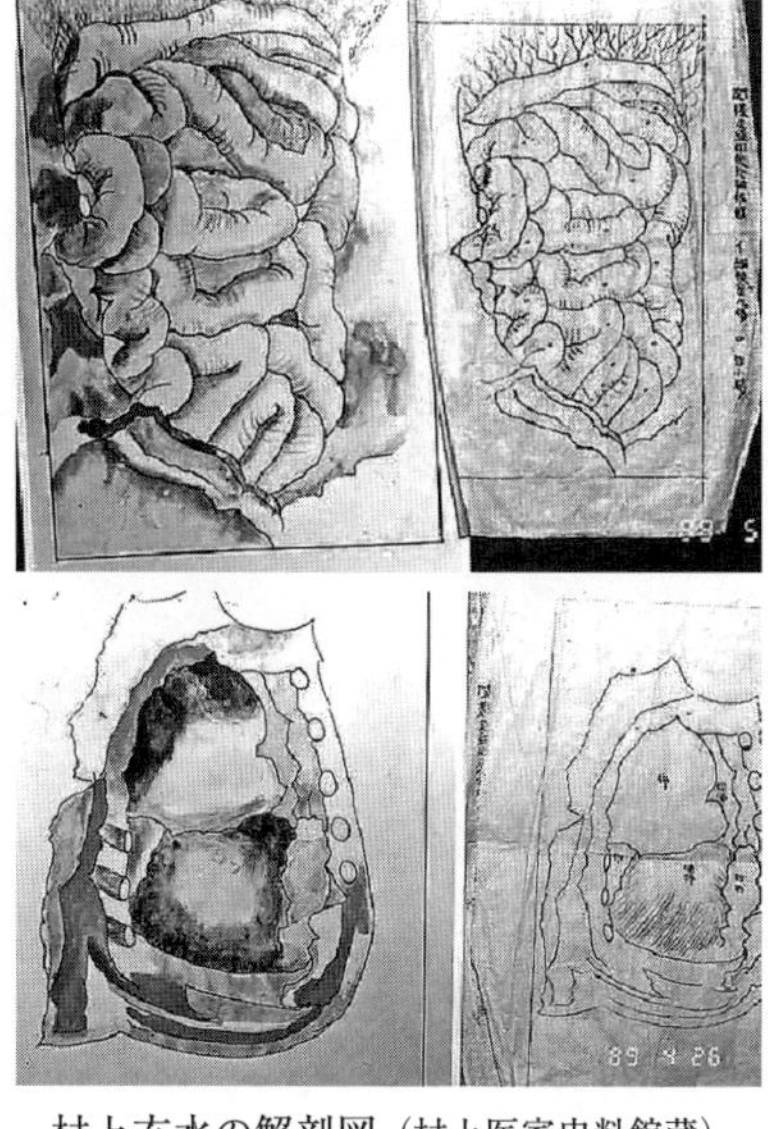

村上玄水の解剖図（村上医家史料館蔵）

洪庵は故郷の岡山のことは終生忘れることなく、適塾には46名の岡山県出身者が入門しています。そのなかには、後に足守の除痘館主任として種痘の普及に活躍した石原朴平や足守藩の御典医となった喜多玄麟などもいました。

《参考》備中国足守藩：備中国は現在の岡山県西部で、城下町松山、湊町倉敷などを中心に栄えた。江戸時代、幕府は倉敷に代官所を置き、幕府天領地（60万石）を支配した。備中国は松山藩（板倉家5万石）を中心に統治され、他は全て1～2万石の小大名が分立していた。

洪庵の足守藩も2万5千石の小藩であった。

㈡　緒方洪庵の師

●中天游（なかてんゆう）（1783～1835）

丹後の儒医の生まれで、前野良沢の弟子の大槻玄沢の芝蘭堂で蘭学を学び、長崎、京都に遊学し1817年、大坂で開業した。橋本宗吉、小石元俊と交流、〝思々斎塾〟で蘭学を教えた。

1826年（文政9）洪庵16歳の夏、天游（44歳）に入門、4年間学び、西洋医学の訳書を読みつくした。1830年、洪庵を江戸の坪井信道に紹介し、緒方洪庵が大成する道筋をつけた。

●坪井信道（つぼいしんどう）（1795〜1848）
幕末の江戸三大蘭方医。信道の先祖は織田信長の孫（岐阜城主織田秀信）であったが、関ケ原で西軍に加担したため没落した。父は小作農民であったが、信道が10歳の時に死去し、僧侶となっていた兄に引き取られ、寺の小僧として下仕事をしていた。12歳の時、兄の計らいで尾張の儒官のもとで学び、更に中津藩の儒官で江戸勤番で評判の高い倉成龍渚に学ばせた。その後、医家を転々としたがよき師に巡り会えず、中津の龍渚を頼るも、龍渚は再度江戸勤めとなり、信道は九州の儒者や医家を尋ね耐乏辛苦の旅を続け、1813年、日田の広瀬淡窓に学び、淡窓の紹介で中津の辛島正庵を紹介される。正庵に、村上玄水の所有する〝医範提綱付図銅板解剖図〟を見せられ、西洋医学に開眼し、玄水の紹介で広島の蘭学者・中井厚沢の弟子となり蘭医学を学ぶ。更に1820年、信道は、『医範提綱』の著者・宇田川玄真に学び1827年に蘭学塾、安懐堂（後に日習堂となる）を開き、緒方洪庵をはじめ多くの人材を育てた。伊東玄朴、戸塚静海とともに江戸三大蘭方医と称される。1837年には長州藩の藩医に登用されている。

【倉成龍渚（くらなりりゅうしょ）】（1748〜1812）
倉成龍渚は宇佐の生まれで10歳で父と死別し苦学して15歳で中津に出て三輪東庵という医師のもとで働きながら、三浦梅園の師・藤田敬所に学び、更に京都に遊学し中津に帰り藩の儒員となり、奥平昌高公の信頼を得て藩学校〝進脩館〟の初代教授となる。また、龍渚は『耆闍崛山記（ぎしゃくつせんき）』で耶馬渓を国内で最初に紹介した人物である。

【坪井信道と広瀬淡窓・旭窓と咸宜園】
坪井信道は1813年、19歳の時、日田で医学を学んでいた折り、32歳の淡窓に接し、帰東した後、再度、西下し淡窓の薫陶を受けています。この時、弟の旭窓は11歳ながらその神童ぶりは信道の印象に強く残っていたようです。後に淡窓から咸宜園を引き継ぎ大坂で開塾し、更に大坂の塾を閉じ江戸へ出て信道を訪ねると、その後日には信道が旭窓を訪ね昔を回想しています。咸宜園の門下生は、当時の全国68カ国中、隠岐(現在の島根)と下野(現在の栃木)を除く66カ国から入門しており、そのなかからは大村益次郎など数多くの人材を輩出した。咸宜園の教育の特徴は、三奪法(年令、学歴、身分を問わず、日常の学習活動と月例試験の合算で決める)で、緒方洪庵の〝適塾〟とも似ていました。また、洪庵と淡窓は体が弱く学問を志したことでも似ています。

●宇田川玄真(うだがわげんしん)(1770~1835)

江戸後期の蘭方医、蘭学者。宇田川三代の二代目。宇田川玄髄(宇田川初代)、大槻玄沢、桂川甫周に学ぶ。杉田玄白の養子となるが、放蕩のため離縁され、玄随の死後、宇田川家を相続した。玄随がはじめた『西説内科撰要求』(我が国最初の本格適な内科書)を完成するとともに薬学の研究を行ない『和蘭薬鏡』などの著書がある。緒方洪庵も蘭学を学ぶ。

余談になりますが、川嶌整形外科病院の〝玄真堂〟は、この宇田川玄真の玄真から命名されています。

(三) 緒方洪庵の教育法

10~15名が一組となり、毎月6回の指定日に、塾長、塾監督または上級生のうち一名が会頭となり、組員相互に問答をさせ、勝敗を分けて黒白の点を付け進級の順序を決めました。淡窓の咸宜園と似ていますが、上級者が下級者を指導し、更に上級者はその上の上級者が指導するという教え方は、医学の世界では今でも基本的には同じです。

塾生は医師のみならず、兵学家、砲術家、本草家、舎蜜家など日本全国から集まりました。塾の生活は、2階の28畳の部屋に30~60人の塾生が共同生活をして、月6回の会読の成績によって畳を選ぶことができ、隣には〝ヅーフ・ハルマ〟という『蘭和辞書』が置かれたヅーフ部屋がありました。一緒に寝て一緒に起きられる環境ではなく、夜通し半数程度は起きて勉強していたということでしょうか。また門人たちの日記を読むと、諭吉が腸チフスになった時に洪庵先生が懸命に治療してくれたことや、女性の声に下女と思い裸で飛び出したら先生の奥様だったことなどが書き残されています。また田代基徳の日記には、腹が空いて食べ物を盗みに2階から下りていき奥様に見つかり樽に逃げ込み、「手を出せ」と言われ手を出すと餅を乗せてくれたことが書かれています。

㈣ 適塾のあった町

最初は1838年、大坂瓦町で家業の医業の傍ら開きました。1843年、過書（かしょ）町（現在の大阪市中央区北浜）に移りました。この界隈には中津藩の蔵屋敷があり、懐徳堂や合水堂、徐痘館などがあり、中津の人を含め色々な人と出会えて情報が入り交流ができる町であったようです。中津から遠く離れ一人寂しく暮らすという環境ではなく中津の町に居るような雰囲気だったのでしょうか。

㈤ 適塾の門人たち

●長与専斎（ながよせんさい）（1838～1902）

肥前の人。西洋医学の先駆者。洪庵に師事、後にオランダの医師ポンペ・マンスフェルトに医学を学ぶ。大村藩侍医、長崎医学校学頭、文部省医務局長、東京医学校長。諭吉の盟友。

長与専斎

●田代基徳（たしろもとのり）（1839～1898）

中津の人。近代外科学の先駆者。漢方医学を学んだ後、諭吉とともに緒方洪庵の適塾で蘭学を学び軍医学校長を務めるとともに、医学教育界の重鎮となっ

田代基徳

た。養子の田代義徳は、東大整形外科初代教授となり〝日本整形外科の父〟と呼ばれる。緒方洪庵の最後にも付き添った。

●大村益次郎（1825～1869）

大村益次郎

長州藩の医者の息子。洪庵に蘭学・医学を学ぶ。長州藩の軍事指導者として長州征討・戊辰戦争で活躍、明治軍制の創設者・近代軍隊の創出を進めるも、暗殺される。諭吉の親友。

●橋本左内（1834～1859）

橋本左内

幕末の福井藩士。幼児から俊秀の名高く16歳で洪庵に入門蘭学・医学を学び、藩医となる。ペリー来航による国事多端の折から、水戸、薩摩諸藩と呼応して藩の洋学を振興、藩政革新にあたるも安政の大獄に連座し斬罪となる。

●佐野常民（1822～1902）

幕末の佐賀藩士。幕末に渡欧し海軍創設に尽力し

佐野常民

た。元老院議長、農商務相など歴任。西南戦争の時、負傷者を敵味方なく救護し、後の日本赤十字社となった博愛社を創設。

●大鳥圭介（1833～1911）

大鳥圭介

播磨赤穂の医者の息子。幕末・明治期の軍人、政治家、外交官蘭学・兵学を学び幕府で、歩兵奉行を務める。戊辰戦争では榎本武揚らと五稜郭で敗れ帰順。諭吉の助命嘆願があったとも言われる。その後は工部大学長、学習院長、華族女学校長など歴任。更に外交官として日清戦争直前の外交を担当。

●箕作秋坪（1825～1886）

幕末・明治期の洋学者、津山藩儒者・菊池士郎の次男、津山藩の蘭方医（藩主の侍医）・箕作阮甫の養子となる。洪庵に蘭学を学び福澤諭吉らとともに遣欧使節団に随行する。後に東京高等師範学校創

立、現国立科学博物館長、現国立国会図書館長など務めた。

●緒方郁蔵
●池田謙斎
●福澤諭吉他

【中津からの入門者】緒方洪庵伝（姓名録より）

1846年　楢林源太
1855年　福澤諭吉・藤本元岱
1858年　神尾　格・藤野真司
1859年　前野良伯
1861年　松口錠七郎・田代一徳（基徳）・和田克太郎
1862年　征矢野元雄
1864年　小幡　弥

緒方洪庵の適塾が素晴らしいのは、基本は医学塾ですが、医学のみならず幅広い教育をしていたため、医学者はもちろん外交官や軍人等々幅広い逸材を輩出しました。

㈥　緒方洪庵と除痘館

洪庵は、1849年11月7日、道修町の大和屋田兵衛の隠居所で〝大坂種痘初めの式〟を挙行しました。

床の間に日本の医神スクネヒコナの命を祭った祭壇があり、越前福井藩医・笠原良策（1809～1880）が種痘児の腕の痘疱の液を大坂の子供に植えました。

この時、洪庵と日野鼎哉（1797～1850）らが協力し8人に種痘しました。

除痘館の記録は、〝是レ唯仁術を旨とするのみ、世上のために、新法を弘むることとなれば、向来幾何の謝金を得ることありとも、銘々己が利とせず、更に仁術を行なふの料とせん事を第一の規定とす〟とあります。

こうして除痘館は設立され、種痘の実施、種痘節種医の要請、そして189カ所へワクチンの分苗を行ないました。緒方洪庵がすごいのは、自分たちで

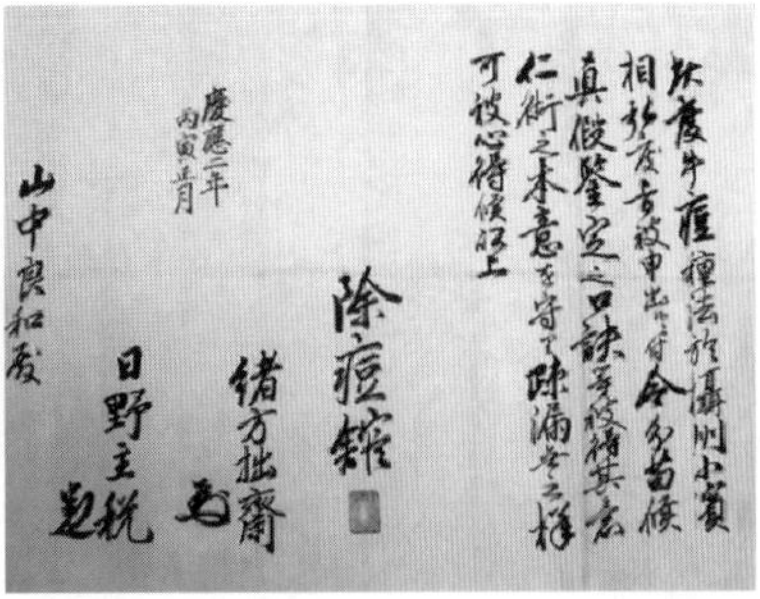

牛を飼い種を増やして全国に配っています。

１８５０年には洪庵の里・足守にも除痘館が設立されました。それから更に歳月を経て１８５８年、伊東玄朴（１８００〜１８７１）たち蘭方医が５８０両を寄付し、幕府も重い腰をあげ、江戸お玉ヶ池種痘所が開設されました。

㈦　種痘の広がり・そして中津に医学館設立

種痘は１８４９年（嘉永２）７月、長崎出島の商館付き医師・モーニッケのもとにバタビアからオランダ船で着いた牛痘苗（牛痘漿と牛痘痂）を子供３人に接種して一人が善感したので、佐賀藩主の世子にも行ない成功したため、一気に全国に普及する引き金となりました。最初の子供３人は、佐賀藩医・楢林宗建の実子などでしたが、成功の絶対的な確信までに至りませんでした。しかし、世子の成功で、全国に痘苗を分け普及が一気に進みました。中津藩が種痘を実施した日は特定されていませんが、佐賀藩の呼び掛けに真先に駆けつけたのは中津藩医・辛島正庵の弟子たち９名とその子供たちでした。

なお史料から考察すれば、佐賀藩の研究成果が確認され呼びかけに応じたというより、既に研究されモーニッケの牛痘苗が入るという情報を得て中津を事前に出発していたのではないかとも推測されています。従って、中津藩の種痘は日本初の佐賀藩とほぼ同時期と言えます。市内の上勢溜（現在の丸吉ストア付近）で約２千人に接種したと言われています。種痘の成功に感謝した多くの住民が金子はもとより、石屋は石を畳屋は畳を寄付し諭吉は医学書を寄付して１８６１年（文久元）、上勢溜に中津医学館が設立され、後に片端町に移設し医学校となり、大江雲沢が校長、病院長に藤野玄洋が着任したことが、麗沢大学創始者の廣池千九郎の『中津歴史』に書かれています。

この種痘の報（しらせ）は全国の医師に伝わり、越前福井藩では笠原良策が、京都では湯布院出身の日野鼎哉（ひのていさい）が種痘の普及に励みます。そして、笠原良策と日野鼎哉は協力して除痘館で緒方洪庵に分苗し、大坂にも普及します。更に尾張、水戸と普及していきました。

中津藩の最初の種痘に長崎に同行した医師は、西周哲、横井玄伯、神尾雄策、藤野東海、藤本玄袋、小幡竜州、松川清庵、原岡平泉、久松方庵がいました。

また、中津藩にさほど遅れることなく、山国中摩の町医者・村上姑南が独力で３００人を超える村人たちに種痘を行なっていることは特筆すべきことです。

天然痘（痘瘡）の歴史は古く、紀元前１１５７年前のラミレス五世のミイラの顔に天然痘の跡が見られます。インドが起源のようですが、ここから中東を経てヨーロッパに広まって、死亡率は25％とも言われています。

日本においても天然痘の恐怖は、１７７３年（安永2）、江戸で19万人死亡。また、オランダ海軍軍医・ポンペは、住民の3分の1に顔に痘痕（あばた）があると記録しています。また、明治18～20年には12万人が罹患し、2万2千人（約27％）が亡くなるという恐怖の病でした。英国のジェンナーの牛痘接種によって人類がウイルスを絶滅（１９８０・５・８、ＷＨＯが天然痘根絶宣言）することができました。

大変な病気だったわけで、日本では神頼みで赤い着物を着せました。60歳の祝いに赤いチャンチャンコを着るのもそこからきています。中津でも天然痘の流行に苦慮していた様子が、史料『惣町大帳』にも記録されいて、大新田の白髭神社で藩主が祈祷した様子などが記載されていますし、現在も行事として続いています。

㈧　辛島正庵、辛島長徳、辛島春帆と種痘

中津藩の辛島医家五代目長齢、字は正庵（１７７９～１８５７）は、１８４９年（嘉永2）7月、日本で最初のモーニッケの牛痘苗が長崎に着いた時、

佐賀藩とともに日本で最初に接種に成功した中津医師団の最高顧問です。（本人は高齢のため、長崎には出向かなかった）正庵は10人位の医者で勉強会をはじめています。正庵（辛島医家五代目）は実子を天然痘で亡くし、長徳を養子に迎え六代目を継がせました。正庵は六代目長徳を岩国の中村一安の所で勉強させ、明から池田家に伝えられた『痘瘡唇舌鑑図』など貴重な史料を入手しています。このほか『痘科辨用』、『痘瘡新論』、『痘疹金鏡録』、『池田家秘書痘疹戒草』など貴重な史料が辛島医家から発見されています。残念ながら六代目の長徳は40歳で亡くなります。

辛島医家の七代目となる辛島春帆は、日田の相良文教の弟で辛島家に養子として迎えられましたが、広瀬淡窓の咸宜園で都講（塾頭）を務めた秀才でした。この人は歳老いた養父の正庵（五代目・正庵）に代わり中津の医師9名とその子供たちを連れ長崎で中津藩最初の種痘に成功した人物です。

㈨　緒方洪庵と扶氏経験遺訓

フーフェランドの著書、『扶氏経験遺訓』30巻を翻訳し、そのなかでも特に医戒は有名です。

・人のために生活して、自分のために生活しないことが医業の本来の姿である。
・治療を行なうにあたっては、病者が対象であって、けっして道具であってはならない。
・安逸を思わず、名利を顧みず人を救わん。
・心をこめて一人の病者を細密に診る。
・たとえ学術がすぐれ、言行も厳格であっても衆人の信用をえなければ何にもならない。

㈩　緒方洪庵とコレラ対策

1858年（安政5）、長崎で発症したコレラは、京浜、東海、関東一円に蔓延しました。洪庵は、モスト、カンスタット、コンラージの三原則を翻訳し、『虎狼痢治準』を出版して有益な指針を与えました。『虎狼痢治準』は村上医家史料館にもあります。

かつて、コレラは死亡率が極めて高く、発病後、一、二日でころりと死んだことから〝ころり〟とも言って恐れられていました。特に1858、1859、1862年には大流行しました。1858年の流行では江戸で10万人が死んだとも言われています。インドや東南アジアからの貿易船（コレラ船）でコレラ菌が持ち込まれ、打つ手がない状況で、コレラ一揆の記録まであります。そこで目を付けられたのが長崎のポンペで、日本のコレラの防疫に貢献しました。

【ポンペとコレラ対策】

ポンペはオランダ海軍の軍医で、幕府の要請で長崎海軍伝習所の医学教官として5年間在日した。コレラの防疫のため長崎養生所（西洋式病院）を設置し、多くの指導者を輩出した。ポンペは治療にキニーネの服用で、2476名を治療し、721名死亡、1746名（約70％）治癒した。

ポンペは長崎養生所（現在の長崎大学医学部）を西洋式の病院に替え、患者の身分に関わらず診療を行ないました。

緒方洪庵はいち早く、このポンペの指導を導入した。当時としては稀れに見る柔軟な考えの持ち主でした。洪庵の良いものは何でも取り入れる素晴らしい柔軟性を垣間見ることができます。

㈩　緒方洪庵と西洋医学学問所（後の東大医学部）頭取

よるべぞと　おもいしものを　難波潟
芦のかり寝と　なりにけるな　緒方洪庵

1862年（文久2）、幕府は奥医師兼西洋医学学問所・頭取を命じたが、名利は不要、有難迷惑と再三固持していた洪庵も渋々江戸に召し出された。しかし窮屈な江戸生活の気苦労も重なって、10カ月後の1863年（文久3）6月10日には多量の喀血により急死しました。享年54歳でした。

この時、付き添っていたのは、中津藩の田代基徳（近代外科学の基礎を築き軍医学校長など務めた）でした。

緒方洪庵は、東京都文京区の高林寺と大阪市北区の龍海寺に分骨され眠っています。

五　福澤諭吉（1835～1901）

㈠ 福澤諭吉誕生の地、そして中津へ

諭吉は、中津藩の下級武士（13石2人扶持）福澤百助の次男として、大坂堂島玉江橋の中津藩蔵屋敷で生まれました。ところが、まもなく（1836年6月18日）父の百助が急死します。百助の死因には脳卒中と自殺説があるようですが、わかりません。

福澤諭吉旧居・福澤記念館

諭吉たち母子6名は中津の留守居町の父の実家に引き揚げました。そして諭吉16歳の時に母の実家（現在の福澤旧居・橋本家）に移転しました。

㈡ 福澤諭吉と長崎遊学

諭吉は、1854年（安政元）19歳の時、兄・三之助のすすめで長崎に蘭学を学びに出ます。「諭吉の父・百助は、黒沢庄右衛門の財政改革の時代の大坂の蔵屋敷勤めであり、何らかの影響があって当然であり、急死との関連も疑われるなか、諭吉の漢学の師・野本眞城や白石照山も追放されている厳しい状況のなかで、兄・三之助などの推薦で長崎遊学を認められた背景には中津藩の蘭学と蘭医学の強い伝統を見逃すことはできない」と、横松宗先生（元八幡大学学長）は著書のなかで述べておられます。

㈢ 適塾と福澤諭吉

諭吉は20歳の1855年（安政2）、緒方洪庵の適塾に入門します。入門時の名前は幼少時より叔父の中村術平の養子となっていたため、中村諭吉と署名しています。翌年、三之助が病死したため、中津

に帰り福澤家に戻ったので再入門帳には福澤諭吉と書いてあります。最初の入門は正式なものではなく、仮入門だったようです。適塾で諭吉は2年後には早くも塾長になります。

福翁自伝のなかで、適塾での塾生たちの生き様を生き生きと描いてあります。

1855年、堂島の中津藩蔵屋敷で寝ていると洪庵先生が見舞いにこられて、「腸チフスに違いない。これは馬鹿にできぬ病気だ、本当に治療せねばならぬ」とおっしゃり、今でも忘れぬほど親切にして下さいました。私の扱い方は実子と変わらなかった。また、黒田侯から借りてきた物理書の電池の部を二夜三日で模写した等々。

㈣　その後の福澤諭吉

・諭吉は23歳の1858年（安政5）、中津藩命で江戸へ出府、藩主奥平家の中屋敷に蘭学塾を開きます（後にこの地は慶応義塾発祥の地となります）。

・24歳の時、横浜見学を契機に英学に転じ独学で修め、25歳の1860年（万延元）咸臨丸で渡米、帰国し幕府の外国方に雇用されます。この後、最初の著訳書『増訂華英通和』を刊行しました。

・2年後の27歳では、遣欧使節団に随行し、ヨーロッパ・ロシアなどまわりました。諭吉はこの時、手術に立会いますが、とても見ておれず自分は医者にはなれないと悟ります。しかし、医者は必要だからと医学校を造り、医学に関わりを持っていました。

・その2年後の29歳では、中津に帰り、小幡篤次郎など中津藩子弟を伴い帰京。

・その2年後の31歳では、『西洋事情』初編を刊行（32歳では、再渡米）。

・その2年後の33歳（1868）、塾名を〝慶応義塾〟と改名。

・その翌年の34歳（1869）、前野良沢、杉田玄白らの苦労に報いるため、玄白の随筆、和蘭事始・蘭東事始を『蘭学事始』と題して出版。
・その翌年の35歳（1870）、江戸に母を伴い帰京。この時、中津で『中津留別の書』を起草。
・翌年の36歳（1871）、中津市学校（旧奥平家の家禄の5分の1（1060石）と旧藩士の相互扶助機関からの2万円を基金として設立され、当時、地方では有数の英学校であった）設立に尽力し、校長に小幡篤次郎を派遣。
・翌年の37歳（1827）では、『学問のすすめ』初編を刊行。
・55歳（1890）では、慶応義塾に大学部を新設。
・57歳（1892）では、北里柴三郎を支援し伝染病研究所の設立に尽力。
北里柴三郎は、後に慶応義塾大学の初代医学部長となります。そして、1909年に医師法が制定され、1923年に組織された日本医師会の初代会長となりました。
・59歳（1894）では、競秀峰の売却話に危惧し自ら買収し自然保護の先駆けとなった。
・63歳で脳出血症で倒れるも、66歳（1901年1月25日）脳出血症再発で永眠するまで『福翁自伝』・『女大学評論・新女大学』などの刊行や〝修身要領〟の発表に尽力しました。

中津藩の医学史上に残る医師たちの活躍の背景には、藩をあげて蘭学を学ばせたことがあげられます。常に時代のニーズを先取りし、時代の先端を行きながら、人材の育成を怠らなかった中津藩でした。その仕上げは福澤諭吉によって行なわれました。そして藩の先達・前野良沢たちの苦労を忘れず、顕彰するため『蘭学事始』を復刻し、再刊版の序文でそのことを讃えています。

㈤　慶応義塾の創設

中津藩江戸中屋敷（蘭学塾）⇩新銭座有馬知四郎屋敷跡（慶応義塾）⇩三田（現）諭吉は23歳の1858年（安政5）、中津藩江戸中屋敷に蘭学塾（後に英学塾）を開きます。この蘭学塾を1868年（慶応4）、新銭座（有馬知四郎屋敷跡（現在の神明小学校〕400坪）に移転・改称し〝慶応義塾〟が創設されました。その後、1871年（明治4）、三田に移転しました。1898年、幼稚舎（6年）・普通学科（5年）・大学科（5年）の一貫教育制度を確立。日本における最初の私立大学。医学科（医学部）の創設は1917年（大正6）、中津藩江戸中屋敷の蘭学塾跡には現在、聖路加国際病院があります。

㈥ 福澤諭吉と楠本イネ（1828～1903）

楠本イネ（通称おイネ）はシーボルトの娘で、一九歳から外科、産科を学び日本で最初の近代産婦人科医となった女性です。シーボルトと其扇（そのぎ）（通称お滝）の間に長崎の出島で生まれ、楠本姓は、母・お滝の生家の姓と言われています。シーボルトはシーボルト事件に連座して長崎払いになります。シーボルトはイネの将来を高弟の二宮敬作たちに託し日本を去ります。二宮に養育されたイネは日本人初の産婦人科医となり、そして宮内省御用掛にも任命される医師と大成します。この宮内省御用掛には福澤諭吉の推挙があったと言われています。また諭吉はイネ、お滝親子の物心両面の支援もしたようですので、イネが子供の頃訪ねて来た時にコンペイトウをあげた記録なども残っています。イネが立派な医師となったのには二宮敬作とともに諭吉や高野長英の支援も見逃すことはできません。

㈦ ミイラになった福澤諭吉

諭吉は1901年（明治34）2月3日、66歳の生涯を閉じました。

亡骸は大崎の常光寺に埋葬され、昭和52年、麻布山善福寺に改葬されました。この改葬時に諭吉のミイラの姿が発見されました。何故、ミイラ状態で保たれたかと言いますと、柩が銅板で密閉されていたため、銅の殺菌効果によるものと考えられます。大学関係者などの一部では、貴重な諭吉の遺伝子を調査したいという話しも出て大騒動になったそうですが、ご遺族の要望で火葬にされようやく天に昇りました。死してなお大きな影響力を持ち続けている不動の大偉人です。

おわりに

本日は、『大坂と中津を結ぶ医学史』と題して、大坂適塾と中津を中心に話をさせてもらいました。大坂は医学史上に大きな影響を与えることになった中津人を次々と育てました。そして中津医学校設立に尽力し付属病院長になり、大分医学校の設立にも貢献した藤野玄洋、近代医学の先駆者と言われ陸軍軍医学校長を務めた田代基徳（東大初代整形外科教授で〝日本の整形外科の父〟と呼ばれる田代義徳の養父）、そして日本の近代化に大きな功績を残した福澤諭吉を輩出することになりました。

また、幕末の江戸三大蘭方医の一人と称され、適塾の緒方洪庵の師でもある坪井信道は中津の倉成龍渚（くらなりりゅうしょ）（1747～1822・中津藩の儒官）に学び、広瀬淡窓に辛島正庵を紹介され、その辛島正庵の計らいで村上玄水の西洋医学に開眼し、緒方洪庵を育て、そして、日本の近代化に大きく貢献した多くの人材の輩出に繋がります。中津と大坂の関係は諭吉のみならず、その師である緒方洪庵にも、洪庵の師坪井信道を通して繋がっていたということです。

今回は、緒方洪庵の〝適塾〟（内科系）と中津を中心に話をしましたが、華岡青洲医塾の大坂分塾〝合水堂〟（外科系）にも大江雲澤（中津医学校初代校長）などが学び医学の発展に大きな功績を残しました。このことは別の機会に紹介することとして本日の講演を終わります。

2016（平成28）2月27日　講演

7 藤野玄洋と中津

はじめに

本日、お話をします中津の医師・藤野玄洋は史料が少なく謎の多い人物です。この人が知られるようになったのは廣池千九郎先生の『中津歴史』のなかで「明治四年十二月、小倉縣中津の片端町に醫学校が開設され学校取立方（校長）に大江雲澤、教頭に大江春水、付属病院長は藤野玄洋とし年々米二百二十五俵を資し之を維持す」と書かれていたからです。

藤野玄洋
（赤間神宮宝物殿蔵）

この藤野玄洋という人は、時代の背景や行動力もあったのでしょうが、一カ所に留まれない性格（今の言葉で言えば、ウロチョロ症候群）は終生変わらず医師として波乱万丈の生涯でした。一方で妻・ミチさんは生来、経営手腕に秀でていたらしく、後に歴史の舞台となる大発展を遂げた春帆楼の女主人として活躍した人でした。生涯離れて暮らすことの多かった藤野玄洋、ミチ夫妻でしたが、今は中津市内の安全寺で静かに寄り添って眠っています。

一　大江雲澤の学問訓

「医不仁之術　務欲為仁」（医は仁ならざるの術、務めて仁をなさんと欲す）は、中津医学校初代校長・大江雲澤（大江医家五代目）の医訓ですが、この書は、1994年（平成6）日本高気圧環境医学会が中津で開催され

大江雲澤の書
（大江医家史料館蔵）

ることになったことに伴い、大江医家の史料を郷土史家の故・松山均先生と東大、京大の教授をされた学者（中国学）の故・福永光司先生の協力をいただき調べていた時に発見されたものです。

※第一則　医術は仁術である面もあるが、患者を苦しめる面もある。医師たるものは努力して仁を施すようにしなければならない。

※第二則　医術は目の前に見えるもののなかから、見えないものを想像しなければならない、医術とはちょうど兵学のようなものだ。

※第三則　病に対して利を図り、名を好み、インチキをしてはならない。己の蓄財のためではなく、天地大自然の命の営みを助けるためのものである。

※第四則　男子に向かっては矛をとり武を奮うを知るも、これを撫安（撫で慈しむ）するを知らず、火には水をもってこれにむかうを知るも、火をもって火を制することを知らない。根本を治めて末節を処理し、病気の原因を知って、その症状に対処する。魚を捕る網罵籠を使わないで、魚を捕る方法を知っている人物でなければ、ともにこの仁術、医術を語ることはできない。

この雲澤の学問訓（医訓）は中津医学校の基本方針となったものですが、今日この言葉を学会のテーマや特別講演に選んだ学会や大学は数多く、日本臨床薬理学会、日本胸部外科学会、日本インターベンション学会、日本脊椎外科学会、九州大学、東京医科歯科大学、日本整形学会学術総会などで引用されています。大江雲澤の史料は大江医家史料館に展示されています。

二　九州の蘭学と中津藩

江戸時代は、幕府の鎖国政策によりヨーロッパの新しい文明の窓口は唯一、長崎の出島でオランダ商館を経由して入ってきた蘭学でした。あらゆる分野のヨーロッパの学術が蘭学という形で日本に持ち込まれ、我が国の近代化に大きな貢献を果たしました。

この日本の近代化に顕著な貢献を果たしたと考えられる九州の蘭学者（外国人を含む）をヴォルフガング・ミヒェル九州大学名誉教授、鳥井裕美子大分大学教授と私（川嶌）が選んだ共編の評伝集『九州の蘭学』では、多くの蘭学者のなかから、特に59名に絞り込み、その業績などを紹介しています。そのなかに11名の大分県関係者がいますが、そのうち実に10名までが中津藩の人物です。その10名を紹介しますと、前野良沢、辛島正庵、村上玄水、奥平昌高、神谷弘孝、大江春塘、大江雲澤、田代基徳、福澤諭吉、藤野玄洋という人たちです。

本日の主人公、藤野玄洋もその一人で九州を代表する59名の蘭学者の一人に数えられ紹介されていますが、それまでは謎の多い人物で詳しいことは余り知られていませんでした。梅﨑大夢氏の『雑録　春帆楼』により、玄洋の生き様の全貌が明らかになってきました。

三　マンダラゲの会

江戸時代、代々中津藩の御典医を務めた大江医家の旧邸が中津市の史料館として改装されたことをきっかけに、２００５年（平成17）４月16日、第１回マンダラゲの会が開催されました。この大江医家史料館裏庭に、マンダラゲなど30種類の薬草を植栽して蘭学を中心に医学の歴史を勉強し、現代の医療の問題点、健康と〝医食同源〟を学ぶ集まりを年２回（春・秋）行なっています。春は薬草の植え付け、秋は穫り入れて薬草風呂（大江風呂）に入り、前野良沢が蘭学の研究以外で唯一のこだわりであった一節截（ひとよぎり）の演奏を聴いて楽しんでいます。

大江医家史料館とマンダラゲなどの薬草園の関係は、マンダラゲ（朝鮮朝顔）

は華岡青洲が乳癌の手術で麻酔薬として使ったことで有名ですが、大江雲澤は華岡医塾の大坂分塾（合水堂）に学び、大江家と華岡家は親密な関係になります。

このマンダラゲの苗は、私（川嶌）が1996年（平成8）6月、和歌山市で開催された日本臨床整形外科学会出席の折、華岡青洲の墓と医塾〝春林軒〟を尋ねたことが縁で、最寄駅の名手駅長・前川雄造氏からいただいたものを持ち帰ったものです。

また、薬草風呂（大江風呂）は、藤野玄洋が中津から下関に転進し、〝月波楼医院〟を開いた時にも、付帯設備として化学的薬湯場を設けたと言われています。そしてこの浴場はやがて旅館料理屋の老舗・春帆楼へと大発展することとなります。

四　藤野玄洋の父・藤野東海（啓山・啓庵）

中津の町医者で、1849年（嘉永2）、正庵の養子で辛島春帆たちと長崎に出向き、種痘に成功した医師団の一人でした。

中津藩で種痘に最も深く関わったのは辛島医家で、なかでも五代目辛島長齢（字は正庵・東郷・東作、号は蔵春・蕉庵・東渓）は、中津藩の医師たちが日本で最初と言われる佐賀藩とほぼ同時期の嘉永2年に成功した時の最高顧問と言われる人物です。

嘉永2年、年老いた辛島長齢（正庵）の命を受け中津藩の医師、辛島春帆、西周哲、横井玄伯、神尾雄策、藤野東海、藤本玄泰、小幡竜州、松川清庵、原岡平泉、久松方庵がそれぞれの子供を同行させています。その一人に藤野玄洋の父がいました。

それにしても、日本で最初の種痘をしたと言われる佐賀藩とほぼ同時期に成功したということは、情報としてモーニッケ医師の牛痘苗がそろそろ長崎に入りそうだという情報を掴んでいたのかも知れません。

嘉永2年12月には、医師団の藤野東海と神尾雄策が藩主・奥平昌服に接種許可の請願書を提出し、直ちに許可され無償で実施し成功します。そしてその成功により、上勢溜（かみせいだまる）に中津医学館が設立されました。この医学館の設立には、医師たちの献身的な努力に町の人々は大いに喜び、多くの住民がお金はもとより、畳屋は畳を石屋は寄付して協力したそうです。中津の子供たち2千人に種痘がされたと言われていますが、江戸ではそれから15年後でした。明治29年に逝去した東海は、妻のこうと寺町の宝蓮坊で眠っています。

五　天然痘（痘瘡）と種痘の歴史

天然痘は天然痘ウイルスによって起こる急性伝染病で古くは死亡率25％とも言われた極めて恐ろしい伝染病でした。世界中に恐怖と惨禍を与え続けてきた病気でしたが、英国人のエドワード・ジェンナーの種痘法の発明によって、天然痘根絶宣言がされるに至りました。

㈠　エドワード・ジェンナー（1749～1823）

加藤四郎（大阪大学名誉教授）著『ジェンナーの贈り物』より

英国の牧師の子として生まれ、ロンドンで医学を修めました。故郷バークリーで医業の傍ら天然痘に関心をもって調査研究をしていたところ、乳牛の乳しぼりたちが、牛痘に感染すると、それ以後は人の天然痘に感染しないことを突き止めました。そこで牛痘に感染した乳搾りの女性の膿を八歳の少年の腕に植えたところ、感染がおこり、間もなく治癒しました。そこでこの少年に天然痘を接種しましたが感染しないことが確認され、人類史上の大発見となりました。1796年5月でした。

しかし、この大発見も英国では簡単に受け入れられず、学会誌での発表は受理されず自費出版し、米国に渡り米国で大いに評価されたことから世紀の大発見となりました。

(二) シーボルトと種痘

シーボルト(1796~1866)は江戸後期のオランダ商館医で、最も多く西洋医学を日本に伝え、最も多く日本の情報を西洋にもたらした医師で、中津藩主・奥平昌高公や薩摩藩主・島津重豪公(昌高公の実父)との交流も深く、日本の近代化に大きく貢献した人物として有名です。このシーボルトも種痘をしたようですが成功には至らなかったようでたようです。

日高涼民『種痘新書』によると、シーボルトが牛痘苗をもたらして、長崎で3人の子供に接種した。しかし、善感はしなかった。だが、弟子たちに種痘の方法が伝えられた。と紹介されています。

(三) 種痘の成功とモーニッケ

我が国は鎖国政策により、ジェンナーの牛痘接種法が確立されてから、およそ50年遅れで長崎のオランダ商館付医師として来日したモーニッケにより牛痘法が成功しました。

(シーボルト記念館蔵)

モーニッケは1848年(嘉永元)、初来日の時、牛痘漿で種痘を実施したが既に効力を失っていたため成功しませんでした。モーニッケは翌1849年(嘉永2)、再度、牛痘漿と牛痘痂を入手し3人の子供に接種し一人が善感したため、佐賀藩主・鍋島直正の嗣子に行ない成功しました。これが日本における種痘元年となりました。

この快挙には佐賀藩主・鍋島直正の英断と、最初の接種で善感した一人の子供の親で佐賀藩医であった楢林宗健の活躍がありました。

佐賀藩が楢林宗健の三男にした最初の接種が嘉永2年6月26日とされていますが、中津藩でも同年12月には種痘許可の請願書が出され直ちに許可されていることから、日本で最初の佐賀藩に殆ど遅れることなく中津藩医師団の子供たちに接種されたものと考えられます。前野良沢の『解体新書』にしても種痘にしてもアピールするのが苦手な中津藩の気風でもあったのでしょうか？

六　藤野玄洋（1840～1887）

藤野玄洋は、1840年（天保11）、中津京町で町医者・藤野東海と妻・こうの子供として中津京町に生まれました。

中津医学校付属病院長など大分県医療史上の先覚者でありますが、大変に謎の多い人物です。幕末の長州戦争では長州軍の隊医として活躍し、西南の役では新政府軍の負傷兵の治療ため下関に月波楼医院を設立したのではないかとも言われ、山縣有朋や伊藤博文など新政府の重鎮とも深い親交をもっていました。

㈠　藤野玄洋の学問

1855年（安政2）、日田の咸宜園に入門します。この前年の安政元年に三光村土田（真坂小学校あたり）出身の矢野範治（卯三郎）が広瀬淡窓の養子となり、安政2年には咸宜園の第三代塾主（青邨）となっているのですが丁度この頃、玄洋は咸宜園に入りました。

1858年（安政5）、大坂の適塾に神尾格と入門します。この時の塾頭は福澤諭吉でした。

1862年（文久2）藤野玄洋は適塾生たちと牛の解剖をし、その肉を食ったことなど記録されていますが、この時代、大坂の北浜地区には緒方洪庵の適塾、華岡医塾の大坂分塾（合水堂）や咸宜園の旭窓塾など多くの塾があったようです。

この頃、長崎養生所にアンソニィ・フランシスコ・ボードインが赴任しました。

玄洋は、ボードインに学びに長崎に行ったようです。眼科を得意としたのは、このことからでしょうか。その後、村上田長、久保保庵とともに中津藩留学生として大坂医学校に学びます。その後、長州に行ったのか、維新の志士と交流がはじまります。

(二) アントニウス・フランシスクス・ボードイン（1820〜1885）

長崎出島のオランダ貿易会社・駐日筆頭代理人で、1862年（文久2）にポンペの後任として着任した。ボートインはウトレヒト陸軍軍医学校の教官で、本来、医学校の教育者として赴任を予定していたが、時は江戸から明治と代わる時代（大政奉還へと）でした。

ボードインは特に眼科、生理学に優れた蘭医であった。その後、教官として来日したオランダの医師13名中9名は彼の教え子でした。

ボードインは肥前藩主・鍋島直正を診察したり、江戸医学所の開設準備に多忙な日を送り、1869年(明治2)には大坂医学校で教頭として教鞭を執っています。この頃、軍暴漢に襲われた大村益次郎の右大腿部の切断手術を行ないました。大村益次郎は陸軍病院の必要性を痛感し、設立を提言した後に逝去しました。そして、大坂病院は設立されその初代院長にはボードインの教え子でオランダに留学していた緒方洪庵の次男・緒方惟準が就任しました。

しかし、明治政府のオランダからドイツへの進路変更は変わることがなく、明治3年ボードインは帰国することとなった。明治天皇は謝状を贈り、政府は3000両の報奨金を与え、小石川薬園（現在の植物園）で盛大な送別会を開きました。ボードインはオランダに帰国後、陸軍に復帰し一等軍医統率官まで昇進し退役した。

(三) 藤野玄洋と妻ミチ

『下毛郡誌』によれば、1867年（慶応3)、玄洋は藩命により帰藩させられ、扶持を賜り、士分に取り立てられました。この年の3月、堀川町の中津藩士・和知桃蔵の長女・ミチと結婚しました。玄洋28歳、ミチ17歳で、玄洋を落ち着かせるための祝言でしたが、翌1868年（明治元）には一人江戸から改称された東京に旅立ちます。しかし、翌明治2年には中津に帰り開業しました。

中津藩は辛島正庵や玄洋の父・藤野東海たちの努力で種痘に成功し、上勢溜に医学館が設立されたが、本格的な医学教育を行なう環境は整いませんでした。

1871年（明治4）大江雲澤、藤野玄洋たちは小倉県令（県知事）に中津医学校兼付属病院を建議し、12月には片端町に設立が決定し玄洋は病院長に就任します。更には、大分医学校の設立にも尽力します。中津医学校、大分医学校の設立には、長崎や大坂の医学校での経験のある玄洋が果たした役割は大きかったと考えられますが、腰を落ち着けられない玄洋は、その後も次々とチャレンジしていきます。

1877年（明治10）にはミチを伴い下関に移り「月波楼医院」を開業し、この時には中津の大江雲澤伝来の薬草風呂も開設していたようです。この転進には西南戦争の負傷兵の治療という大きな目的があったのかも知れません。

1880年（明治13）には下関に養子を迎えています。ここで落ち着くかと思えば、まだまだ落ち着く人物ではありませんでした。

明治14～15年頃には月波楼医院を閉鎖して一人玄洋は大坂に移り、新医院を開業します。玄洋の放浪癖は終生変わることはなかったようです。

一方、下関に残されたミチは、類い稀な経営手腕の持ち主で、玄洋の残した浴場経営から割烹旅館「春帆楼」へと大発展させ、そして、日新講和会議の舞台として名を刻みました。

波乱万丈に生きた玄洋でしたが、明治20年、病気療養のため下関のミチのもとに戻り同年4月29日、49歳の生涯を閉じました。下関市阿弥陀寺町の極楽寺に葬られていましたが、後年、玄洋とミチ夫妻は中津の安全寺の墓地に改葬されました。

七　春帆楼

藤野玄洋の妻・ミチ
（赤間神宮宝物殿蔵）

江戸末期、中津藩主・奥平公の御典医であった藤野玄洋は、自由な研究をするため御典医を辞し、明治10年、妻・ミチを伴い下関の阿弥陀寺町に移り医院（月波楼医院）を開業しました。専門は眼科でしたが、長期療養者のため薬湯風呂や娯楽休憩棟の超然亭を造り、一献を所要する患者にはミチが手料理を供した。

玄洋がこの地を選んだのは、隣接していた本陣・伊藤家の招きによると言われています。当時の伊藤家の当主・伊藤九三は、坂本竜馬を物心両面で支援したことでも知られている豪商でした。また、奥平昌高の時代は蘭学を通じて伊藤家と親交があったとも言われています。

㈠　春帆楼の設立と維新の志士

馬関と呼ばれていた下関は、北前航路の要衝として〝西の浪速〟と称されるほど活況を呈していました。一方では討幕を目指す長州藩の拠点でもあった。奇兵隊や諸隊の隊医（軍医）として長州戦争に参加した玄洋の人柄にも惹かれて、伊藤博文、高杉晋作、山縣有朋など維新の志士たちが頻繁に出入りしていた。

旧春帆楼（赤間神宮宝物殿蔵）

高杉晋作たちが組織した奇兵隊の本拠地が阿弥陀寺（現在の赤間神宮）であり、その跡地に建ったのが現在の春帆楼です。春帆楼の屋号は、春うららかな眼下の海に沢山の帆船が浮かんでいることから、伊藤博文が名付けたと言われています。

(二) ふぐ料理公許一号店誕生（ふぐ解禁）

1887年（明治20）暮れ、当時、内閣総理大臣を務めていた伊藤博文公が春帆楼に宿泊した折、海は大時化でまったく漁がなく、困り果てたミチは打ち首覚悟で禁制だった河豚を御膳に出しました。豊臣秀吉以来の河豚禁食令は当時も引き継がれ、河豚中毒が増加するなか、法律にも「河豚食う者は拘置科料に処す」と定められていました。しかし、禁令は表向きで、下関の庶民は昔から河豚を食べていました。

伊藤公も若き日、高杉晋作らと食べてその味を知っていたが、初めてのような顔をして「こりゃあ美味しい」と賞賛。翌1888年（明治21）には、当時の山口県令（知事）原保太郎に命じて禁を解かせたことにより、春帆楼は、河豚料理公許第一号として広く知られるようになりました。

(三) 日清戦争と日清講和条約

日清戦争の時代背景には、朝鮮半島がロシアの支配下に置かれることは日本の存亡に関わる問題として、何としても日本の影響下に置きたいと考えていました。

一方で、清国は朝鮮を属国とみなしていました。また、朝鮮のなかにも親日派と親清派がいる状況のなかで、1894年（明治27年）、朝鮮で東学党が蜂起（農民戦争）したため日清両国が鎮圧のため派兵したことから、日本は清国に8月1日、宣戦布告して日清戦争となった。豊島沖海戦で勝利、旅順要塞制圧、平壌制圧、黄海海戦勝利など日本の圧倒的優勢のなか清国は講和を求めてきました。

1895年（明治28）3月17日、東京朝日新聞の記事には、「講和条約の応接場所は馬関に決したり…講和使の旅館は馬関藤野方また横接場所は同地の寺院を使用すべきといふ」。

3月20日、日本側は伊藤博文、陸奥宗光、清国側

は李鴻章が交渉にあたり、清国は遼東半島と台湾などを日本に譲ることで下関条約が締結されました。

ところが、ロシア、ドイツ、フランスの三国から日本は遼東半島を返すことを求めれ、日本はこれに屈服し従いました（三国干渉）。では何故日本政府は、この馬関（下関）を交渉の地に選んだのでしょうか？

この狭い関門海峡に溢れんばかりの軍艦が大陸を目指して通過する圧倒的な力を見せつけ、清国使節団の戦意をそく狙いがあったと考えられます。その意味では十分な脅威となったことでしょう。

㈣ 清国講和全権大使・李鴻章への襲撃事件

1895年（明治28）3月24日、交渉を終えた李鴻章に対して、拳銃が一発発射され顔面を負傷（左目下一寸）しました。犯人は群馬県大島村の小山豊太郎26歳で、逮捕され無期従刑となり北海道の刑務所に収監されていたが、1907年に恩赦を受け釈放されました。

日本政府は石黒、佐藤の両軍医総監と中浜東京衛生試験所所長を李鴻章の治療にあて、宿舎である引接寺で静養させました。

明治天皇は、お見舞いに勅使を使わされ、皇后陛下からは包帯が下賜され、英語のできる看護婦2名が日赤から派遣されました。下関市民からも、お見舞いとして、大きなガラスの水槽に魚を泳がせ、引接寺の病室に飾り快癒を願う気持ちを表したそうです。

李鴻章は半月ほど治療し、顔に残った弾を摘出しないまま4月10日、交渉は再開され、順調に進捗し4月17日、下関条約は調印されました。

李鴻章は、事件後宿舎と会場の往復には大通りを避け、山沿いの小路を使ったそうで、この小路は、いつしか〝李鴻章道〟と呼ばれるようになりました。

また、李鴻章は宿舎となった引接寺に対して六百円（現在の換算では約5千万円）を支払ったと言われています。

㈤ **李鴻章（1823～1901）という人物**

安徽（あんき）省合肥の出身で、曾国藩（1811～1872）の幕僚となり、淮軍（わいぐん）を率いて太平天国の乱を鎮圧、捻軍の反乱を平定し、1870年から直隷総監兼て北洋大臣の地位に25年間在位し清の外交を一手に握った清末の最有力政治家で、天津条約や下関条約など日本との外交問題に多く関係しました。また、露清同盟密約や義和団事件後の北京議定書にも携わった極東外交の第一人者。

また、西洋の技術を積極的に導入して軍事、運輸、紡績などの近代工業を興し、北洋海軍を育成した人でもあります。

㈥ **春帆楼を愛用した著名人**

伊藤博文（長州藩士、初代首相、初代枢密院議長、初代貴族院議長、ハルピンで暗殺される）
山縣有朋（長州藩士、陸軍大将、元帥、公爵、内相、首相）
桂　太郎（長州藩士、陸軍大将、陸相、首相）
寺内正毅（長州藩士、陸軍大将、元帥、初代朝鮮総監、首相）
渋沢栄一（埼玉県の豪農の子、財界の大御所、引退後は社会事業、教育に尽力）
後藤新平（岩手水沢藩士の子、医師から官政に転じ満鉄総裁、逓相、内相・外相、東京市長など、伯爵）

㈦ **その後の春帆楼**

順調であった春帆楼の経営も、要人の逝去に加えて鉄道省直営の山陽ホテルの開業で経営難となっていきました。

○1921年（大正10）2月26日、藤野ミチ71歳で逝去。
○1921年（大正10）5月15日、営業停止。
○1922年（大正11）、土地（517坪）、建物（319坪）の下関市への譲渡が不調で山陽電気鉄道社長の林平四郎に譲渡。

○1924年（大正13）、林平四郎は日新講和条約談判記念碑を建立。
○1926年（大正15）、皇太子裕仁親王（昭和天皇）見学訪問。
○1927年（昭和2）、財団法人林共愛会へ寄付。
○1937年（昭和12）、日清講和記念館が竣工（平成23年国の登録有形文化財となる）。
○1945年7月2日（昭和20）、空襲により本館炎上焼失。
○1955年（昭和30）、武田要輔が再建。天皇、皇太子など皇族の利用が多い。
○1985年（昭和60）、改築、地産トーカンが経営。
○2003年（平成15）、オリックス　グループとなる。東京、広島、名古屋、別府（杉乃井パレス）などの支店ができる。

2016年（平成28）8月27日　講演

8　歯科医の元祖・小幡英之助、我が母校『東京医科歯科大学』の学祖・島峰徹、そして福澤諭吉と我が母親・川嶌ミツヱとの関わり

はじめに

私は福澤諭吉の旧居の近くで生まれ育ちました。福澤旧居は遊び場であり掃除が日課であり、そして、担任の松山均先生に中津の歴史を学びながら育ちました。

本日、お話をします日本で最初の歯科医師免許第一号で西洋歯科医の始祖と言われる小幡英之助、そして私の母校であります東京医科歯科大学の前身である東京高等歯科医学校の創立に尽力し初代校長を務めた島峰徹の話を中心に、英之助を側面から支え

た福澤諭吉、そして、日本で最初の公認女性歯科医2期生の我が母親・川嶌ミツヱの関わりについて話をいたします。

実は、これら4人の話は不思議な縁で結ばれていまして、先日、島峰先生の故郷である長岡で開催された東京医科歯科大学歯学部の同窓会に招かれ講演してきました。

一　歯科の起源、歴史

歯科の起源は相当古く、紀元前六百年頃のミイラにインプラントがされていた（ハーバード大）。また、マヤ文明では9世紀のマヤ人にヒスイとトルコ石のインレーが確認されており、人類はかなり古い時代から歯科と取り組んでいたことがわります。

医の神様・ヒポクラテスと同じように歯科医の神様もいたようですが、どちらかというとインレーを作ることが主だったようです。

【注】インレー：歯の硬組織の欠損を修復するため、固形物を充填すること。

㈠ 近代歯科医学の祖

ピエール・フォシャール（1678〜1761）

仏ブルターニュ地方の生まれで、1728年、『外科歯科医、もしくは歯の概論』という世界初の歯科医学書を出版した。1740年には第2巻で歯槽膿漏（フォシャル病）について解説した。

このことにより歯科が人の健康に大きな役割を果たしていることが認識されるようになってきました（口腔ケアの重要性）。

㈡ その後、歯科は米国で大きく発展

1840年　ボルチモア歯科医学校（1カ年）

1841年　米国歯科医師会初代会長・ハイデン

１８６７年　ハーバード大学歯科医学校（２ケ年）抜歯に麻酔使用

㈢ **歯科補綴学のボンウイル**（１８３３〜１８９９）

ボルチモア歯科医学校、ペンシルベニア歯科医学校で学び、発明の天才と称された。

【注】歯科補綴学：歯の欠損、喪失により生じる口腔の形態的、機能的変化を研究するとともに欠損部を人工的に補充し、機能及び形態的回復と維持をはかる学問。

㈣ **木床義歯**

日本独特の義歯、世界の総義歯の原点となり、シーボルトも紹介しています。

１５３８年、和歌山市の願成寺の仏姫の木床義歯は、黄楊による一木造り。江戸後期には黄楊の木に天然歯を使用した極めて精巧な木床義歯も作られた。

㈤ **江戸時代の歯科医師**

当時は、大きく分けると口中医と入れ歯師に分けられ、口中医は正式な医学教育を受けた人で、身分の高い人や一部の大金持ちの人の口や喉の病気を、初めは漢方で、その後、蘭方も取り入れて治療していましたが、歯を抜くことはしても治療したり、養生をして歯を長持ちさせたりするための医学を施すのではなく、歯がなくなったら、入れ歯師が入れ歯を作るだけでした。

徳川将軍家の剣術師範、柳生飛騨守宗冬（１６７５年没）の上下の総入れ歯が墳墓から発掘され、西洋でも総入れ歯の発明は１７３７年とされていますので、日本の入れ歯の技術は相当古いということになります。

㈥ **英之助と師匠セント・ジョージ・エリオット**
（１８３８〜１９１６）

エリオットは米国人でニューヨーク生まれで、も

ともと南北戦争の際は軍医で、その後、フィラデルフィアの歯科学校を出て更に歯科医のライセンスをとり、たまたま寄港した横浜で歯科の開業を外国人に熱望され、横浜居留地の57番街で開業した。エリオットは外国人の診療の傍ら、木戸孝允、新島襄、西郷従道らも治療した。

英之助の親友・坪井仙次郎が英会話を習うためエリオット歯科に出入りしていた。この頃、福澤諭吉や叔父の小幡篤次郎は英之助に西洋医学を勉強させ医者にするため慶応義塾に入れ、更に医師の佐野諒元、近藤良薫のもとで外科を学ばせていました。近藤は英之助の手先の器用さに惚れ込みエリオットに紹介します。ところが、諭吉と篤次郎は西洋医学の医者にさせるため準備してきたため猛反対します。この時、諭吉や篤次郎を説得したのが坪井仙次郎や近藤担平（近藤良薫の兄）でした。英之助は晴れて近藤家よりエリオットのもとに通いました。

5年間の修行の後、1875年（明治8）、我が国最初の歯科医師試験に合格し、我が国初の歯科開業免許が授与されました。

エリオットのその後は、上海で開業し、更にロンドンの英国立医学校の教授を務めた後、生まれ故郷のニューヨークに帰ったと言われています。

1875年（明治8）のニューヨーク歯科学学会におけるエリオットの講演「中国と日本の歯科事情について」のなかで次のように述べています。

ここで若い日本の歯科外科医のことをお話しします。私が横浜で歯科を開業した時、この青年は何年かにわたって助手を務めてくれた。今、彼は日本の首都東京に居を定め、多くの患者から信頼を集めて盛業中である。診療所の設備は充実し、歯科医療器具も完備しており、我が米国の歯科医院と比べても遜色ない。この青年は、西洋医学を修得した最初の日本人として認証されるという栄誉を得た（樋口輝雄氏より）。

【注】佐野諒元：1840年中津で生まれ、14歳の時に

西洋医学の学塾に入り、中津、京都で開業、1860年、慶應義塾に入り、その後、幕府の海軍に入り鳥羽伏見の戦いでは多数の負傷兵の手当てをした。

近藤良薫：1847年、三河鷲塚の生まれ、慶応義塾医学所で学び、当時の横浜病院に勤め、自らも外科専門院を開業した。諭吉の媒酌で中津出身の人と結婚。英之助が英語の勉強を兼ね外科を学ぶのに好都合であった。

二　西洋歯科医の始祖
「小幡英之助」（1850～1909）

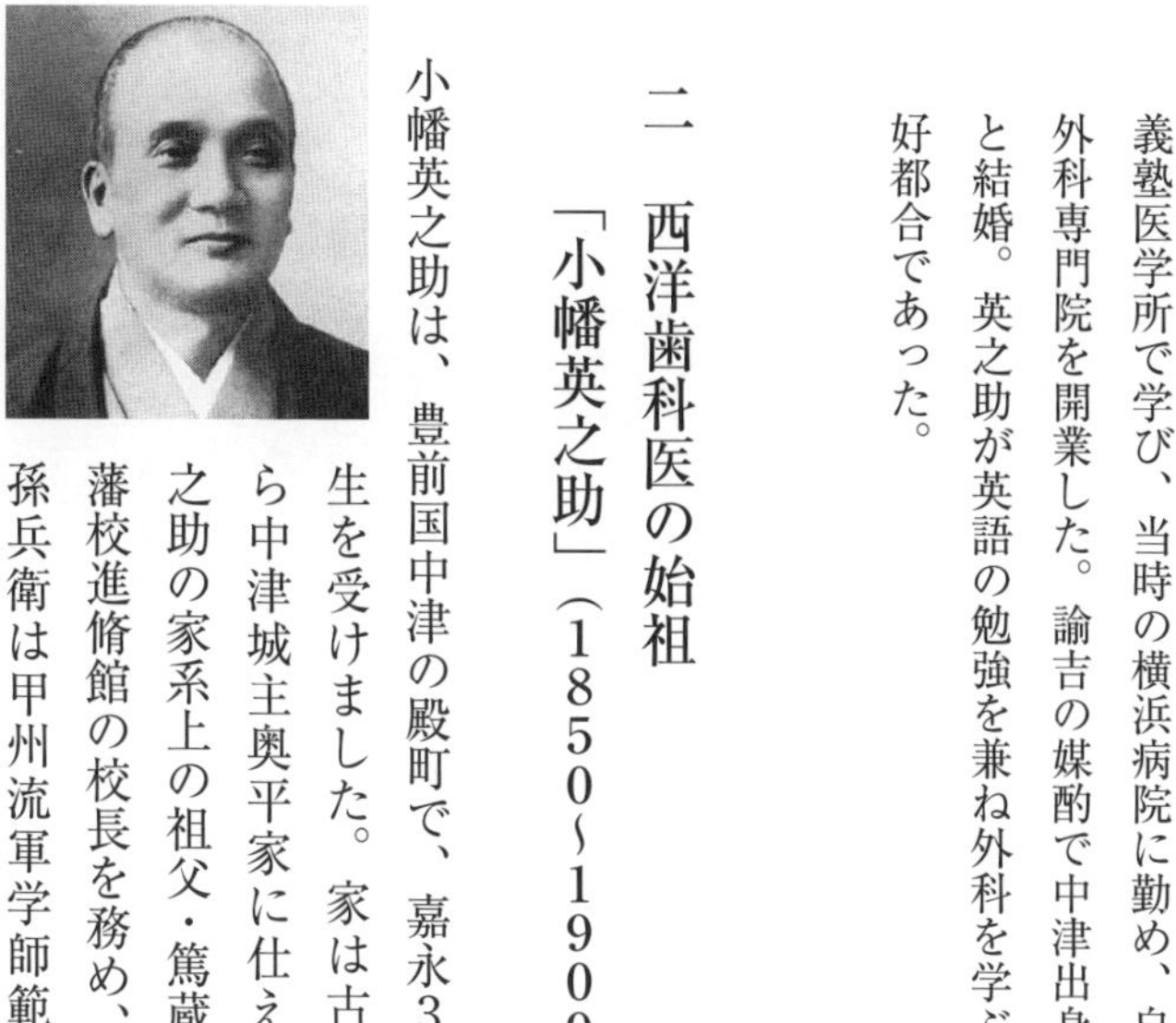

小幡英之助は、豊前国中津の殿町で、嘉永3年に生を受けました。家は古くから中津城主奥平家に仕え、英之助の家系上の祖父・篤蔵は、藩校進脩館の校長を務め、父・孫兵衛は甲州流軍学師範でした。更に、英之助の叔父である小幡篤次郎は、23歳で進脩館の塾頭を務め、福澤諭吉の右腕となり、後に慶応義塾の塾長となりました。英之助は、正に学問の森のような家系のなかに生まれ育ちました。英之助が医師ではなく歯科医師の免許に拘り、今日の歯科医療が確立した背景には、前野良沢から福澤諭吉に至る中津の文化教育風土が大きく関係していると考えられます。

㈠ 小幡家系図

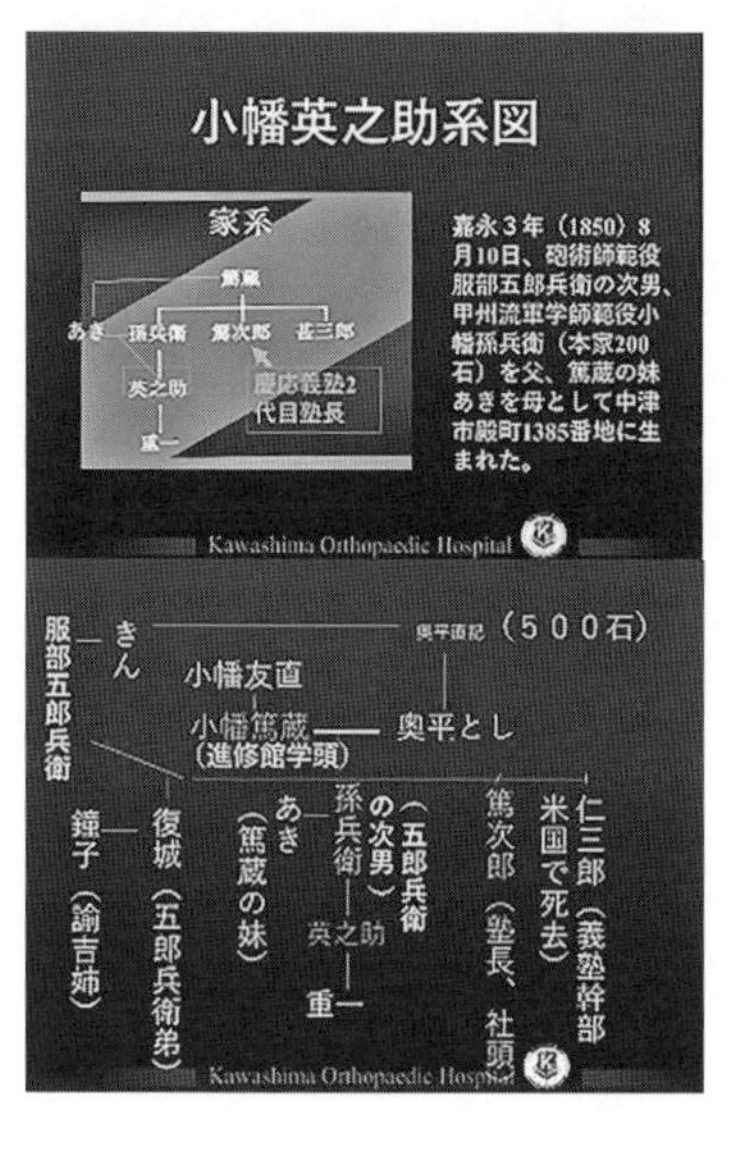

小幡家は代々、中津藩の軍学師範を務め200石

の上級武士であったようです。

㈡　小幡篤次郎（1843～1905）

小幡篤蔵の長男として生まれたが、生まれる前に英之助の父・孫兵衛が養子として世継ぎをしていたため戸籍上は小幡家の次男となり英之助の叔父となる。

一方で、英之助の実母の甥であるから、実際は従兄弟ということになる。

中津藩の野本白巌に漢籍を学び、16歳で藩校進脩館に入り、塾頭となった。

この頃、米国から帰国した福澤諭吉が帰省し、篤次郎他五名の優秀な青年を江戸の中津藩屋敷内の福澤塾（慶応義塾）へ入塾させました。その後は終生諭吉を補佐し、諭吉に次ぐ尊敬を集めました。慶応義塾の塾長や社頭、貴族院議員など務めました。また、福澤諭吉の『学問のすすめ』の初編は篤次郎との共著でした。

【注】諭吉が篤次郎とともに福澤塾に連れていった人たち：小幡貞次郎、服部惣九郎、浜野定四郎、三輪光五郎、小幡仁三郎（篤次郎の弟）

篤次郎は、中津の生誕地340坪の土地と自分の蔵書を処分し、半分は慶応に残し、残り半分で中津に図書館を建設してほしいと遺言を残しました。これでできたのが〝小幡記念図書館〟です。

また、現在の中津市立南部小学校は明治4年に奥平家が家禄の5分の1である1万石近くの金を出し、諭吉が慶応義塾から人材を派遣して創設された中津市学校が前身ですが、初代校長は小幡篤次郎でした。慶応の実質的な分校で地元では中津の学習院と呼ぶ人もいました。和田奨学金の和田豊治や名優の大河内伝次郎など逸材を輩出しました。

㈢　小幡孫兵衛（1821～1893）

英之助の父・小幡孫兵衛は、小幡篤蔵家には当初、子供がいなく、服部十右衛門五郎兵衛家から小幡家に養子として入った。その後、小幡家には篤次郎、仁三郎と男子が生まれ、篤次郎は英之助の叔父となった。一方、英之助の父である孫兵衛の実弟・服部復城の妻・鐘は福澤諭吉の姉であった。

孫兵衛は甲州流軍学師範で、上手な文を書き、温厚で徳望の厚い人物であったと言われています。

㈣ 小幡英之助年譜

1850 英之助、中津殿町に生まれる。
1852 祖父・篤蔵没。
1864 長州討伐に従軍（15歳）、叔父・篤次郎及び仁三郎などが福澤諭吉に伴われ上京。
1869 英之助、中上川彦次郎と上京、慶応義塾に入る（20歳）。
1871 佐野諒元に入門。
1872 篤次郎の勧めで近藤良薫の門に入る。近藤良薫、担平両医師並びに学友・坪井仙次郎の尽力で米国歯科医・エリオットに師事。
1874 エリオットに従い上海へ渡航。
1875 歯科試験を懇請して東京医学校で本邦最初の医科試験を受け、10月2日付け免状を下付される。京橋区采女町隈川方で開業。日本人の歯科専門開業の先駆け。
1878 京橋区尾張町一番地へ移転開業。三宅矩通の長女・八重子と結婚。
1893 父・孫兵衛没。
1901 福澤諭吉没。
1905 小幡篤次郎没。
1909 英之助没（59歳）。
1911 門下生が東京青山墓地に碑を建立。
1937 東京医師会館で追悼会開催。
1944 戦時中、胸像を供出。
1945 長男・小幡重一氏によりコンクリート胸像が置かれる。
1966 溝口寛作製による立像再建、除幕式。
1985 銅像再建。20周年記念第20回歯科祭を中津市で開催。

2009　小幡英之助先生没後100年顕彰。歯科祭記念誌発行。

㈤ 日本最初の歯科試験、歯科医師免許第1号

明治8年、日本で最初の歯科試験が東京医学校（現在の小石川植物園）で実施されました。歯科の国家試験に拘った小幡英之助一人のため、長与専斎、石黒忠悳、三宅秀、三輪光五郎たちが試験問題を作ったと言われていますが、いずれも英之助を支える諭吉をはじめとする中津の重鎮と繋がりのある人ばかりで、結果は決まっていたとも言われていますが、英之助の知識の広さと深さに驚いたと言われています。問題なく合格しました。

小倉県士族・小幡英之助
歯科医術開業免許
明治8年10月2日、候事
内務省衛生局　第4号（医籍）
※最初は医籍で、歯科医の独立は明治17年でした。

㈥ 英之助の歯科医開業

最初、東京の京橋区采女町で開業しますが、大変な人気で手狭になり西銀座に移り、当時としては珍しく身分に差をつけない診療がますます評判となりました。

英之助は、相撲や歌舞伎を愛したため、役者や関取は無料にしたとも言われています。一方で陸奥宗光、桂小五郎、八代目市川団十郎などの診療もしていました。東大教授の年収が120円、県知事の年収が150円の時代に、月収が千円もあったようです。英之助を訪問した者は飲み食い御馳走にならなければ帰れなかったという逸話もあり

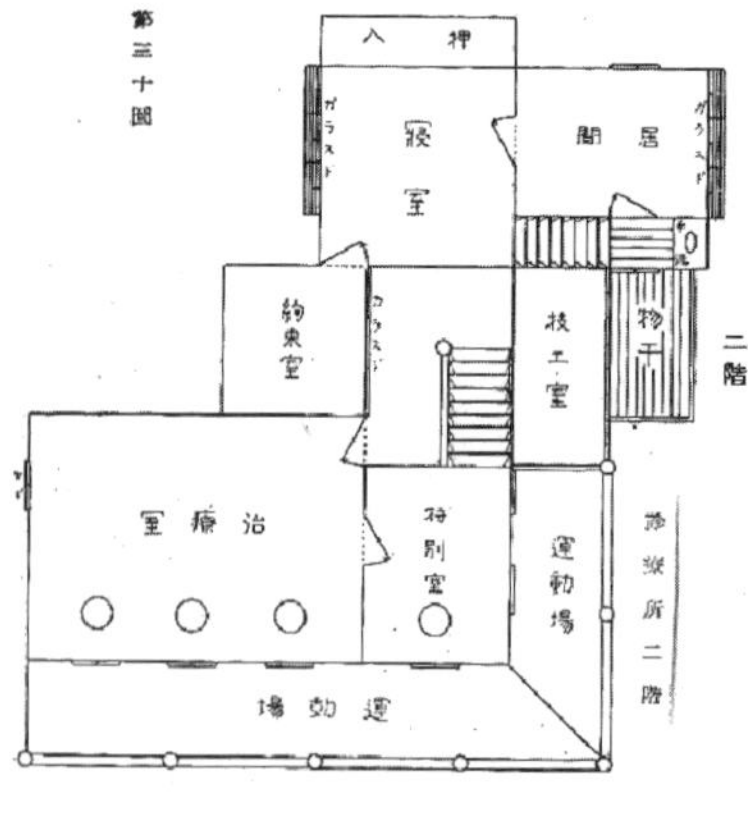

ます。誰の忠告も聞くことはないなかで篤次郎の忠告だけは聞いたそうです。

㈦ 英之助の門弟、中津の歯科

英之助は生涯、一開業医でした。中津から多くの先人が学びました。桐村克己は東京で開業し、高木五三郎は北海道で開業しました。県下で歯科医1号となり、後に初代大分県歯科医師会長となられた荒尾昂曹先生や荒金由二先生、和田角治先生、菅沼友三郎先生等々数多くの歯科医師を中津から輩出し、今日の中津歯科医師会の隆盛があります。

㈧ 英之助の終焉

英之助は、明治42年4月26日、60歳の生涯を閉じ東京の青山墓地に埋葬されました。墓碑の碑文は、日本の戦史編纂で著名な横井忠直が書いています。この人は、長篠の合戦の鳥居強右衛門の公負徳碑文も書いています。中津の横井医家の一族で、横井豊山の甥にあたります。

また、ここには佐々木信綱の弔歌が添えられています。

にこやかに　さかづきとりて　ねもごろに
かたまりしは　昨日とおもう

㈨ 英之助と銅像

中津の歯科医師会では中津城跡に英之助の銅像を建てて顕彰していますが、先の大戦では大事な銅像までが供出させられました。昭和20年にご長男によりコンクリートの胸像で修復していたのを、昭和41年に現在の立像に再建されました。なお、コンクリートの胸像は大分県歯科医師会館に保存されています。

三　東京医科歯科大学の学祖〝島峰徹〟（1877〜1945）

1928年（昭和3）に東京高等歯科医学校が創立された時の初代校長は島峰徹でした。その後、1944年（昭和19）、医学科が併設され、東京医学歯学専門学校となり、更に1951年（昭和26）に現在の東京医科歯科大学となった。

この学校の沿革が示すとおり、歯学校として創立され、後に医学科が併設され、医科歯科大学となりました。それには、東京大学の歯学教室の内紛、停滞が関係したと言われています。

（東京医科歯科大学蔵）

先日、我が母校の学祖・島峰徹の縁（ゆかり）の地、新潟県長岡市で開催された東京医科歯科大学歯学部の同窓会で講演を依頼され、併せて旧長岡藩周辺をまわって新しい発見もありました。

㈠ 長岡藩

越後国長岡地方を領有し、6万石〜8万石でしたが、歴代藩主は新田開発や商業の振興に努め、幕末には実収14万石とも言われています。幕末は幕府軍として、家老上座・河井継之助が新政府軍に一歩も引かず激しく抵抗した北越戦争は有名ですが、一方で人材の育成にも大変力を入れ、日本を代表する偉人を多数輩出しています。また、中津藩の人物がこの地に関わっていることも今回の訪問でわかりました。

㈡ 河井継之助（1827〜1868）と戊辰戦争

幕末の越後長岡藩士で、江戸に遊学し佐久間象山らに師事し、更に長崎に遊学後、藩の要職に就き政治改革を行ない、戊辰戦争の際は上席家老として藩の指揮をとり、新政府・幕府いずれにも組しない局外中立を唱えたが、北陸征討の新政府軍に受け入れられず交戦し、大勢力の新政府軍と大激戦の末、敗れ自らも負傷し会津に向かう途中で没しました。この時、継之助の傷の手当てをしたのが島峰徹の父です。

河井継之助は藩財政を再建して、新式の洋式銃砲を大量に確保し、フランス式の訓練を積んでいたとも言われます。新政府軍が戊辰戦争のなかで最も苦戦し莫大な犠牲をはらった戦いの主役が河井継之助でした。後にこの人の甥が連合艦隊司令長官の山本五十六だったことも不思議な縁でしょうか。

㈢ 小林虎三郎と米百俵

廃墟となった長岡藩に長岡藩の支藩である三根山藩から米100俵（現在の金に換算し2千万円ほど）が送られてきました。戦後、復興の執政を任された小林虎三郎はこれを食料に回さず国漢学校を開校し人材の育成にあてました。その結果、そのなかから日本を代表する逸材を数多く輩出しました。その一人が東京医科歯科大学の学祖・島峰徹です。山本五十六や田中角栄もこの地方の人です。〝米100俵の精神〟は小泉元首相の演説で有名になりましたが、その根源はここにあります。

㈣ 人材を輩出した長岡

小金井良精（1858〜1944）
東大に学びドイツに留学、後に東大教授となりました。解剖学、人類学の権威で母は小林虎三郎の妹で、妻は森鴎外の妹。島峰徹はドイツ留学など小金井の影響を大きく受けました。

石黒忠悳（1845〜1941）
福島で生まれ長岡の石黒家の養子として入りました。医学所などで学び医師となり、軍医制度の創始に尽力し陸軍軍医総監などを務め、後に日赤の創設に尽力し同社長も務めました。中津出身で福澤諭吉と適塾に学び〝近代外科学の父〟と呼ばれ、陸軍軍医学校長など軍医界の重鎮となった田代基徳も同時代でした。

島峰徹（１８７７〜１９４５）など多数を東大に入れ、山本五十六元帥や田中角栄首相を輩出したのも長岡です。

㈤　島峰徹の学びの変遷と苦闘

島峰徹の父は、長岡藩の藩医で河井継之助の治療にあたった人ですが、廃藩置県で失職し町医者として開業し県内を転々としました。徹は刈羽郡石地村で生まれ、佐渡、長岡と移住し片貝村（現・小地谷）に定住しました。徹はここで少年期を過ごしました。

徹は海軍兵学校に合格しますが、薩長閥の軍では出世が無理と東大を目指していました。しかし、父が結核のため他界し収入の道が閉ざされます。

母・シゲと弟の恂は掘立小屋で乳牛を飼い、徹の学資づくりに苦闘します。この時、手を差し延べてくれたのが、近所の大庄屋で、後の新日本石油創業者となる内藤久寛でした。

この内藤久寛は、徹の東大の学資金はもとより、その後のベルリン大学医学部・歯学科への私費留学など長期にわたり徹を援助しました。

㈥　島峰徹の活躍と東大歯学教室の騒動

１９０９年、ベルリン大学のパルチュ教授のもとで学んだ第２白亜質の研究は国際歯科医学会で発表し､翌年､専門誌の巻頭論文として掲載されました。

１９１１年、ベルリン大学のパイフア教授のもとで口腔細菌学の研究をし、梅毒（スピロヘータ）の純粋培養に成功した島峰徹の名声はヨーロッパで一挙に高まりました。

１９１１年、官費留学生となり、ドイツ中央歯科医学会で発表、欧州各地の歯科医学教育制度、資格制度を調査。

１９１２年、ベルリン大学歯学部創設にあたり、保存療法科主任として招請されました。

１９１４年、文部省からロンドンにおける万国歯科医学会に日本代表として出席、その後、米国各地の歯科学校・大学を見学し、歯科教育、試験制度を調査。

1914年12月1日、在独8年余りで帰国、東大歯科講師に就任、医学博士の学位を授与される。

1902年、東大には佐藤外科学教授の努力で歯科学教室が開設され、佐藤外科の助手のなかからクジ引きで選抜された石原久が助教授と主任を務めていました。石原は、その配置に不満があったのか、やる気がなく論文も書かないため教室員に不満がたまって孤立していた。そのなかで島峰徹が凱旋したため、石原は島峰の新知識を尊重せず冷遇し、島峰は東大に見切りをつけ、石原の教室からは9人の医学士が退局し、教授退職勧告状が出される騒動となりました。

(七) その後の島峰徹

1915年、医術開業試験委員になると同付属病院(永楽病院)の歯科医に任じられました。

1917年、永楽病院から歯科が独立し、文部省歯科病院が設立され、院長に就任。

1918年から島峰のもとに長尾優、永松勝海、高橋新次郎、檜垣麟三、加来素六、弓倉繁家、川上政雄、金森虎男らが集まってきました。

1919年、石原との対立が明確になり、見切りをつけた島峰は東大を辞職。

1928年、東京高等歯科医学校が創立し島峰は校長に就任し、翌年、1期生100人が入学した。(1944年に医学部が併設され、東京医学歯学専門学校に改名され、更に1951年、東京医科歯科大学となった)。

1934年、石原久が東大を去り、東大と東京高等歯科医学校の関係は正常に改善され人事交流などもされるようになりました。

1940年11月7日、国内の全ての歯科医学専門学校9校が共同開催した歯科医学会で、島峰徹は会長を務めた。

(八) 島峰徹の門下生

長尾優:島峰の後任として二代目・東京医科歯科大学学長を務め、念願の歯科材料研究所を設立。

高橋新次郎：東京医科歯科大学歯学部長、同名誉教授となり、国際歯科研究学会初代日本部会長を務める。

川上政雄：東洋女子歯科医学専門学校長を務め、『医師・歯科医師一元論について』の論文で歯科医術の普及に貢献した。

川上みね：この時代では、余り例のない東洋女子歯科医学専門学校附属病院長を務めており、川上政雄の妻であった。

㈨ 島峰徹と東洋女子歯科医学専門学校

島峰徹は、国（文部省）に認可されていない明華女子歯科医学講習所などの学校の教育レベルを上げ、国の認可を受けることで、卒業すれば歯科医師免許が与えられる学校の設立に奔走していました。特に、教官陣の強化には大ナタを振るい、手持ちのコマを惜しげもなく使いました。明華女子歯科医学講習所は香山明から宇田尚に代え教員人事を刷新し東洋女子歯科医学専門学校となり、文部省の認可した女性の医師免許が交付される初めての歯科医学校となりました。この一連の改革、指導は島峰徹の指導のもとに行なわれました。

㈩ 島峰徹、故郷長岡に眠る、そして中津の横井豊山もこの地に眠る

島峰徹は、生涯独身で1945年（昭和20）2月10日、68歳の現役のまま結核に罹り生涯を閉じました。島峰家の菩提寺（長岡市高瀬町）には徹の墓と書があります。

また、徹の父・恂斎が開業し、徹が育った小千谷片貝村には、恂斎の墓地があり、墓や記念碑があります。ここには、天保年間に越後国片貝村の村営学習塾・朝陽塾（後に耕読堂に改名）の塾長を務めた、中津の横井医家五代で湧泉の四男・忠規（豊山）も、ここで島峰徹の父とともに眠っています。

この豊山の耕読堂からは多くの人材を輩出しましたが、初代軍医総監を務めた石原忠悳もその一人でした。

三 我が母・川嶌ミツヱと東洋女子歯科医学専門学校

母・ミツヱは、明治42年6月23日、築上郡太平村友枝の別所利吉の長女として生まれました。別所家はミツヱの祖父・別所利兵衛の代まで中津藩で船の廻船問屋を営んでいました。〝豪商屋号帳〟によると、別所家の祖先は小笠原の時代からの商人で屋号を升屋と言い、江戸末期から明治の初めには、ミツヱの祖父・利兵衛が船町に店を構え廻船問屋を営んでいました。時代の変革とともに廻船問屋は弟に譲り、入歯を作る仕事（歯科技工士）をはじめ、父・利吉の時代に友枝に移り入歯を作る仕事をしていました。

別所家からリヤウが右田家の右田市蔵に嫁ぎ、その子の右田力太郎は明治22年、寺町の松巌寺で行なわれた冨永章一郎の献体解剖を執刀し、その助手は田原結節の発見者で田原淳の養父・田原春塘でした。右田力太郎は明治33年、中津で最初の民間病院、中津病院を開業、感染症の専門家でした。また、右田力太郎の弟・秀に嫁いだ叔母（ミツヱの母・てるの妹）、右田フジヱが東伏見宮（今上天皇の叔父上）に嫁がれた方（津和野藩主亀井家次女）の乳母であったので老女として宮邸に仕えていたため母・ミツヱの東京での歯学校生活の面倒を見てくれました。

母・ミツヱが、この時代に大変珍しい女性歯科医という道の先駆者となった背景には、これらのことも大きく関係していると思います。

(一) 島峰徹と明華女子歯科医学講習所・東洋女子歯科医学専門学校

明華女子歯科医学講習所は香山明によって1917年（大正6）、設立された女性歯科医の学校でした。しかし、国は医学校とは認めず、卒業して歯科治療を行なうには国家試験を受け合格する必要がありました。明華女子以外にも数校ありましたが、いずれも同じ状況でした。医学校として国が認可できない理由は、教育レベルにあり、特に教官陣の強化は喫緊の課題でした。この問題解決に大ナタを振るったのが島峰徹でした。有能な手持ちの医員を、片っぱしから提供し、刷新するとともに、財政的にできぬ者は退陣してもらう強硬手段で改革しました。

明華女子の設立者・香山明も退陣し、島峰は宇田尚を校長にして1926年（昭和元）、東洋女子歯科医学専門学校として、国（文部省）公認の医学校として発足しました。1930年（昭和5）、第1期生が卒業し、晴れて日本初の女性歯科医として免許が交付されました。

我が母・川嶌ミツヱは、1927年（昭和2）に第2期生として入学し、1931年（昭和6）に、第2期生の女性歯科医として免許が交付されました。

東洋女子歯科医学専門学校は、先の大戦の東京空襲で焼失したが、その後、東洋学園大学として引き継がれています。

九州の一地方都市にすぎない中津から、日本で文部省初の公認の女性歯科医の学校として創立から2番目の女性歯科医が誕生する背景には、母親の生まれた環境はもとより、前野良沢から福澤諭吉そして小幡英之助と続いた中津の風土が大きく関係しているのではないでしょうか。

(二) 百壽を迎えた母・ミツヱ

私は、これまで母・ミツヱから東洋女子歯科医学専門学校のことは余り聞かされていませんでした。母親自身も東洋学園大学として引き継がれ現存しているという認識がなかったのでしょう。

2009年6月23日、東洋学園大学の広報部長が百歳のお祝いにと来訪され母親の学生時代のことが色々とわかってきました。

また、総理大臣、県知事、大分県歯科医師会長、中津歯科医師会長からもお祝いをいただくとともに、手嶋龍一氏（元NHKワシントン支局長）など著名人の来訪もあり、その機会に実家に残されていた書類などを調べたり、母親に尋ねたりしているうちに色々なことがわってきました。

㈢ 母・ミツヱと叔母・右田フジヱと東伏見宮保子様

母・ミツヱの叔母・右田フジヱは医師・右田力太郎の弟・秀に嫁いでいましたが、夫の秀が若くして他界したため、フジヱは津和野藩亀井伯爵の娘・保子様の乳母となった。その後、保子様は昭和天皇の義弟（香淳皇后の実弟）である東伏見宮に嫁がれたため、叔母・フジヱも保子妃とともに老女として東伏見宮邸に勤めていました。母・ミツヱが、遠方の東京女子歯科医学専門学校を目指した背景には、実家が歯科技工師の仕事をしていたことととともにフジヱの存在が大きかったのでしょう。

母・ミツヱは、この叔母・フジヱの家に下宿し、財政的、精神的支援を受けながら、日本ではじまったばかりの女性歯科医学校の2期生として4年間を過ごし念願の日本で2番目の女性歯科医の免許を取得し、九州の片田舎、中津に女性歯科医が誕生しました。母・ミツヱは、このフジヱの存在を決して忘れたことはなく、後年、フジヱが子宮癌になった時には、東京から中津に引き取り、最後まで面倒を見ていました。

㈣ 東伏見宮・吉田山荘・青蓮院

母の叔母・フジヱの件は、昭和天皇の義弟・東伏見慈洽氏に関わる話であり、万が一にも母の証言や残された写真などの資料に間違いがあっては許されることではありませんので東伏見宮様に確認するため京都を訪問しました。

母の叔母・フジヱが仕えた保子妃の主人である東伏見慈洽様（１９１０年5月16日〜）はご存命であることがわかりました。保子妃は２００９年、逝去。

私は、２０１０年4月、慈洽様にお会いすべく、思文閣の長田部長と京都の開業医の岡田先生に同行を依頼し、東伏見宮元別邸跡の吉田山荘で落ち合い、青蓮院を訪問しました。青蓮院の起源は、比叡山延暦寺が開かれる時、山頂に作られた僧侶の住坊の一つ「青蓮坊」だと言われ、延暦寺は最澄により開かれ、桓武天皇は最澄を尊敬されたことから、天台宗を信仰される皇族も多かったようです。平安時代の末期、鳥羽上皇の第七皇子を青蓮坊の第十二代・行玄大僧正のもとでお預かりし、この時に院の御所に準じた寝殿造りの建物を京都に造営し、青蓮院と改称したのが門跡寺院のはじまりです。現門主は東伏見慈洽氏の次男・慈晃氏に譲られ、慈洽氏は京都仏教協会会長、青蓮院名誉門主をされています。

青蓮院をお訪ねした際、慈晃門主から、母の叔母フジヱの件は間違いないとお墨付きをいただきました。少し前であれば直接に父とお話しもできたであろうとおっしゃられていました。

【注】思文閣の長田部長：講師が『九州の蘭学』を共編した時の発行所・思文閣出版の担当部長。
岡田先生：岡田安弘氏は京都在住の医師で、ご先祖は中津藩主・奥平昌高が創立した進脩館の初代教授・倉成龍渚です。

(五) 歯科医となって帰省した母・ミツヱ

女性歯科医のパイオニアとして中津に凱旋したミツヱでしたが、この福澤諭吉を輩出した中津でも女性歯科医が開業できる状況ではありませんでした。最初は上毛郡の友枝で1年、それから山国の守実で開業し、中津の船場で開業できたのは5年後でした。その後も叔母のフジヱを引き取り、最後を見届け、弟や妹を学校に入れ一人立ちさせるなど息つく暇もなく、晩婚とならざるをえなかったようです。

ようやく、教師をしていた川嶌眞濟と結婚し、姉と私の2人の子供をもうけたが、幸せな時代は束の間で、夫の眞濟は先の大戦で戦病死しました。眞濟は結婚前、日中戦争に中尉として出征し、戦死した大隊長に代わり指揮を執り体中に130発の銃弾や破片を浴びながらも運よく帰還を果たし〝不死身の中尉〟として新聞報道もされ、功五級金鵄勲章を授与されています。傷痍軍人として二度と戦場に行くことはないだろうと、母・ミツヱは結婚を承諾しました。しかし眞濟は大戦の末期、２人の子供と妻を残し、自ら戦場に行くことを決意し、結局、鹿児島で戦病死しました。眞濟は宇佐の天津小学校で天下の大横綱・双葉山と同級生でした。

㈥ それからの母・ミツヱ

歯科医師として、母親として、朝早くから夜遅くまで働き、急患は断らず、食糧難の時代には、時には食事まで提供していました。

後年、私が中津に帰り母の自宅の片づけをしていると、金銭的に困っていた人に施したと思われるツケの請求書が山ほど出てきて、慌てて支払ったこともあります。

一方で、謡曲、盆栽、花作り、短歌等々趣味は豊富でした。しかし、歯科に対する情熱は衰えることなく、長年歯科医師会の理事も務めさせていただきました。

80歳まで働いていましたが、腰や膝が痛くなり私の病院に入院したのを機会に引退を勧めましたが、廃院届は出さず、しばらく休むだけと、休院にしていました。3年後にしてようやく廃院届を出しましたが、少しかわいそうでもありました。それでも入院中に勝手に患者さんの歯を診たり最後まで歯に拘っていました。

88歳で短歌集『歌集むらさき草』を出し、玄真堂の老健施設〝なのみ〟で歩行訓練をしたり行事に参加したりして過ごしました。

老後は自分のために生きない、自分のためだけに生きようとすれば、遁世するしかない。老人なりに世のなかに何か役立つことをすると意欲的でした。

１０１歳で日本最高齢の女性歯科医師、激動のドキュメンタリー『白衣と花ひとすじ』を出版しました。

シーボルト事件で村上医家に匿われたとも言われる高野長英は、「最後までやりとげなければ最初からやらないほうがよい」と言っていますが、母はこれを実践した人でした。

幸いにも、姉（埼玉県で歯科医院を開業）とともに医学・医療の道を継ぎ更に次の代まで道筋を付けられたことが母への恩返しと思っています。

２０１１年９月11日、１０２歳の生涯を静かに閉じました。

おわりに

本日の講演は、日本の歯科医学会の２人の巨匠、小幡英之助と島峰徹の業績と女性歯科医師の草分けであった我が母親・川嶌ミツヱの関わり、そして、それらの人材を育成した福澤諭吉に関わる話でしたが、大変に幅広い話で、舞台も中津から東京、越後と飛び、何の関係があるのかと疑問に思われた方もおられると思いますが、越後長岡藩も中津藩同様、人材の育成に心血を注ぎ日本を代表する逸材を輩出し、その育成に尽力した一人に中津の横井医家の横井豊山もいました。

本日の講演の内容は、それぞれ関連があり繋がっているということがご理解いただけたかと思います。

ご清聴ありがとうございました。

２０１７年（平成29）６月３日　講演

9　解体新書と杉田玄白

はじめに

江戸時代後期に、中津藩医・前野良沢や小浜藩医・杉田玄白らによって翻訳された日本最初の西洋解剖学訳述書『解体新書』は、小川鼎三が述べたようにはここにはじまった」と言っても過言ではない。

「真の意味で、蘭学の幕開けであり、日本の科学史

今日、この『解体新書』の翻訳の中心人物が前野良沢であったことは多くの人々に知られていて疑う余地はない。

しかし、『解体新書』の著者として前野良沢の記述はなく、以前は学校教育等々においてでも『解体新書』は杉田玄白を中心に翻訳、出版されたと教えられていた。近年、研究が進み、翻訳の中心人物は、唯一蘭語をマスターしていた前野良沢であったことが明白となり、また『解体新書』の序文においても吉雄耕牛が、「前野、杉田の二君豪傑の…」と前野良沢の功績を裏付けている。このことからも翻訳の主人公は前野良沢で発刊のマネージメントの主人公は杉田玄白であった。しかし、何等かの理由で前野良沢の名前は表に出されなかった。その理由は明確ではないが、何れも良沢の業績を否定するものではなく、一方、玄白に対しては業績を独り占めしたような批判的な声が多く出た。しかし、これも間違いであり、翻訳を主導した良沢と発刊全体のマネージメントを主導した玄白。車の両輪で、何れが欠けても成功しなかった。

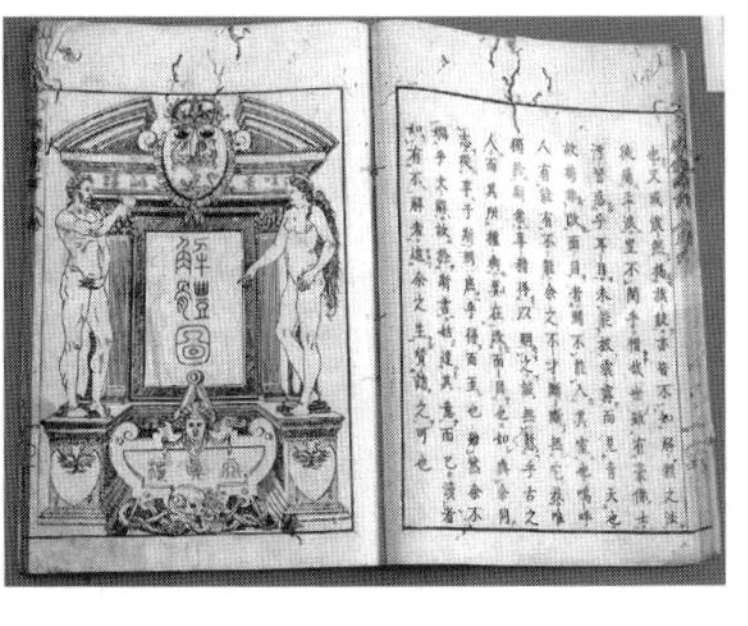

これまで前野良沢については私も機会あるごとに話してきましたし、ま

杉田玄白像（片桐一男著『杉田玄白「蘭学事始」とその時代』より）

た、ＮＨＫ正月時代劇でも紹介され、更にはそのプレミアムトークで前野良沢役の片岡愛之助氏はじめ主だった役者の方々がこぞって中津にお見えになって、私たちの愛好会〝中津一節截の会〟との交流も図れる機会となり、また、改めて多くの市民の皆様に良沢の業績を再確認していただけたことと思う。

そこで本日の主人公は良沢ではなく、もう一方の杉田玄白で『解体新書』と杉田玄白の業績を中心に話をする。

一　『杉田玄白賞』受賞と小浜という町

杉田玄白の故郷、福井県小浜市が募集した第７回『杉田玄白賞』に私の『蘭学史と食文化』が選ばれ、授賞式や記念講演などで２度訪問した。地図上、日本の都と言われた京都から北にさほど遠くない若狭湾にある町だが、交通機関の発達した昨今にしては随分と時間のかかる地域である。

私は、九州労災病院に勤務していた１９７２年以来続けてきた〝蘭学著書の出版〟〝村上、大江両医家史料館の立ち上げ〟や諸々の市民活動等々を含めた総合的な評価が受賞に繋がったものと感謝している。

副賞として50万円をいただき、両医家史料館、前野良沢が蘭学と共に没頭した一節截を復活させた中津一節截の会、そしてファビオラ看護学校の支援費として活用させていただいた。

小浜という町は、ＮＨＫの朝ドラ「ちりとてちん」やオバマ大統領で全国的に知られている町である。福井県西部の若狭湾の支湾である小浜湾の東部に位置する。古代若狭国府の所在地で、京極氏、酒井氏と有力大名が治めた小浜藩（８万５０００石〜12万

3000石)の城下町で、杉田玄白の故郷でもあり、また、景勝地で若狭湾国定公園に属し中津と良く似ている。漁業は若狭湾の中心的漁港で天然魚(アジ、サバ、鯛など)、栽培漁業共に盛んである。古くは、小浜から山越えして京都に魚(鯖)を運んだ街道を〝鯖街道〟と呼び〝鯛の笹漬け〟や〝へしこ鯖〟は今日でも駅や空港の人気商品である。

小浜市は杉田玄白の功績を顕彰し、玄白の養生訓の理念〝医食同源〟の理念を活かして〝食のまちづくり〟を推進している。

市内には、古社寺が多く(130カ所)また、若狭塗などの伝統工芸も残されていて、この点でも中津と似ている。しかし、こちらは人口3万人の小浜市に年間130万人もの来訪者があるという。また、小浜市は公立病院を〝杉田玄白記念公立小浜病院〟と名付け全国に向け杉田玄白の功績をアピールしている。中津市にも立派な市民病院もあり、前野良沢の功績をアピールする仕掛けがあっても良いのではないかという思いがする。

二 杉田玄白と前野良沢の出会い

玄白と良沢が最初に出会ったのははっきりしていない。年齢も10歳も違うので一緒に遊ぶようなことはなかったかと推測する、藩医同志のネットワークは否定できない。

1766年、玄白が34歳の時、良沢とともに長崎屋を訪問して、大通詞・西善三郎に蘭語学習について質問している(『蘭学事始』)のでそれ以前に知り合っていたのは確かであろうと思われる。

三 骨ケ原(小塚原)の腑分け(解剖)と『ターヘル・アナトミア』

1771年3月3日の夜、玄白に腑分けの見学を許可する知らせが届き、同僚の中川淳庵にも知らせている。この時、前野良沢は出掛けていて(長崎屋)

不在でした。良沢の所在はわからず、普通なら知人ではあっても日頃は付き合いもない他藩の者でもあり、そのままにされるところであるが、玄白は、「医事に志篤きは互ひに知り合ひたる仲なれば、この一挙に漏らすべき人にあらず」（『蘭学事始』）と、良沢の家に文を届けさせ、翌朝の集合に何とか良沢も間に合った。この玄白のしつこいまでの心配りがなかったら『解体新書』は生まれなかった。

この時、良沢は前年、長崎で手に入れた『ターヘル・アナトミア』を持参した。一方、玄白たちも小浜藩の費用で買ってもらったばかりの『ターヘル・アナトミア』を持参していた。2冊の本は出版年まで同じである。

ターヘル・アナトミア（原本）

玄白らは骨ケ原の刑場で腑分けを見て、この『ターヘル・アナトミア』の図と実物が全く同じであることに驚き大変なショックを受けた。

これまで藩主に仕える医者と言いながら、人体の構造もろくに知らなかったことを認識させられたわけである。

蘭語がある程度わかる良沢は『ターヘル・アナトミア』をいくらか読みかけていましたので主だった臓器の図などは皆に教えたようであるが、玄白や淳庵はこの貴重な蘭書が全くわからなかった。3人に蘭語の理解の程度の差こそあれ、『ターヘル・アナトミア』を自分たちの手で読み解きたい（翻訳）という思いは同じであった。

さて、ここで『解体新書』の基になった『ターヘル・アナトミア』という本について少し説明をしておきたい。

この本はドイツ人医学者で解剖学教授のヨハン・アダム・クルムスがドイツ語で書いた『アナトミッシェ・タベレン』が原著で、ドイツ語はもとよりラテン語、フランス語、オランダ語に訳され大変人気があった。では、日本の『解体新書』の基になったかといえば、オランダのライデンの外科医・ヘラルドゥス・ディクテンがオランダ語に訳して１７３４年にアムステルダムで出版されたものです。

『ターヘル・アナトミア』という言い方は、ドイツ語でもオランダ語でもなくラテン語ではないかと言われて諸説あるが、いずれにしても、長崎で生まれた奇妙な和製蘭語が通称となったようである。

四 『ターヘル・アナトミア』の翻訳と『解体新書』出版の疑問

1771年3月5日、江戸の築地鉄砲洲の中津藩中屋敷（現 聖路加国際病院）の前野良沢の家で翻訳がはじまった。顔ぶれは前野良沢、杉田玄白、中川淳庵・桂川甫周で淳庵は小浜藩医で玄白の後輩である。甫周は将軍家の侍医桂川家の医者である。蘭語をマスターしている者は当然一人もおらず、辞書もなかった。ただ一人蘭語を学びある程度の単語を知っていたのは良沢一人で、良沢がリーダーとなり翻訳は進められた。淳庵もほんの少しは知っていたようだが、いずれにしても良沢なしでは翻訳の作業は進まず並大抵の苦労ではなかったようです。完璧主義者の良沢は、壁に当たると趣味の〝一節截（ひとよぎり）〟を吹いていたそうですが、早く完成させたい玄白たちのイライラした顔が目に浮かぶ。

中川淳庵は良沢の後輩でもあったが本草学に関心が深く、蘭語も少しは学んでいた。

桂川甫周は、代々将軍家の侍医を務める桂川家の四代目で、当時21歳の若さであった。この人は後に法眼（将軍家侍医の最高位）になり、幕府の医学校の教授も務めたが、このような立場の人物を早い時期から仲間に取り入れた玄白には、それなりの周到な計算もあった。この時代に勝手に洋書を入手して翻訳し出版する行為が如何に危険なことか疑う余地はない。

玄白は、出版に伴い過去の事例（幕府の強権発動）から周到な準備をして、『解体約図』という5枚の図だけの内容見本を先ず出版して、関係者は玄白、淳庵、熊谷元章の小浜藩だけをあげ、前野良沢や桂川甫周に類が及ばないよう様子を見たようである。しかし、研究者によっては功名心の塊みたいな玄白が功績を独り占めしたという人もいる。幸いに何事もなく好評を得たので、図版は秋田藩城代角館の小田野直武を、友人の平賀源内を通じて江戸詰めにしてもらい解剖付図を描き上げてもらった。

その後も玄白は、出版の際は将軍家、京都の公家、幕府の老中たちに一部ずつ献上するなど事前の根回しをして出版にこぎつけたが、肝心の翻訳内容では、その主役であり学問に忠実な良沢の同意が得られなかった。訳者のなかに肝心の良沢の名前がない。しかし、玄白は良沢なしではなし得なかったその功績を認め、良沢の蘭語の師範、吉雄耕牛に序文を頼み、耕牛は「前野・杉田の二君豪傑の…」と両名の努力を絶賛している。

良沢が著者として名を連ねなかったのは、潔癖なまでに学問に忠実な性格が不完全なものに同意できなかったとも、一方では、事が問題化した時、良沢だけは何としても残すためだったとも、また、もともと内科医の良沢は外科医の玄沢ほど解剖書に執着しなかった等々言われているが正確にはわからない。

五　『解体新書』出版後の良沢と玄白

出版とともに人々に大きな反響を呼び、賞讃の一方で漢方医からの避難にさらされたが、玄白は漢方医たちの批判に反論しながら1776年、日本橋に開業し、医者・医学者として極めて多忙な日々を送り、多くの弟子（最終的には1800人とも）を育てた。

一方、良沢は多くの蘭書の翻訳に終生関わったが、オランダ医学の研究に励んだとはいえない。その多くは『管蠡秘言』、『西洋画賛訳文稿』など依頼された仕事であった。

弟子は取らず、生涯で3人とも言われているが、その一人が大槻玄沢で江戸後期の蘭学の興隆を導いた功労者である。良沢は、蘭書の翻訳と一節截の演奏を終生の友としたようである。

二人は『解体新書』出版から一時は多忙もあり疎遠になった時期もあったようだが、1802年9月28日、玄白70歳、良沢80歳の長寿を祝う合同祝宴が開催され、二人とも元気な姿を見せ、その後、良沢の死亡の知らせもその日のうちに玄白にも知らされ、玄白の日記にも書かれているので、それなりの関係は維持されていたと思うが詳細はわからない。

『蘭学事始』によれば、良沢は、蘭学を終身の業とし蘭書に没入し交際を嫌い門弟の教授も好まず、有名人になり多くの門弟を育てた玄沢とは対照的であった。『解体新書』の出版で主役の座を奪われたことなどは、次々と蘭書の翻訳ができ、息抜きの〝一節截〟が吹ければ、良沢にすればさしたることではなかったのかも知れない。

六　杉田玄白を巡る人々

○中川淳庵（じゅんあん）（1739〜1786）

小浜藩医・中川仙安の子として江戸で生まれた杉田玄白の後輩の蘭方医、後に家督を相続。本草学に関心が深く、安富寄碩や荒井庄十郎らに蘭語を少し習っていたため、良沢以外でほんの少し蘭語ができた人物。そのためオランダ商館長が江戸参府の折、定宿の長崎屋を訪問し、前野良沢が長崎で『ターヘル・アナトミア』を入手した翌年に、同じものを入手し玄白に仲介して、骨ケ原（小塚原）の腑分けの観臓、そして良沢を盟主として翻訳に着手し『解体新書』の出版へと繋がる。最後まで玄白の後輩として良沢と玄白の間に入り玄白を支えた。また、本草学では、現在の日本薬局方の源流となった『和蘭局方』などを残している。

○桂川甫周（1751〜1809）
　代々幕府の奥医師を務めた桂川家四代目。江戸参府のオランダ人との対談を許され親交もあった。後に幕府医学館教授となった。『解体新書』の訳業に初期から参加したという、お咎めを伴う極めて危険な仕事であったことから、情報を幕府に流し、また幕府の情報を探るという意味でも貴重な人材であった。甫周の父で奥医師の甫三を通じて将軍家はもとより、公家の九条家、近衛家、広橋家にも献上した。玄白のリスクマネージメントはさすがである。

○小田野直武（1749〜1780）
　秋田藩角館の画家。秋田藩に招かれ鉱山の調査に赴く途中の平賀源内に洋画技法を習う。趣味を同じくする藩主・佐竹曙山の命で江戸に出向中、玄白が平賀源内などを通して『解体新書』の付図の模写を依頼し見事に完成させました。後に藩主が余りにも絵画に熱中するようになったことから謹慎を命じられ、若くして角館で病死した。

○平賀源内（1727〜1779）
　讃岐高松藩の小史（蔵番白石茂左衛門）の家に生まれ、家督を継ぐが若くして家督を譲り蘭学、物産学、本草学などを修め多技多能で、エレキテルなど科学にも関心が高く、発明家であり洋風画にもたけていた。多才にして世にいれられず、特に晩年は生活も荒れ、口論から人を殺傷し獄死した。蘭学も洋画も才能の高かった源内本人を『解体新書』の一員に加えなかったのは、気難しい良沢と源内が一緒では、とても前には進まないと玄白は考え弟子の小田野直武をうまく使うことを考えたのでしょう。

○吉雄耕牛（1724〜1800）
　長崎の通詞の家に生まれたオランダ大通詞で、蘭方吉雄流外科の開祖。少年時代からオランダ商館に出入りし通詞の傍ら天文、地理、医学、本草などオランダ人から学び特に医学では全国から門弟が集まった。中津藩主・奥平昌鹿公の母親の骨折を治療したことから昌鹿公、昌高公と蘭学に特段の関心を寄せることとなった。『解体新書』の序文を書き「前野、杉田の二君豪傑の…」と両名の努力を絶賛している。江戸参府添通詞11回も群を抜いている。

○大槻玄沢（1757～1827）

陸奥国一関藩医・大槻玄梁の子、名は茂質と言い、玄沢は通称で江戸に出て杉田玄白と前野良沢に師事したことから両師の名前を一文字ずつもらって玄沢と通称した。前野良沢の最大の功績は、大槻玄沢を育てたことだと言われる（『解体新書』の翻訳を除けば）。

玄沢は玄白、良沢二人の弟子で、漢方医に対抗して斯業の発展を期し、江戸蘭学界の中心的地位を占めた人物。

オランダ正月（和蘭正月）は、太陽暦の正月を祝う賀宴で、長崎の出島蘭館のオランダ人や通詞らが行なっていた。これを江戸では、大槻玄沢が1795年の元旦に芝蘭堂で賀宴を開いたのがはじまりである。著者も中津で、当時の耶馬渓クラブの支援を得て「オランダ正月料理」を再現したことがある。牛の頬肉など大変に貴重な素材を使った全14種類の素晴らしい御馳走であった。

○石川玄常（1744～1815）

江戸生まれの蘭方医、若くして幕府医官・熊谷無術に修学、京都に遊学し、28歳で玄白、良沢の翻訳に参加し、後に一橋侯の侍医となる。

○杉田立卿（1786～1845）

玄白の子で蘭方医。特に眼科の名医。

○杉田成卿（1817～1859）

玄白の孫で蘭方医。幕府の訳官、蕃書調所の教授として活躍した。

○山脇東洋（1705～1762）

1754年、京都六角獄舎の処刑囚の屍体を許可を得て解剖した。これが日本で最初の学術的解剖であった。この解剖に許可を得て参加した小浜藩の小杉玄適（1730～1791　後に小浜藩医の家督を相続奥医師を務める）から江戸で小浜藩医の同僚であった玄白（当時22歳）は京都での解剖の状況をつぶさに聞いて、回想録『形影夜』で記録しており、後の『解体新書』出版に大きな影響を与えた。

七　福澤諭吉と杉田玄白

1817年に亡くなった玄白と、1835年に生まれた諭吉は、当然、直接交わることはありませんが、玄白の晩年の回想録は大槻玄沢の校訂で『蘭東事始』『和蘭事始』の書名で出され、後年、その古写本が発見されたのを機に、諭吉が玄白の子孫（杉田簾卿）の同意を得て『蘭学事始』と題名を改め出版した。『ターヘル・アナトミア』を翻訳して『解体新書』として出版する時の苦心の実況が手に取るようである。

福澤諭吉も大坂の緒方洪庵の〝適塾〟で蘭学の塾頭まで務めた人ですので関心が高かったことがうかがえる。

おわりに

『解体新書』は、真の意味で蘭学の幕開けであり、日本科学史のはじまりであるとまで言われている。我が国は明治維新を経て、驚くべき短期間で列国の仲間入りを果たすまでにも繋がった。難解な蘭語の解読の中心は前野良沢であったことは明々白々であるが、一方これを本にして世に出すための企画力（マネージメント）、更には数多くの門人を育て実践普及させ不動のものにした杉田玄白。これは車の両輪でありどちらが欠けても大成しなかった大事業であった。

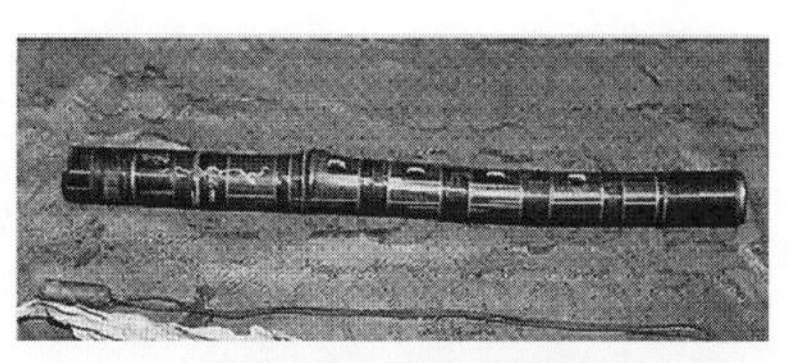
一節截（村上医家史料館蔵）

前野良沢像（個人蔵）

2018年（平成30）7月28日 講演

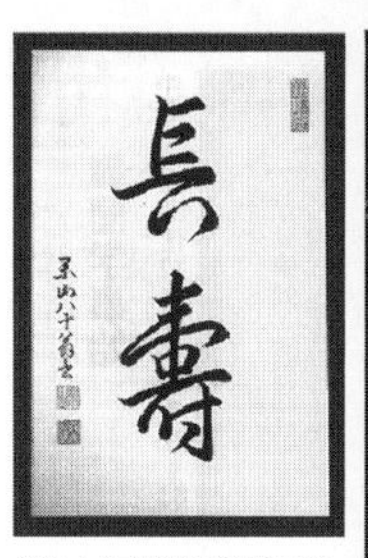

（村上医家史料館蔵）

蘭化と刻まれた良沢の墓（慶安寺蔵）

10 村上玄水の肖像画発見
―中津のパイオニア医師 村上玄水について―

はじめに

今年1月、村上医家史料館で中津市教育委員会の人たちによって、村上医家七代目・村上玄水の肖像画発見というビッグニュースがあった。

村上医家は江戸時代初期の１６４０年（寛永17）から現在まで一三代も続く医家で、医療分野のみならず、地方自治や教育界、実業界等々多岐の分野でそれぞれの方々が素晴らしい業績を残している。

七代目・村上玄水は、九州で2番目（公式には1番目）とも言われる人体解剖を自らの執刀で行ない、その記録は他に例を見ないほど精密であった。

このことは医学史家や歴史家の多くの人が知ってい

るが、村上玄水の肖像画は長年わからないままであった。村上医家史料館の立ち上げから今日まで長年関わってきた私や、郷土史家で元中津市立小幡記念図書館長の今永正樹氏（故人）も必死に探したが発見には至らず、今回の発見は長年の悲願がようやく解決した思いである。

本日は、この村上玄水の話を中心にした医学史の話をする。

一　私と村上記念病院の関わり

私は1972年、九州労災病院（小倉）に赴任してから、土曜日、日曜日には中津の実家に帰るようになり、村上記念病院にも時々当直に行くようになった。この頃は鈴木元市長の実父が院長をされていた時代であった。当時の九州労災病院の天児院長は医学史に詳しく、中津は蘭学との関係が深く、医学史の調査を勧められた。丁度その頃、村上医家の改築に伴い保存史料の調査がはじまり、今永正樹氏（『医も亦自然に従う』の著者）たちから貴重な史料が発見されるつど、見せてもらい、保存のための勉強会〝山泊の会〟で歴史談義に花を咲かせながら三千点余の史料の整理がはじまり、村上医家史料館開館のための基礎を固めていった。

実は私と村上記念病院の関わりは、この時に始まったのではなく、私が生後40日目に右大腿骨骨髄炎に罹患し、生死をさまよっていた時、村上医家十代目の和三先生に病巣を発見され、高崎澄先生（外科）の手術で一命をとりとめ今日があることを考えれば、村上医家とは生まれながらのご縁があったのかも知れない。

二　玄水の画像見つかる

昨年（2018年）秋、村上医家史料館の整理作業中に中津市教育委員会（館務員）により発見。その後、専門家らの鑑定を受け、間違いないことが判明し、今年1月に発表となり公開されることとなった。

肖像画は縦１１３㎝、横43㎝。髪を剃って外衣を着た老人が机に向かって読書する様子が描かれている。

村上玄水の肖像画と確認できた決めてとしては、次のことがあげられる。

●外題部分の〝永仙院様御寿像〟という文字が玄水の戒名と一致する（晩年を描いたものと考えられる）。

●肖像画のなかに、「弓矢と読書」が描かれているが、親交のあった日出藩の儒学者・帆足万里が玄水の墓碑銘に記した「隠居した後は弓矢と読書を好んだ」の記述とも整合する。

初代・村上玄水
（村上医家史料館蔵）

その他、刀の家紋（三階菱）が村上家の家紋と一致することや、洋書らしい書を読んでいることなど文武両道の玄水の様相を良く表している。

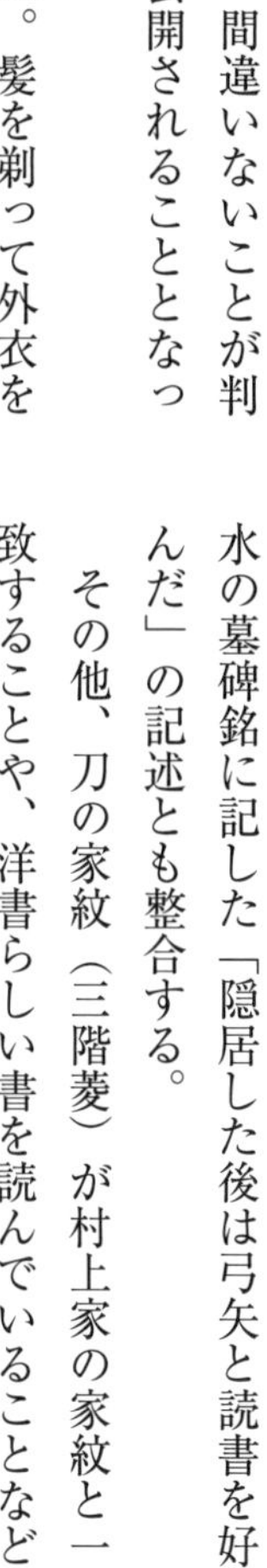

三　世界の医学史

医者のはじまりは、魔法医とも言われ、〝信じさせる〟ことによりＮＫ細胞が3割位増えるとも言われる。また殺菌作用があるとも言われる。笑わせることも大事で心配させてはいけない。

○アスクレピオス神殿医療

紀元前のギリシャの神官で医者。宗教的な雰囲気のもとで暗示療法や簡易な外科手術をしたと言われる。ギリシャにはアスクレピオス神殿の跡が多く残されている。この時代までは西洋でも宗教的色彩が強かった。

○ヒポクラテスの医療

ヒポクラテスの父親はアスクレピオス神殿の神官で医者であったが、ヒポクラテスは、この宗教的な暗示療法をまやかしの医療と疑問を持ち、「患者の上に起こってくる様々な変化を実証的に観察せよ」と説き、現在でも基本的にはこの医療哲学に間違いはない。従って、西洋の近代医学は、ヒポクラテスにはじまったといっても過言ではなく〝医学の父〟と言われる所以(ゆえん)である。

四　世界の看護・病院史

○ナイチンゲール

看護の世界でナイチンゲール（1820〜1910）を知らない人はいない。英国の裕福な家庭の娘として生まれ、ドイツの学校で看護教育を受け医療施設に強い関心を持ち欧州やエジプト各地を見学した後、クリミヤ戦争の傷病兵看護等々、近代的看護施設や看護技術の開拓者となった。

一方、〝ファビオラ〟といっても思い出すのは、中津市医師会立の〝中津ファビオラ看護学校〟で、ファビオラが何かということは意外と知られていない。

○ファビオラ

ローマ時代の4世紀の貴族ファビアン家の女性。この時代は医者も看護婦も奴隷として扱われることもあった時代であった。当時、裕福な貴族で何一つ不自由のない彼女が自らボランティアの看護活動に精を出し、更には屋敷や財産を提供し公立の総合病院を建設した。これが人類最初の病院となった時代で、日本では邪馬台国の時代であった。ファビオラの素晴らしさは、金を出しただけでなく自ら看護の最先端の仕事（きつい、汚い）に携わったことと言われている。

○中津ファビオラ看護学校

当初、ファビオラという言葉自体を県にも厚生省にも余り理解されていないなかで、中津市医師会会員・事務局の熱意と理解が大事業を成し遂げた。なかでも向笠先生をはじめ当時の理事・歴代校長の尽力によるところが大きく、今日の中津の医療体制にとって他所では計り知れない貢献をしている。ちなみに〝中津ファビオラ看護学校〟と命名したのは、向笠先生に促され私が付けさせていただいた。

○日本での教育指導

看護教育の重要性をいち早く認識され普及にあたられた指導者の一人に聖路加国際病院の日野原先生がおられる。先生は、ナースの仕事は「患者に気を遣う仕事であって、患者に気を遣わせる仕事であってはならない」また「決して忙しいと言ってはってはならない」と言っている。そして、「清潔、思いやり、慈愛」の精神を挙げられている。

五　世界の解剖学史

ヒポクラテス（紀元前400年代〜300年代）はギリシャの医者で、これまで行なわれていた宗教的色彩の医療から、「患者の上に生じる様々な変化を実証的に観察する」近代医療は、この人にはじまったといっても過言ではなく〝医学の父〟と言われる所以である。

しかし、ヒポクラテスは解剖をやらなかったため、人体の内部構造を正確に理解していなかった。ローマ時代になりガレノスという人物が登場する。

(一)　ガレノス（129頃〜199）

小アジアのペルガモン出身でローマ時代の医学者。動物の解剖を実施し、ギリシャ医学の理論を体系化した。ルネッサンスがはじまるまでの中世の医学理論は、殆どガレノスの医学に支配されていた。骨や靭帯についての記載は今日の水準に近いものがある。

㈡　**モンディーノ**（1275頃～1326頃）

イタリアの医師で、13、14世紀にヨーロッパ各都市に大きな大学ができ、人体の解剖を体系的に行ない、イタリアのボローニャ大学で、モンディーノはイタリアの人間の病気を単に外から観察するだけでなく、内側からも観察するという医療が確立し、近代医学へと一新した。しかし、この頃は医者が自ら解剖したのではなく、動物の解体専門職が人体解剖をし、医者は、その様子を観察する〝観臓〟であったと考えられる。

㈢　**レオナルド・ダ・ヴィンチ**（1452～1519）

ルネッサンスの巨匠として、一般的には彫刻家・物理学者として知られているが、解剖学者としても傑出した人物で、彼が書き残した沢山の解剖図を見れば、単なる絵かきではなく、解剖学なしに書ける絵や図ではないことは一目瞭然である。しかし、解剖が本格的（公然と）にはじまる前であり、隠密にされていたことが伺える。近年、英国の王宮で多数の解剖図が発見され裏付けられた。

㈣　**ヴェサリウス**（1514～1564）

イタリアのパドヴァ大学の医師で本格的な解剖を行ない、その結果は『人体構造論』として残されている。このことが引き金となりヨーロッパ各地で本格的な解剖が行なわれるようになった。ヨーロッパのこの時代は、〝死体〟は既に〝人間〟ではなくして単なる〝物〟であるという解釈で〝アナトミーシアター〟と称して、芝居見物するような一種の劇場と化して好奇心で市民が解剖見学をしていたとも言われる。解剖して調べ終えた臓器は犬に与えていた。オランダ最古のライデン大学の史料館には、それを裏付ける史料が残されている。

六　日本における解剖の歴史

(一) 日本初の官許を得た人体解剖（山脇東洋）

京都の医師・山脇東洋（1705〜1762）は、1754年（宝暦4）、若狭国小浜藩医・原松庵や弟子の小浜藩医師・小杉玄適らと京都六角獄舎で処刑された男子の屍体の解屍観臓を願い出て許可された。時の京都所司代は若狭国小浜藩主・酒井公であった。

小杉玄適は江戸に戻り杉田玄白に解剖をつぶさに伝えた。このことが玄白の解剖への思いを掻き立てた。

山脇東洋は、この許可を得た人体解剖の結果を1759年（宝暦9）、『蔵志』で出版した。「屈嘉（京都六角獄舎で処刑され、日本初の学術的解剖をされた人）：皮を剥ぎ、肉を解き、臓を開き、骨を絶ち、寸絶して余すことなし」（『夢覚を祭る文』より）

山脇東洋の解剖の熱意は、子供の東門、孫の東海更に東圃、東洲と引き継がれ、東洋は五八歳で死去し、墓は真宗院にあるが屈嘉たちの学術的解剖をされた刑人たちが眠る京極誓願寺にもある。

(二) 前野良沢、杉田玄白の『解体新書』の果たした役割

1771年、良沢たちが江戸の骨ヶ原の解剖（観臓）が引き金となり『ターヘル・アナトミア』の翻訳がはじまり、苦難の末、1774年（安永3）、日本最初の西洋解剖書の訳本『解体新書』が刊行された。山脇東洋の『蔵志』の出版により解剖が全国的に行なわれるようになった。このような時流のなかで『解体新書』は世に出て、日本における西洋医学の地位を一気に押し上げ蘭学が本格的な発展段階に入る引き金となった。

一方で、刊行された『解体新書』には、前野良沢の名前は吉雄耕牛の序文以外にはなく、良沢、玄白両人の性格や語学力等々から色々なことが言われて

いるが、良沢の翻訳能力と玄白のマネージメント能力のどちらが欠けても果たし得なかったことは間違いない大事業であった。

㈢ 日本最初の人骨図

実は山脇東洋の解剖図『蔵志』より18年も前に野晒しの骨を拾い集めて組み立てた『人身連骨眞形図』を描いていた京都の眼科医・根来東叔（1698〜1755）がいた。根来家の先祖は空海が唐で学んだ眼科医術を根来寺（和歌山県）僧侶が代々引き継いできた。

眼科医の初代・東源（1640〜1703）→二代・東叔→三代・東麟（1721〜1787）→四代・東悦→五代・東浚→六代・東林→七代・東（長州征伐に従軍、彦根に移住）

●三代・東麟は1765年（明和2）中津藩御典医（250石）で三浦梅園と交流。

●五代・東浚と其の子六代・東林は村上玄水の解剖に立ち会う。

東叔の描いた『人身連骨眞形図』は家伝として東麟に引き継がれ、東麟は中津藩主・奥平昌鹿侯の本道御医師となる。三浦梅園はこの頃（1781年4月）東麟所蔵の〝連骨図〟を見せてもらう機会を得て、手早く模写したと言われる。

東麟は57歳で死去し吉富町の天仲寺に眠る。墓標の撰文は倉成龍渚（進脩館初代学長で村上玄水の師）で東叔の『人身連骨眞形図』は村上医家史料館が所蔵し展示している。

この〝人骨図〟は村上医家に保存されていたものでも、子孫のもとにあったものでもなく、吉富製薬に勤務されていた京都在住の宗田一氏（故人）が所蔵していたものを筆者が借りてきて依託展示している。この〝人骨図〟を中津に迎える時には、多数の中津市民が参加して迎える会を中津城で開催した。

なお、根来家子孫は大坂在住で天仲寺へお盆の墓参りは現在も続いている。

㈣ 三浦梅園（1723〜1789）と中津

広瀬淡窓、帆足万里と豊後の三賢人と称される安岐の三浦梅園。医師であり思想家であり自然哲学者であった。中津との繋がりは、梅園が青年時代（17歳）、中津の藤田敬所（儒学者・京都で古学を学び中津で塾を開き教授を務めた。門人に倉成龍渚など、墓は合元寺にある。丹後宮津の奥平侯のお侍講で奥平侯の中津転封に同行した儒学者・土居震發は師匠にあたる）に学んだことにはじまる。

梅園は、17歳の時、更に4年後、藤田敬所の塾にそれぞれ30日の短期間しか学ぶ機会を与えられなかったが、生涯、藤田敬所を師と仰いでいた。

梅園は敬所の塾で親しくなった中津の醸造を業とする商人の賀来子登とは生涯交友があった。賀来子登も敬所に学び郷土史や詩作で知られる文化人であった。69歳で死去した賀来子登の墓碑銘を書いたり、訃報の知らせを受けた時の詩や、交友を楽しんだ詩などが数多く残されている。

梅園は1778年（安永7）、2度目の長崎旅行を記録した旅日記によると8月13日、（新暦の10月3日）梅園山荘を出発、8月16日、中津の播磨屋惣左エ門宅投宿。翌日は賀来子登と交友し、翌18日は根来東麟に会い『蔵書』に接した、とある。更に3年後、の1781年（安永10）、再び東麟を訪ね、東麟の父・東叔が作成した『人身連骨眞形図』を写し取った。梅園が、これからはじまる医学を中心とする蘭学の意義を理解していたことが垣間見え、師を大きく越え時代のパイオニアとして飛躍した背景の一つに中津があった。

しかし、梅園は動物解剖は数多く行なっているが人体解剖するまでには至らなかった。

七　中津藩と蘭学

㈠　蘭学大名・奥平昌鹿と前野良沢

奥平氏は長篠の合戦で徳川氏に組し、奥平信昌（奥平二代）は500人の少数で長篠城に立て籠もり、

1万5000の武田軍相手に織田、徳川軍到着まで堀のタニシを食べて飢えを凌いで織田・徳川軍大勝利の立役者になり、家康の娘・亀姫を娶り後に奥平七代（昌成）が中津藩主となった。奥平氏十代（中津三代）藩主が奥平昌鹿である。

昌鹿は、生来温厚で聡明な人柄であった。老臣の意見をよく聴き、倹約令を発して自身も質素な生活であった。藤田敬所にも政治の得失を諮問し、藩政の改革について意見を聞いている。蘭学に関心を持ったのは、母親が脛骨を骨折し、なかなか治らなかったところ長崎の大通史（通訳）で蘭方医の吉雄耕牛が江戸に来ていたので治療を頼んだところ、見事に全治させたため、蘭学に心服してしまったことにはじまる。

昌鹿は、1770年（明和7）、中津に帰る時に藩医・前野良沢を連れ帰った。その折に良沢は、100日の長崎留学を願い出た。侯（昌鹿）は「汝が蘭学を修めんと欲するは、余の大に嘉する所なり、然れども、公務の余暇に学びて、外国の語に通ぜんとするは、二兎逐ふは一兎を獲ず、と云うに何ぞ異ならんや、されば今より専ら、琢き、汝が宿志を貫徹せんことの覚悟あらんことを望むなり、汝にして此の意あらば、余は充分の便と利を与え、汝の目的を大成せしめんと欲す」と述べ良沢を長崎に送り出した。

良沢は、長崎留学は蘭学を学び、社会貢献するためであり、決して名利を貪らんがためではない。と神の前で誓っていることから、著者の名前に連ねることを許さなかったという説もある。

良沢の長崎留学での最大の収穫は、一定の蘭語をマスターしたこともあるが、殿様の財政援助により、オランダの解剖書『ターヘル・アナトミア』（原書はドイツ語）と『マーリン蘭仏事典』を得たことにある。

昌鹿は良沢のことを和蘭人の化物と言い、良沢は1775年（安永4）以降、号を〝楽山〟から〝蘭化〟と称している。

良沢は昌鹿という最高の理解者を得て、『解体新書』後も医学書のみならず薬学、兵書、地理学、文学等々広範囲の翻訳は32冊にもおよんだ。しかし、良沢は一冊も出版することなく〝天然の奇士〟と言われる所以である。また、日本医史学会元理事長・小川鼎三先生は「真の意味で、蘭学の幕開けであり日本の科学史はここにはじまったといっても過言でない」と著書で述べられている。

一方では、良沢の本務は藩医であり、蘭学一辺倒に多くの避難もあった。しかし、それでも藩主・昌鹿は良沢を物心両面から援助し続けた。前野良沢と杉田玄白を車の両輪にたとえ、どちらが欠けても『解体新書』は刊行できなかったと言われているが、奥平昌鹿という殿様がいなかったら前野良沢という人材が世に出なかったかも知れない。残念なことに、良沢が訳した多くの蘭書は奥平家に引き継がれたが戦災で焼失した。

(二)『蘭学事始』

1815年(文化12)、83歳の杉田玄白が書いた蘭学回顧録で、弟子の大槻玄沢に手録として送られたもので、蘭学発達の歴史を自伝風に回顧した書。1869年(明治2)福澤諭吉たちが復刻した。更に福澤は1879年(明治23)、再販の序文を書いた。

このなかに『解体新書』の翻訳は前野良沢抜きではなし得なかったことが明記されている。

一方で『解体新書』の序文(吉雄耕牛)には、前野良沢の功績が書かれているにも関わらず著者には名前がなく医学史上の謎とされている。

(三) 奥平昌高と中津辞書

中津奥平五代藩主が奥平昌高である。昌高は薩摩藩主島津二五代・重豪の二男として生まれ、6歳の時、12歳と称して奥平家に入り中津藩を継ぐその後、元服して奥平家の八千代姫と婚儀、名実ともに中津藩主となる。昌高の父・島津重豪は蘭学に関心が高く、シーボルトとの交際やオランダ商館訪問もたびたびで、昌高にもその血が流れていた。

また、実姉の茂姫は十一代将軍・徳川家斉の御台所となった。昌高の蘭学関心は父親を凌ぐほどで、特にオランダ商館長やシーボルトとの交友は群を抜き、長崎の出島の商館長ズーフからフレデリック・ヘンデリックの蘭名をもらい、自らも蘭語を学び、辞書がないことが致命傷であることに着目して、和蘭辞書『蘭語訳撰』、蘭和辞典『中津バスタールド辞書』を刊行した。『中津バスタールド辞書』は国内の蘭学者に利用されていたのみならず、オランダのライデン大学の日本語講座でも利用されていたことが判明した。同大学のJ・Jホフマン教授（1805～1878）は〝中津辞書〟を活用して長崎出島に行くオランダ人に日本語を教えていた。

昌高は、中津に藩校〝進脩館〟を設立し、初代教授は倉成龍渚であった。ここから幕末三大蘭学者と称された坪井信道や九州初の人体解剖を行なった村上玄水など輩出した。

倉成龍渚（1748～1813）は宇佐上田村の生まれで、10歳で父を失い、15歳で中津に出て来て、三輪東庵という医者のもとで働きながら学んだ。東庵は龍渚の才能を見出し、三浦梅園の師でもあった藤田敬所に学ばせた。敬所も龍渚の才能に驚き、養子にしようとまで思っていたようである。敬所の勧めで京都に遊学し、伊藤東涯に学び、1776年（安永5）、中津に帰り儒員に任じられ、儒学者として頭角を現し、1789年（寛政元）、昌高の世子である昌暢に儒学の講義を命ぜられ、龍渚の号を賜り、藩校〝進脩館〟の初代教授となった。場所は、現在の中津市立小幡記念図書館。

龍渚が、1794年（寛政6）、羅漢寺の景勝を『耆闍窟山記』で頼春水などに紹介したことから、息子の頼山陽が耶馬溪に来て全国に、天下の名勝として紹介するきっかけとなったと言われている。

㈣　前野良沢から学ぶ事

○他人がやらないことにチャレンジし成功するまで諦めない。
○人並以上の語学力を養う。
○使命感を持つ。

○困難が人を育てる。
○自分で自分を育てる。
○音楽で一服（一節截の演奏）
○瞬時も休めない生活。
○最高責任者の孤独

㈤ マンダラゲの会

中津市に平成8年、村上医家史料館が開設され、更に平成16年には大江医家史料館が開設された。大江医家五代・雲澤は華岡医塾大坂分塾で学んだが、その後も大江家と華岡家の親密な付き合いがあった。大江医家史料館の開設に伴い2005年（平成17）4月16日、〃第1回マンダラゲの会〃が開催された。年2回春と秋の開催で、今年の春で29回となった。薬草園に春は苗を植え、秋に収穫し薬草風呂に浸かり〃医食同源〃を学び、蘭学を中心とした医学の歴史を勉強し、夜は一節截の演奏を聴きながら酒を交わす集いとなっている。

大江医家に造られている薬草園には、マンダラゲをはじめ30種類ほどの薬草が植えられている。その中の代表格であるマンダラゲは、以前私が和歌山の華岡医塾跡を訪れた折、地元の名手駅長・前川雄造氏から贈られたものである。

㈥ 杉田玄白賞受賞

杉田玄白の出身地である福井県小浜市は、我が国最初の本格的な解剖書『解体新書』の編纂・出版を成し遂げ、近代日本の医学の進歩と蘭学の発展に大きな貢献を果たした藩である。杉田玄白はその小浜藩の藩医であったことから、小浜市は杉田玄白賞を制定した。平成20年12月第7回の受賞者として私が選ばれた。受賞理由は、長年にわたる蘭学史の研究や村上、大江両医家史料館の立ち上げ、杉田玄白の〃医食同源〃の思想を基本にした〃オランダ正月〃の復元や薬草園、薬草風呂などの復元などが評価され受賞した。

八　村上医家

㈠　村上家の系譜

村上家は行橋市今井にある浄喜寺の流れを汲む。その遠祖は村上天皇の第六王子・源良国とされている。良国から数代を経た良成は仏門に入り蓮如上人の直弟子となり、浄喜寺を建立した。二世は良祐、三世は良慶と名乗った。良慶は軍学、武術に秀でていた。

大坂の石山合戦や、紀州の鷺の森合戦で本願寺教如上人を危機から救出したことから、法印大僧都に任じられ、宗門のなかでは特別な格付けとなった。また、細川三斎公の信任厚く、三斎公が小倉から中津に隠居した折には、中津に仮浄喜寺(後の宝蓮坊)を建立した。良慶の逞しい画像が残っている。

四世は慶安、五世は蓮休と続き、蓮休の三男・良道(宗伯)が1640年(寛永17)、中津で医業を開き村上医家の始祖となった。

初代・宗伯→二代・養元→三代・玄水→四代・玄洞(玄水の弟)→五代・長庵(玄水の世継ぎ)→六代・玄秀→七代・玄水→八代・春海→九代・田長→十代・和三(田長の三男)十一代・健一(和三の長男)→十二代・玄児(健一の長男)→十三代・右児(玄児の長男)村上医家は1640年に中津で医業をはじめてから代々御典医を務め、その後、明治→大正→昭和→平成→令和と一度も途切れることなく実に380年にもなろうとしている。

㈡　村上宗伯(村上医家初代)と古林見宜

行橋にある浄喜寺の五世蓮休の三男・村上良道が中津〝村上医家〟の初代で、中津で医業を開業してからは宗伯と名乗った。医師の技術、医学の見識は、その人がどのような師匠に付いたかで大きく影響を受けることは昔も今も変わりない。秀でた師匠のもとには秀でた弟子を輩出することが多い。当時の医学の中心は大坂・京都であり、宗伯は幸運にも名医中の名医・古林見宜の門下生になることができた。古林見宜は、大坂の名医の草分けと言われ、弟子3千人に教えたと言われる。高潔な人格から沢庵和尚とも交流があった。

宗伯は1640年7月、医師開業免許ともいえる免許本認定奥書をもらい同年、中津の諸町（現史料館）にて開業した。

宗伯は大坂の古林見宜のもとで修業中に裏千家四世の千仙叟宗室から黒楽茶碗をもらったが、今も史料館に飾られている。宗伯は1670年（寛文10）、死去し墓は浄喜寺にある。

㈢ 村上田長（村上医家九代）

田長は、1839年、秋月藩の御典医・杉全健甫の三男として秋月城下で生まれた。

読書好きの少年で、秋月では陽明学を学んだ。1860年、村上医家八代（春海）の養子となり、後に家督相続し田長と改名した。杵築の塾で学んだ後、1867年、大坂医学校に中津藩の選抜留学生として入学。この時一緒に学んだのが藤野玄洋だった。

藤野は後に、中津医学校附属病院長となり、更に大分医学校設立に尽力した後、下関に〝月波楼医院〟を開業し、薬草風呂（大江風呂）も開設した。ここは、後に妻・ミチにより〝春帆楼〟となり日清講和会議の舞台となった。（現在は料亭）

田長は大坂医学校で西洋医学を修め中津に帰り御典医となるが、まもなく会津戦争に医官として従軍し章典録を賜った。藩の学監も務め、羅漢寺に〝水雲舎〟塾を開き、更に場所を移し、〝鎮西義塾〟で教育に情熱を注いだ。その後、初代大分中学校（現在の上野丘高校）、大分師範学校（現在の大分大学）の校長を務めた後、玖珠郡長となり、地域の発展は〝交通路の整備〟が重要と、〝耶馬溪道路〟の開通に心血を注いだ。

また、1876年（明治9）、大分県で最初の新聞（全国版の主要紙と同時期）『田舎新聞』を発刊した。編集長は、西南の役に中津隊を率いて参戦した増田宗太郎であった。

　また、田長の三男・和三は村上医家十代を継ぎ、四男・巧児は毎日新聞の記者から実業界で活躍し、西鉄の初代社長を務め、晩年は子供たちの未来を願い〝童心館〟の設立に尽力した。

九　村上医家七代・村上玄水（1781～1843）と人体解剖

　村上医家七代目・玄水は、六代・玄秀を父として生まれた。字は玄立、後に玄水と改めた。

　玄水の生涯は、友人の帆足万里の撰文による中津市寺町にある東林寺の墓標によく記録されている。玄水は藩主・昌高の設立した進脩館で儒学者の倉成龍渚と野本雪巌に学んだ。この進脩館では国学、漢学、洋学、筆道、算術、兵学、弓術、馬術、剣術、槍術、砲術、抜合（居合）、柔術、遊泳と極めて幅広い分野の教育を受けた。

　1798年（寛政10）から3年間、久留米の儒官・梯隆恭に兵法と軍学を学び、兵法の伝授を受けて帰郷した。同年、広島の蘭方医・中井厚沢（注：中井は江戸の桂川甫周、杉田玄白、大槻玄沢らと交遊したりする高名な蘭方医であった）が長崎遊学の帰路、中津に立ち寄った際に、厚沢に会った玄水は大きな影響を受けて蘭方医になることを決意する。それから5年後の1811年（文化8）、中津藩の御典医となる。同年、父・玄秀が隠居し、3人扶持（ふち）の御近習医師のお墨付きをもらった。

　それから8年後の1819年（文政2）3月8日、自らの執刀で人体解剖をした。前日の3月7日に長浜の刑場で若い強壮な男性が処刑された。玄水は直ちに解剖を願い出て許された。この背景には、事前に願い出て藩主・奥平昌高の内諾を得ていたことが伺える。解剖場には、中津藩の医師はもとより大坂、筑前、肥前、日田などからも集まり総勢57人の医師が集まっていた。記録によると、辛島正庵、松川修山、大江軍司、根来東叔、根来東林、藤本玄泰、藤野玄悦、田代一徳、横井涌泉等々、中津の医学史上に名を残した医師たちも多い。

『下毛郡誌』によれば、解剖器具を前もって鍛冶屋に注文するなど準備周到だった。

解剖は玄水自ら執刀し、3月8日の朝から夕方まで続き、解剖図は中津藩の画員によって彩色付で描かれ、玄水はこの解剖を『解剖図説』として出版するつもりでいたらしく、帆足万里の序文が残されている。

また、玄水は、解剖の意義と記録を残すために『解臓記』を執筆し、その冒頭に〝解臓文〟という解剖に至る動機と哲学が記載されている。

この玄水の解剖は、九州で最初とか2番目とか言われているが、これだけ詳細に記録を残したものとしては他の追随を許さない。

玄水はシーボルトとの接点もあり、その弟子である高野長英らと長崎で交流していた可能性も高く、シーボルト事件で高野長英が村上医家の土蔵に潜伏していたと言われている。村上家には高野長英が書き残したと伝えられる蘭文の学問訓「最後までやりぬかなければ、最初からしない方が良い」がある。

この時代は、漢方医学が行きわたり、仏教や儒教では解剖を行なうことを忌み嫌っていた時代であり、幕府の御典医においても西洋医学に対する理解が低かった時代にこれ程の大業を果たし得たのは、玄水が巾広い学問を修め時代を先読みする先見の目を持ち、昌高という最大の理解者がいたからではないだろうか。

玄水は1843年（天保14）、63歳で永眠し、墓は鷹匠町の東林寺にある。

玄水の画像発見は長年にわたり探し求めていた史料で、中津の蘭学史を語る上で極めて重要であり、本当に有り難かった。

2019年（令和元）7月9日 講演

11　伊東玄朴と高野長英

はじめに

このところ、世界中が新型コロナウイルスの肺炎拡大で大変な事態になっている。ウイルス性感染症というのは、ワクチンがなければ人から人へと爆発的に流行し多数の死者を出すことがある。今回既に一部の国では医療崩壊もはじまっている。

過去において、その最たるものが天然痘で、日本では奈良時代から発生の記録が残り、幕末に至るまで最大の感染症であった。江戸時代においては天然痘（疱瘡）に30％の子供が罹り、更に致死率30％という恐るべき感染症であった。

この天然痘の完全制圧のため１８４９年、オランダ商館の医師モーニッケが本国から取り寄せた天然痘ワクチンを、中津藩の辛島正庵や佐賀藩の医師、伊東玄朴たちが国内に広めた。この玄朴とともにシーボルトに蘭学と医学を学んだ高弟の双翼の一方が高野長英で、正にシーボルトの弟子で一番弟子ともいえる人物である。

ところで、１８２８年、シーボルトは国禁であった日本地図の国外持ち出しを謀った罪で国外追放となり、多くの門下生も処罰された。長英もその一人で、長崎を脱出し、日田の咸宜園を経由し中津藩医・村上玄水の蔵に40日間匿（かくま）われた。

なお、シーボルトは日本で貴重な書類を多く残しているが、その殆どに高野長英が関係した。また、当時の幕府は漢方医が主力のなかでその後、奥医師となった伊東玄朴は長英や手塚良仙（漫画家・手塚治虫の曾祖父）らと江戸に種痘を普及させた。その種痘所は、後に東京大学医学部へと発展することになる。この高野長英と伊東玄朴の関係は、『解体新書』発刊の前野良沢と杉田玄白の関係に似ていると言われていて、どちらが欠けてもことを成し得なかった二人である。

さて、このたびの感染症の発生を予想したわけでもないが、〝玄朴と長英〟という二人芝居の舞台劇が全国各地で実施されることが昨年決まり、中津文化会館においても今年5月に計画されている。劇団前進座のトップスターを長年務めてきた「嵐圭史が長英役」を、一方、日本オペラ界のレジェンド歌手「池田直樹が玄朴役」の二人芝居。この〝玄朴と長英〟は、1924年（大正13）、劇作家の青山青果が発表した二人芝居で、徳川幕府の攘夷政策を批判して捕えられ、その後脱獄をした高野長英とともにシーボルトの高弟であった伊東玄朴と激しい議論を交わす劇で、全国数箇所で上演が予定されているが、いずれも歴史的に関係のあった地域で、九州では中津、長崎、鹿児島が予定されている。

本日は、このような状況のなかでの講演であることから、本題の前に感染症に触れることにした。

一 感染症について

㈠ コロナウイルス

オリンピックまで延長となったコロナは風邪のウイルスで、これまでに人に感染するコロナウイルスは4種類が知られており、風邪の原因の10～15％を占めるウイルスである。ヒトコロナウイルスによる急性上気道炎は夏、秋に少なく冬や春に増えるとされている。大規模流行は2～3年周期に起こるという。無症候性感染者の頻度は年齢によって異なるが、成人では約3割と考えられる。

㈡ 世界に広がるコロナウイルス

●2019年12月31日、中国湖北省武漢市で原因不明の肺炎の症例が通知され、27例中七人が重症患者で、多くは海鮮市場と何らかの関連があるとのことであった。

●２０２０年1月8日、この肺炎患者の多くが新型コロナウイルスによる肺炎であることが判明した。

●新型コロナウイルス厚生労働省対策本部クラスター対策班の調査によると、２月26日までの国内例１１０例では、感染者の約八割は他人に感染させておらず、感染を広げているのは感染者のうち２割であったと報告している。

大変な感染症で、毒性からすればインフルエンザより若干強いが、一方で細菌性肺炎で年間に亡くなる人は約10万人いることも現実です。このウイルスは空気では２ｍ以内で飛沫感染するためマスクをして人に感染させないことが大事である。また、便にも出るので、手やドアノブなどのアルコール消毒や台所用品などの塩素系消毒が不可欠である。

●3月25日、急激に患者が増え（40万人超）死者も増加（1万8千人）しているが、回復する人も増えている。

●過去に発生したサーズ（ＳＡＲＳ）の致死率は、9.6％、マーズ（ＭＡＲＳ）は34％であった。今回の新型コロナウイルスは、潜伏期間が14日程度で長いのが問題であり、この間に次へと感染させることになる。

㈢　イタリアの高死亡率と医療崩壊

イタリアの死亡率が極めて高いのは、行き過ぎた医療費抑制政策（病院７５０カ所・ナース5万人・医師5万人削除）が原因と言われ、この非常事態の対応に、引退した医師の投入や医学生の早期投入で対応しているが早々に医療崩壊している。スペインもイタリアに近い状態とも言われている。

●今後、米国で感染症が急増すると思われるが、米国は保険未加入者が多く未加入者（３、５００万人）の医療費負担は膨大で、初診料14万円・入院費1日１００万円は大変な負担となる。

●ドイツは、規制が厳しく、医療制度も発達しており安定している。

●日本は、検査体制に問題がある。

●中国は、収束局面に入りつつある。

㈣ 新型コロナウイルスとその対策・対応

キクガシラコウモリが持っていたウイルスの疑いが強い。このコウモリは日本にも生息している。それが他の動物を経由して人に感染した。ゲッシ類、センザンコウ、ハクビシン、タヌキ、ヘビ、アカゲザル、いたち、犬、猫からも同じウイルスが分離されており、仲介役はまだ不明。

対策は、手をこまめに洗い、換気は30分に一回行ない、密着、密閉は避ける。消毒はアルコール、塩素系を使用する。

抗ウイルス剤の開発は、アビガン他進んではいるが使用できるまでには、暫く時間がかかる。

発祥時の対応（電話連絡先）は、病院ではないので要注意。

大分県庁　０９７―５０６―２７７５
北部保健所　０９７９―２２―２２１０
中津市役所　０９７９―２２―１１７０

二　天然痘（痘瘡）

㈠ 世界における天然痘の歴史

●天然痘の病原の故郷はインドと言われている。
●6世紀シリア、アラビア、エジプトを経由して欧州に伝染した。
●10世紀の十字軍、13世紀のノルマン人の移動で15世紀に欧州に土着した。
●18世紀には欧州の住民の25％が死亡したと言われる。
●中国には前漢の武帝の頃に伝わった。
●日本には中国を経由して伝わった。

㈡ 日本における天然痘の死亡率

藤川游の日本疾病史によると、７３５年（天平７）～１８３９年（天保９）の１１０３年間に58回の大流行があった。死亡率は西欧なみの25％で、流行時は80％が罹患、未痘児童の75％が死亡。

　検疫制度100年史によると、1876～1979年の104年間に天然痘患者は、337、770人で死者は92、018人、死亡率27・24％であった。

㈢ 天然痘流行の歴史

◎317年、東晋元帝南陽にて。
◎735年（天平7）、聖武天皇の時代に流行。
◎737年（天平9）5月、僧侶600人による読経。
◎853年（仁寿3）、文徳天皇の時代に流行。
●1143年、鳥羽上皇が天然痘に罹り、待賢門院（鳥羽天皇の中宮）も罹患し、比叡山延暦寺では千人の僧侶が読経。
◎1183、1206、1235、1306、1314年に流行した。
◎江戸時代は、1619、1654、1678、1682、1702、1708、1711、1720年に流行した（1654年の流行では後光明天皇が罹患し死去）。

㈣ 更に続く天然痘の恐怖

●1773年（安永2）、江戸で天然痘により19万人死亡。
●オランダ海軍軍医・ポンペによると、住民の3分の1は顔に痘痕があると記している。
●明治18～20年には、12万人が罹患、死者32、600人（25％）。
※1980年5月8日、WHOは天然痘根絶宣言をした（感染症で唯一）

㈤ エドワード　ジェンナー（1749～1823）と種痘

英国の牧師の子として生まれたジェンナーは、ロンドンで医学を修めた。ある時、乳搾りたちが牛の天然痘に感染すると、それ以後は人の天然痘に感染しないという話を耳にし関心をもっていた。

　1796年5月14日、牛痘に感染した乳搾りの女性の膿を8歳の少年に植えたところ感染が起こり、間もなく治癒した。更に、此の少年に天然痘を接種したが感染しなかった。しかし、この大発見も当時の英国の学会では簡単に受け入れられず、非難轟々のなか、米国に渡り自費出版し評価された。後に英国もその真価を認め研究費を交付するなど高く評価した。

(六) シーボルト（1796〜1866）と種痘

日高凉台の『種痘新書』によると、シーボルトが牛病苗をもたらして、長崎で3人の子供に接種したものの善感しなかったが、弟子たちに接種の方法が伝えられた。

(七) 我が国の牛痘苗の伝来

我が国の牛痘苗の導入には、大きくは越前計画（福井藩が清国から輸入）と佐賀計画（藩主自らがオランダ商館医モーニッケを通して導入）の2つがあり、福井藩は失敗に終わった。

(八) 秋月藩の人痘接種法

ジェンナーの牛痘接種法が確立される以前は、一度天然痘に罹ったものは二度と感染しないという天然痘の長い経験的事実から、比較的軽症な天然痘の膿を人工的に植え付ける人痘接種が行なわれていた。しかし、この方法では接種を受けたものが重篤になり死亡することが発生し、天然痘の新たな発生源となることもあり人痘接種法に代わるものが模索されていた。

人痘種痘は、天然痘に罹った子供の瘡蓋（かさぶた）を粉末にして竹筒で鼻腔内に吹き入れるもので、1790年（ジェンナーの牛痘苗の接種の6年前）に、我が国で初めて秋月藩医・緒方春朔が成功した（人痘種痘は中国伝来）。しかし、人痘種痘は極めて危険なものでもあった。

(九) 佐賀藩の種痘

通詞で医家であった楢林医家の楢林宗建が自分た

ち医師の子供3人に種痘（1849年8月8日）、成功は確信したものの、未だ不完全な状況のなかで8月22日、藩主・鍋島直正は吾が子の淳一郎に接種させ、その有効性を実証した。それを絵にして全国に普及を図った。種痘元年の功労者は佐賀藩であった。ところが、後の調査で中津藩は辛島正庵たちが7月に接種していることが判明した。

㈩　医家辛島家一族と中津の種痘

中津で種痘に最も深く関わった医師として辛島家の一族がいる。その五代目・辛島長齢（1779～1857）、字は正庵、この辛島正庵が1849年（嘉永2）、長崎から中津藩に種痘の苗と技術を持ち帰り接種に成功した中津藩医師団の最高顧問である。

正庵は実子・章司を天然痘で6歳で亡くしている。養子で六代目を継いだ長徳は御近習医師となるが40歳で死去したため、七代目として春帆が養子に入り老齢の父（五代目・正庵）の命を受け中津藩の医師団（10名の医師とその子供たち）をまとめ、その子供たちに長崎で接種に成功し連れ帰った。最近の調査で佐賀藩よりも1カ月早かったとも言われている。なお、中津藩種痘の創始者ともいえる五代目・辛島正庵（長齢）の長男で天然痘で6歳で亡くなった章司については、大法寺の智水童子の墓に記録されている。七代目の春帆は、日田の相良文教の弟で辛島家の養子となった。この春帆は咸宜園の塾頭を務めた秀才で年老いた養父の五代目。正庵を支えた。

この中津藩医師団は、その年の12月に藩主に種痘許可の請願書を出し、藩主・奥平昌服（おくだいらまさもと）は直ちに許可し成功した。そこで医学館の設立が提案されたところ、接種の成功に感謝した多くの住民がお金はもとより、石屋は石を畳屋は畳を寄付し、上勢溜に医学館が建設された。福澤諭吉も多くの医書を寄贈した。この医学館は後に（明治4年）、片端町に医学校として移され、初代校長に大江雲澤、病院長に藤野玄洋が着任した。この大江雲澤の医訓が〝医は不仁の術　務めて仁をなさんと欲す〟で今日の主要な医学会などで提唱されている。

三　伊東玄朴（1800～1871）

伊東玄朴は佐賀の貧農の生まれで時を経て伊東家の養子となった。若くして医学に志し、長崎に遊学、シーボルトに学んだ。（高野長英とは兄弟弟子）江戸で蘭学塾を開業した後に佐賀藩医（1831年）となる。佐賀藩でオランダから取り寄せた牛痘苗で1849年、接種に成功。他の蘭方医たちと種痘法の普及に務め、1858年、蘭方医初の幕府奥医師（将軍侍医）となり、漢方医の圧力のなかで江戸（お玉ケ池）に種痘所を創設した。ここは後に、西洋医学所となり更に東大医学部となった。なお、玄朴は1861年には奥医師の最高位法印となった。

深瀬泰旦著『伊東玄朴とお玉ケ池種痘所』より

玄朴は、出世欲が大変強かったと言われているが、貧農の生まれで大変に苦労して勉学に励んだ背景も一因かも知れない。また当時、江戸では漢方医が主流で江戸幕府の奥医師も漢方医が占めていた。やっと9年目に種痘が実現したのもそのためで、玄朴は蘭方医5人を奥医師にしていることからも出世欲が垣間見え、政治力、指導力に長けていた。しかし、一方でおそらく敵も多かったと考えられる。

佐賀や中津で種痘が成功し全国各地に普及している情報は、当然江戸にも伝わり、普及しようとする医師たちがいた。そのなかには漫画家・手塚治虫の曾祖父・手塚良仙もいたが幕府の責任者である池田端仙の反対で受け入れられず、江戸では闇で実施されていた。

●伊予伊達家の統治家宇和島城（伊達政宗の長子秀宗入城以来）八代城主・宗城は蘭学に関心が高く、藩医を伊東玄朴のもとで修行させ、江戸表で城主・宗城の娘・正姫に人痘種痘を玄朴の指導のもとで実施し成功した。高野長英は城主・宗城の命により、玄朴の宇和島藩の弟子に伴われ1848年、宇和島に四人扶持が与えられ蘭学を講義した。玄朴と長英の生き方は違うが玄朴が長英の逃亡に手を差し伸べたことが伺える。

四　高野長英（1804～1850）

（高野長英記念館蔵）

高野長英は陸奥（岩手県）水沢藩士・後藤実慶の三男で叔父・高野玄斎の養子となった。

養父・高野玄斎は杉田玄白に蘭方医術を学んだ水沢藩の医師であった。長英は江戸で蘭医・吉田長叔に入門、その後、長崎でシーボルトに学び、鳴滝塾（長崎奉行の許可を得て長崎市鳴滝に造られたシーボルトの私塾）では翻訳の教授を務めた。幕府の対外政策を批判し投獄されるが脱獄、沢三伯と変名して薬品で顔を焼き逃亡するが、追われて江戸で自刃。

シーボルトの数多い弟子のなかで一番弟子とも言われ、中津藩の村上医家に潜伏、〝最後までやり抜かなければ、最初からやらない方が良い〟という学問訓を残している。また、群馬県に潜伏した時に残した学問訓には〝水滴は石をも穿つ……〟がある。

社会医療法人玄真堂病院の玄関正面に設置された〝水滴は岩をも穿つ〟のモニュメントは玄真堂の理念を示したもので、〝病に倒れた自身が立ち上がる姿と、小さな力でも、根気よく続ければいつか成果が得られる〟ことを表している。

後に高野長英の功績は見直され1898年（明治31）、正四位を追贈された。

(一)　高野長英の故郷〝水沢〟

長英の生まれ故郷は、東北奥州の小都市〝水沢〟（現在の岩手県奥州市）で、現在も高野整形外科医院があり、高野長英記念館、斉藤實記念館（二・二六事件で殺害された海軍大将・内大臣）、後藤新平記念館、武家屋敷資料館と4つの市立資料館があり中津市の風情と似ている。水沢藩は伊達政宗の家臣留守氏の小さな藩（1万6千石）であったが長英、後藤新平、斉藤實など日本を代表する逸材を輩出している。高野長英記念館の入り口には日田の広瀬淡窓の門人・谷口中秋の撰による碑文が建てられている。長英は短い生涯だったが、シーボルトの医学書のみならず、植物学、動物学、歴史学、天文学、養生学、兵学等々広範多岐にわたる長英が翻訳した膨大な資料が収蔵されている。

(二) 高野長英の江戸留学・長崎留学

長英は養父の反対を押し切って、1820年、江戸留学を果たし、杉田伯元や吉田長淑に師事した。長英の名前は本来は〝譲〟であったが吉田長淑に師事したことで〝長英〟と名乗るようになった。更に長崎留学のため一旦、江戸で開業し資金稼ぎをするが火事になる。念願かなって長崎留学（1825～1828年）を果たした長英は、シーボルトの内弟子となり鳴滝塾では、群を抜く語学力で教授を務め、シーボルトの日本研究の助手として食・住が保証され、蘭学、蘭方医学を教わった。また、資料の翻訳は殆ど長英がしたと言われる。留学生には次々と課題作業が加えられ、これが今でいう博士号取得の課題作業だった。

(三) シーボルト（1796～1866）

ドイツ人でバイエルンのヴュルッブルグの名門（父親も大学の生理学教授）の生まれで、ヴュルッブルグ大学で学び医学、博物学を学び、大学卒業後は東洋研究を志望してオランダに行き、オランダ領西印度陸軍病院外科少佐の任命を受け、日本の総合的・学術的調査を委任され、長崎出島の商館付医師として1823年に来日した。診療や臨床講義が評判を呼び、特例として長崎郊外の鳴滝に私塾（鳴滝塾）を許可され、その主要な門人が高野長英、伊東玄朴たちであった。

●シーボルト江戸参府中の交流・人脈

長崎出島のオランダ商館長の江戸参府にシーボルトも随行し、精力的に各地で研究資料を収集し、6年間の滞在中に日本から持ち出した収集品は25万点にも及ぶと言われる。オランダの最名門大学であるライデン大学に収蔵され、シーボルト植物園にはアジサイなど数多くの植物が今でも植えられている。シーボルトとの主な交流者を列挙すれば

◎桂川甫賢（1751〜1809）
　代々幕府奥医師、蘭方医。解体新書の訳業に参加。

◎大槻玄沢（1757〜1827）
　仙台藩医、蘭方医・前野良沢と杉田玄白に学ぶ。

◎伊藤圭介（1803〜1901）
　尾張藩の植物学者、医師。日本最初の理学博士、東大教授。

◎島津重豪（1745〜1833）
　薩摩藩主、娘の茂は将軍・徳川家斉の御台所、藩校に蘭学を導入、江戸に薬草園を開いた。中津藩主・奥平昌高の実父で昌高は次男。

◎奥平昌高（1781〜1855）
　中津藩主、実父・島津重豪の蘭学に大きな影響を受け、中津藩着任後は前野良沢に蘭学を学び、支援もした。オランダ商館長から〃フレデリック・ヘンドリック〃のオランダ名をもらうほど熱心であった。シーボルトの江戸参府中（1826年）26回も交流した。昌高は『蘭語訳撰』『バスタールド辞書』を刊行した。

●シーボルト事件の勃発

1828年8月、任期を終えたシーボルトが帰国の際に、国禁の日本地図や葵の紋服の携行が発覚、シーボルトはスパイの嫌疑を受けて糾問1カ年の末に国外追放、再渡航禁止を宣告された。1828年9月、帰国のための船が暴風雨に遭い、積み荷のな

かから禁制品が発見された。この日本地図は、シーボルトが江戸参府の際、天文方を勤める高橋景保と知り合い、伊能忠敬の『大日本沿実測図』から景保が調整した縮図が贈られたものであった。また、紋服は土生玄碩（眼科医・幕府奥医師）から贈られたものであった。

高橋景保は獄中死したが、死骸を塩漬けにされ翌年、死刑の判決を受けた。土生は改易となった。他に関係したと思われる多くの者が罪に問われ、高野長英もその一人であった。

シーボルトは、この時、伊能図のほか間宮林蔵の樺太図を持ち帰り、間宮海峡の存在が明らかになり日本が島であることを証明することとなった。また、間宮林蔵の名前をヨーロッパで認知させるきっかけとなった。しかし、皮肉なことにこの事件の告発者は間宮林蔵であったと言われている。

●シーボルト事件と村上医家

1828年、シーボルト事件が発生し、高野長英は日田に逃げ広瀬淡窓の咸宜園に弟子入りし、その後、中津へ逃げ村上医家を訪ねて、40日間村上医家の蔵に潜伏した。

この時は、村上玄水が自ら膳を運び一人で世話をした。村上医家史料館には「最後までやりぬかねば最初からしないほうがよい」とオランダ語でしたためた言葉が残っている。

この時、玄水が筆写したとされる。村上玄水は、村上医家七代目で、公式な人体解剖記録としては九州で最初の人で、シーボルトの直弟子ではないが長崎で接点はあり、高野長英とは親しくしていたことが伺える。

●シーボルトの再来日

1859年、長男・アレクサンダーを伴って再来日し、外交顧問として長崎、横浜、江戸で長崎奉行や神奈川奉行や外国奉行に外交問題についてアドバイスを行ない、更に幕府の外交顧問として老中・安藤対馬守信正にも様々な献言をしている。

1862年、離日、1866年、ミュンヘンで病没。

◎シーボルトに同行した長男のシーボルト・アレクサンダー

ドイツの外交官となり、駐日英国公使館員（通訳官）となり明治初期から中期にかけて日本政府の外務省、ローマ、ベルリンの日本公使館に奉職し在職40年の貢献で勲二等瑞宝章を受けた。

◎シーボルトの娘〝楠本イネ〟

シーボルトが長崎のオランダ商館滞在中の愛人・其扇滝（そのぎ）との間に生まれた娘・楠本イネは、シーボルトが帰国に際して、門弟の二宮敬作らに託し、イネは伊予の二宮敬作に外科を学びその後、岡山、長崎で産科を学び、更には大村益次郎に蘭学を習う。後に築地で産科を開業。1873年には権典侍・葉室光子の懐妊の際、宮内省御用掛に任命されてその出産を扱った。この宮内省御用掛には福澤諭吉の推挙があったと言われている。

㈣　モリソン号事件と高野長英

1837年、マカオに保護されていた日本人漂流民7名の送還と併せて貿易（通商）を推進するため、アメリカ船モリソン号（564トン）が浦賀に到着したが異国船打払令のため砲撃に遭い、退去しマカオに引き返した。その後、英人モリソンの船が再来の噂が流れ、それを打ち払いを可とする評議書を知った高野長英や渡辺崋山たちは、モリソンのことを東洋学者ロバート・モリソンと誤解し、幕政を批判したことで、蛮社の獄を招くこととなった。長英や崋山たちのグループを敵視していた幕府儒官の林家を刺激し、老中・水野忠邦に告発され、長英は永牢、崋山は在所蟄居に処せられた。

㈤　高野長英の逃亡と最期

長英は、シーボルト事件でも処罰されていたが、そちらは風化していた時期ではあるが、基本的に鎖国の不可を唱えていたのでモリソン号事件では永牢となった。1844年、収監されていた牢に放火焼失させ、一時的に開放された際に戻らず、顔を薬品で焼き変貌して沢三伯と変名し諸国に潜伏、当初は江戸で同志に匿われ潜伏、その後1848年、宇和島藩主・伊達宗城に匿われ宇和島藩で翻訳などで貢献したが所在を幕吏に知られて翌年、江戸に戻り1850年、開業したが捕吏に襲われ自殺した。

長英はモリソン号事件で収監され耐え忍んできたが、辛抱しきれず1844年に放火脱獄の暴挙に出た。しかし、あと2ケ月も辛抱すれば情勢は大きく変わり命を落とすことはなかったのではないかとも言われている。日本の近代化に大きく貢献した人物の短い人生の最期であった。

長英は潜伏逃亡するなかで、上州（群馬県吾妻中之条）鍋屋旅館にオランダ語で水滴学問訓〝水滴は力によらずして落ちることによって石をも穿つ〟と残している。この地には弟子の福田宗禎（医師）がいた。

筆者が、九州労災病院に勤務していた頃、群馬大学から研修に来ていた森田秀穂医師が、宗禎の子孫である新井三郎氏を患者として知っていたことから調査に行き、現在、村上医家史料館の土蔵に展示されている原文の写真に〝水滴は石をも穿つ〟を見ることができるようになった。

おわりに

江戸末期に共にシーボルトに蘭学と医学を学び、一、二を争う高弟であった高野長英と伊東玄朴。日本の近代化に大きく貢献した二人であったが、一方は出世欲が強かったとはいえ、西洋の牛痘接種を、反対する漢方医主流の江戸で普及させ、その種痘所は後に東大医学部となり、幕府の奥医師まで上りつめた。

一方はシーボルトの残した著書の大半を翻訳し日本の蘭学と近代医学の発展に大きく貢献したが、鎖国などの幕政批判（時を置かずして正論となる）で追われる身となった。

二人の関係が前野良沢と杉田玄白の関係にも似ているとも言われるが、二人が日本の近代化に大きく貢献し、敵対する組織のなかで手を差し伸べていたのも事実であり、また中津とも関係があった。

2020年（令和2）3月28日 講演

12 新型コロナウイルス肺炎とパンデミック

はじめに

本日の講演は、新型コロナウイルス肺炎対応のため当初の年度計画を変更して実施する。

新型コロナウイルス肺炎の発生により、その感染症予防のため、通常の集会は禁止されているので、本日は許可されている場所で対策を確実に取った上で実施することとした。この玄真堂ホールは200名の収容人員で、本日は30名以下の人員であり、間隔を十分に取っていて、窓も開放されている。更に入場に際しては、検温、手指の消毒、マスクの装着を確認し、入場者の住所・氏名を記録させていただくこととした。

一　総理の緊急事態宣言（2020年4月7日18時17分）

新型コロナウイルスの感染が都市部で急速に拡大している事態を受けて、安倍総理大臣は、政府の対策本部で、東京など7都府県を対象に法律に基づく「緊急事態宣言」を行なった。宣言の効力は来月（5月）6日までで、東京、神奈川、埼玉、千葉、大阪、兵庫、福岡が対象となったが、時を置かずして全国が対象となった。

(一) 緊急事態宣言による生活への影響

●首相は、期間や区域を決定する。
●都道府県知事は、
・住民に外出自粛を要請。
・学校や福祉施設などの使用停止要請や指示。
・各種イベント開催制限の要請や指示。
・臨時医療施設の土地や建物の強制使用。
・医療用品やマスク、食品の売り渡し要請、収用、保管命令。
・運送事業者に緊急物資の輸送要請、指示。
※東京都の小池都知事は感染拡大防止のため「不要不急の外出自粛」を呼びかける一方、「通院している方、医者にかかる方などは不要不急ではない」として、自粛対象に含まれないとし、診察や治療の必要な人まで通院を控えれば、かえって持病などを悪化させ、感染症リスクを上げることにもなりかねない。

(二) 世界に広がるコロナウイルス（2020年3月4日、情報）

これまでに、ヒトに感染するコロナウイルスは四種類知られている。風邪の原因の10～15％を占める原因ウイルスである。ヒトコロナウイルスによる急性上気道炎は夏、秋に少なく、冬や春に増えるとされ

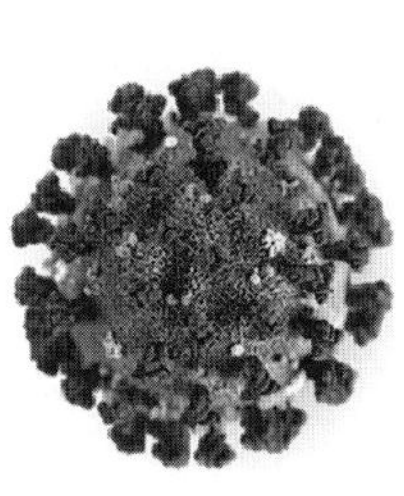

ており、大規模な流行は2～3年周期に起こるという。ヒトコロナウイルスにヒトが再感染することはしばしばあり、これは抗体の減少が比較的早く起こるためと考えられている。無症候性感染者の頻度は年齢によって異なるが、成人では約3割と考えられる。

㈢ 今回のコロナウイルス

・2019年12月31日、中国湖北省武漢市で原因不明の肺炎の症例についてWHO中国カントリーオフィスに通知された。

・27例中7人が重症患者で、多くは海鮮市場と何等かの関連があるとのことであった。

・年が明け2020年1月8日には、この肺炎患者の多くが新型コロナウイルス（SARS-CoV19）による肺炎であることが判明した。

・武漢で拡大し、中国全土で8万人が感染したが、子供（特に小・中学生）の死亡例は報告されていない。

この武漢の人たちは、ハクビシン、センザンコウ、タケネズミなど野生動物を好物にしている人たちが多く、これらの野生動物が餌としているコウモリが発生源ではないかと言われている。

一方で、この武漢にはウイルスの研究施設があり、米国などは、この研究施設からウイルスが漏れたのではないかとも言われている。今のところ、発生源は明確になっていないが、武漢で発生したことには間違いないという認識が一般的である。

●これまでの研究で、感染症の患者の八割は他者に感染させることはない。残りの2割の患者が一人から多数に感染させることが疫学的にわかっている。（20／80ルール）これが、新型コロナウイルス感染症についても当てはまる可能性がある。

新型コロナウイルス厚生労働省対策本部クラスター対策班の調査によると、2月26日までの国内例110例では、感染を広げているのは感染者のうち2割であったと報告されている。実に頭の良い、タチの悪いウイルスである。

世界保健機関（WHO）の事務局長は、今回のウイルスの特徴について、中国で得たデーターをふまえ、季節性インフルエンザに比べて伝染力は高くないが、重症化する患者は多く、致死率は3～4％とインフルエンザに比べると高いと指摘した。（米国やイタリアなどの致死率は高く8％位）また、インフルエンザも新型コロナウイルスも、呼吸器系の症状が出て、飛沫感染する点が共通しているとした上で、重要な違いとして、新型コロナウイルスについて、これまで得たデーターからみると、インフルエンザほど効率よく伝染はしないと述べた。また、中国データーでは、症状の出ない感染者は1％だと指摘した（マスクの重要性）。

●中国では収束局面

WHOと中国政府によると、1月25日には400人を超えた新規感染者が、2月20日には数百人に減少した。感染の初期には重症患者から検査するので、致死率は高く出やすいが、多くの患者を検査すると致死率が下がる。武漢の致死率は当初20％以上であったが、最近はかなり下がっている。武漢以外の中国では韓国も中国と同じパターンである。ロックダウン（完全遮断）により武漢で5万人（中国全土で8万人）が感染したと言われるが、人口の6割が感染すると抗体ができるとも言われている。武漢がその例かも知れない。

日本は、法律的に強制力がないため中国、韓国と異なりジワジワと拡がり長期化するかもしれない。ちなみに、インフルエンザは千万人が罹ると8千人が死亡すると言われる。

	感染者数	死亡者数	回復者数
日本	11,919名	287名	2,040名
国外	2,458,928名	168,716名	707,050名

今回の新型コロナウイルスは、欧州のイタリア、スペイン、ドイツ等々から中東のトルコやイラン等々でも広がり、最近では、米国が大変な事態となっている。

日本はデータ上は感染者数が低いが、検査が進んでいないため比較するのは難しい。問題は死亡率であり、イタリアは極めて高い、日本は低い。

厚生労働省の4月23日発表（4月22日時点）によると上の表のとおりである。

※日本は検査が進んでいないため実際には感染者は10万人とも言われている。

㈣　日本に広がるコロナウイルス

極めて、ジワジワ増えてくる。検査を増やさなければならない。

◎死亡者は高齢者（70歳以上）が圧倒的である。

◎若い人の致死率は高くない。

◎若い人で死亡するケースとしては、多量の飲酒、タバコ癖のある人や持病のある人。

◎特徴としては、急激に進行する。

◎大分県の感染者は60名（内7名が中津市）

大分県のベッドの状況：対応ベッド数１１８床・使用数27人・23％

二　パンデミックの歴史

人類は紀元前の昔から、様々な感染症と戦ってきた。原因も治療法も十分に確立されていなかった時代には、感染症の大流行のパンデミックは歴史を変えるほどの影響を及ぼしてきた。感染症をもたらす病原体や対処方法がわかってきたのは、19世紀後半になってからで、その後、感染症による死亡者は激減した。

しかし、１９７０年頃より、以前には知られなかった新たな感染症である「新興感染症」や過去に流行した感染症で一時は発生数が減少したものの再び出現した感染症「再興感染症」が問題となっている。発展途上国ばかりでなく先進国においても脅威となっている。

㈠ アテナイのペスト

ペロポネソス戦争のさなか、紀元前429年、篭城戦術を用いてスパルタ軍と対峙していたギリシャ最大のポリス、アテナイ（アテネ）を感染症の流行が襲い多数の犠牲者を出し、スパルタ軍の勝利となった。この疫病は、かつて「アテネのペスト」と呼ばれていた時期もあったが、記録に残る症状の分析と検討により、今日では痘瘡（天然痘）または発疹チフスあるいは、それらの同時流行と考えられており、ペスト説は否定されている。

このペロポネソス戦争のアテナイ軍の主導者で、古代ギリシャ最大の民主政治家であったペリクレスもこの疫病で死亡し、アテナイの敗北及びデロス同盟の解体を招いた。

このアテナイのペストの感染者は30％で死亡率も30％と言われている。

※ペロポネソス戦争：前431～404年、ギリシャのペロポネソス半島を舞台に、アテナイ（アテネ）を中心とするデロス同盟とスパルタを中心とするペロポネソス同盟が行なったギリシャの覇権をかけた戦争。アテナイの敗因の一つにペリクレスの疫病による死亡があげられる。15年間にわたりアテナイ帝国の最高指導者としてギリシャの黄金時代を現出したペリクレスの死により、民主政治は衰え、ギリシャは衰退に向かった。

㈡ ユスティニアヌスのペスト

東ローマ中興の主と言われるユスティニアヌス一世（在位527～565年）の時代に東ローマ帝国（ビザンツ帝国）で流行したペストで、現代の病態分類では〝腺ペスト〟と推定される。皇帝自身も感染したため〝ユスティアヌスの斑点〟または、〝ユスティアヌスのペスト〟と呼ばれた。

エジプトのペルーシムからパレスティナ地方へ、更には、帝都・コンスタンティノープルへと広がり多くの死者が発生し、人口の約半数を失って帝国は一時、機能不全に陥るほどであったという。

㈢　14世紀の黒死病（ペスト）

14世紀のヨーロッパで猛威を振るったペストは、感染すると、2日から7日で発熱し、皮膚に黒紫色の斑点や腫瘍ができることから『黒死病』と呼ばれた。カナダ出身の歴史家ウイリアム・ハーディー・マクニールによれば、『黒死病』は中国の雲南省地方に侵攻したモンゴル軍がペスト菌を媒介するノミと感染したネズミを中世ヨーロッパにもたらしたことによって大流行したものである。ただし、科学史家の村上陽一郎によって中東起源説も提起されている。

14世紀、ペストは、中央アジアからクリミア半島を経由してシチリア島に上陸し瞬く間に、内陸部へと拡大した。コンスタンチンノーブルから出港した12隻のガレー船の船団がシチリアの港町メッシーナに到着したのが発端と言われる。ヨーロッパに運ばれた毛皮に付いていたノミに寄生し、そのノミによってクマネズミが感染し、船の積み荷などとともに、海路に沿ってペスト菌が広がったのではないかと推定されている。ペストはまず、当時の交易路に沿って、ジェノヴァやピサ、ヴェネツィア、サルティーニヤ島、コルシカ島、マルセイユへと広がった。

その後、アルプス以北のヨーロッパにも伝染し、14世紀末まで3回の大流行と小流行を繰り返し、猛威を振った。正確な統計はないが全世界で8、500万人、ヨーロッパでは当時の人口の3分の1から3分の2に当たる約2千万人から3000万人前後が犠牲となり、イギリスやフランスでは約半数が死亡したと推定されている。

㈣　16～17世紀のペスト

この間もペストは何度か流行した。17世紀は、14世紀とともに小氷期によりヨーロッパ気候が寒冷化し、ペストが大流行して飢饉が起こり、英蘭戦争30

年戦争をはじめとする戦乱の多発によって人口が激減したため、〝危機の時代〟と呼ばれた。

一方、中国の歴史地理学者・曽樹基によれば、16世紀から17世紀にかけての明末清初期の華北では、合計1千万人がペストで死亡し、人口動態の面でも大変化があったとしている。

(五) 19世紀末のペスト（北里柴三郎とペスト）

19世紀末、中国を起源とするペストが世界中に広がった。これは雲南省で1855年に大流行した腺ペストを起源とするものであり、1894年（明治27）、香港での大流行をきっかけとして世界的に拡大した。近代細菌学の開祖ロベルト・コッホに師事した、日本の細菌学の父と言われる「北里柴三郎」は日本政府の要請により香港に派遣され、腺ペストの病原菌を共同発見した。

北里の研究により、腺ペストを治す方法は抗血清によって確立された。

北里の研究には福澤諭吉が大きく貢献している。後に北里も慶応大学初代医学部長として、その恩に報いている。

(六) 20世紀末のペスト

中国発の腺ペストは、20世紀初頭、中国の東部沿岸地域や台湾、日本、ハワイ諸島をはじめ、更にアメリカ合衆国、東南アジアの各地にも広がった。ペストの世界的な広がりの背景にあったのは、植民地主義の展開のもと、交通体系の整備や商品流通の活性化、人間の移動などにより互いに各地が密接な関係を持つに至ったことがあげられる。人間の移動が大きく起因しており、従って〝ロック　ダウン〟が必要!!

(七) ネズミの駆除

1902年（明治35）、東京、横浜地方でもペストが発生したため、役所がネズミ1匹を五銭（後に3銭）で買い上げるという措置を講じ、謀介者たるネズミの駆除に乗り出している。ネズミの買い上げは、横浜の場合、市役所の衛生課、衛生組合事務所、警察署、巡査派出所、巡査駐在所が管轄しており、当時の『国民新聞』によれば、1905年（明治38）3月の時点で、既にネズミ買い上げ金総額が4万円を突破している。（およそ100万匹のネズミを駆除していたことになる）

㈧　コロンブス交換と梅毒

コロンブス交換という表現は、1492年、コロンブスが新大陸発見の後に発生した東半球と西半球の間の植物、動物、食物、奴隷を含む莫大で広範囲にわたる交換を表現する時に用いられる表現である。

クリストファー・コロンブスの新大陸の「発見」の結果、トウモロコシとジャガイモは18世紀のユーラシア大陸で極めて重要な作物となり、ピーナッツとキャッサバは東南アジアや西アフリカで栽培されるようになるなど、世界の生態系、農業、文化の歴史において重大な出来事となった。ただし、ここでは多くの感染者もまた交換されることとなった。

コレラ、インフルエンザ、マラリア、ペスト、猩紅熱（しょうこうねつ）等々がユーラシアとアフリカからアメリカ大陸へもたらされた。免疫を持たなかった先住民は、これらの伝染病によって激減した。梅毒は元来、ハイチの風土病だったのではないかと考えられ、コロンブス一行が現地女性との性交渉により、ヨーロッパに持ち帰ったとされる。アジアへはヴァスコ・ダ・ガマの一行が1498年頃、インドにもたらし、日本には1512年（永正9）、中国から入ったとされ、江戸時代初期には徳川家康の次男・結城秀康も梅毒に罹患している。日本で流行する前に琉球王国、特に花柳界で大流行し、古くから花柳界にいる人物の罹患率が高かったので、梅毒は〝古血〟と称され、また、沖縄では梅毒患者のことを〝ふるっちゆ〟（古い人）と呼ぶようになった。なお、梅毒はヨーロッパ諸国も介入した16世紀のイタリア戦争を通してヨーロッパ各地に広がったため〝ナポリ病〟と称することも多い。

㈨ 秦佐八郎（1873〜1938）と梅毒治療薬

梅毒の治療薬としては、化学療法を唱えたドイツのパウエル・エールリヒの研究所で薬学実験を担当していた日本の医学者・秦佐八郎が1910年に発見したサルバルサンという有機ヒ素化合物が有名である。

秦佐八郎は明治から昭和初期の細菌学者。島根県の出身で15歳の時、山根家から秦徳太の養子となり第三高等学校（現京都大学）第3部を卒業し、井上善次郎に内科を、荒木寅三郎に医化学を学ぶ。軍務を経て伝染病研究所で北里柴三郎に就きペストを研究。日露戦争に従軍し、似島(にのしま)検疫所開設に関与した後、1907年ドイツに留学、ベルリンのコッホ研究所でワッサーマンに、次いで国立実験研究所でエールリヒに学び、1910年、彼とともに梅毒の化学療法剤〝サルバルサン〟を発見した。

㈩ その他各種感染症

○麻疹(はしか)

一般的にはハシカと言われ、麻疹ウイルスによって感染する。感染力は極めて強く、光熱、咳、鼻水、全身性の発疹を伴い、口中にコブリック班と呼ばれる白い斑点ができる。日本でも古くから知られ、平安時代以降の文献にしばしば登場する。「あかもかさ」は麻疹であろうと考えられている。正暦から長徳への改元のあった995年にも全国的な伝染病となって平安京を直撃、貴族も多数死亡して政治に混乱をきたした。

神奈川県の横浜市や大和市、藤沢市に点在する鯖神社（左馬神社、佐婆神社とも）を一日で巡る『七さば巡り』を行なうと、ハシカや百日咳の病除けになると言い、愛知県や三重県ではアワビの貝殻を戸口に吊るして〝ハシカ除け〟をしたという。江戸時代の庶民にとって、地震や火事とともに怖がられたのが感染症であった。特に、天然痘・麻疹、水疱瘡は〝御役三病〞と呼ばれて恐怖された。

水疱瘡は、今日においても、歳をとって免疫力の落ちた頃に再発することが、稀にあるので気をつけなければいけない。

○輸入感染症・コレラ

コレラ菌による感染症で、突然の高熱、嘔吐、下痢、脱水症が起こり、その感染力は非常に強く、7回の世界的流行（コレラ・パンデミック）が発生し、最も古いコレラの記録は、紀元前300年頃のものである。その後、7世紀の中国、17世紀のジャワでもコレラと思われる悪疫の記録があるが、世界的大流行は1817年にはじまっている。

コレラの原発地ガンジス川下流のインドのベンガル地方及びバングラデシュにかけての地方と考えられる。1817年、カルカッタで起こったコレラの流行はアジア全域とアフリカに達し、1823年まで続いた。その一部は日本にも及び、後に〝文政コレラ〞と呼ばれたものである。朝鮮半島経由か琉球経由かは明らかではないが、九州地方から東方向に広がり、東海地方にまで及んだ。この時は箱根より東には感染せず、江戸での被害はなかった。

日本では2回目の世界的流行時には波及を免れたが、3回目の流行は再び日本に及び、安政5カ国条約（1858年、江戸幕府と米・蘭・露・英・仏の5カ国が締結した修好通商条約）が結ばれた年から3年にわたって全国を席巻する大流行となった。いわゆる『安政コレラ』で、検証には疑問が呈されるものの、江戸だけで10万人が死亡したと言われる。この時の流行は、長崎からはじまり、江戸で大流行して函館にも広がった。手当としては、芳香酸と芥子泥を用いるのが良いとされた。

1862年（文久2）には、安政コレラの残留していたコレラ菌により再び大流行し、56万人の患者が出て江戸では7万3千人が死亡した。以後、明治に入っても、2、3年間隔で万人患者を出す流行が続き、1879年、1886年には死者が10万人台を数えた。

明治中期から昭和10年代初めまで耶馬溪（旧平田

村口の林）で中根医院を開業し、下毛郡はもとより大分県医師会議員としても活躍した中根時雄医師の医事日誌でも、コレラや天然痘、梅毒などの感染症対応のことが何度も記されている。

○新興感染症

過去20年間に、それまで明らかにされていなかった病原体に起因した公衆衛生上、問題となるような新たな感染症。

エイズ（性感染症として世界中に広がっている）

1983年、パスツール研究所のモンタニエ博士がウイルスを分離。

154万人の患者、2、260万人の感染者。日本の患者、5千人。

ヘルパーT細胞が破壊され免疫不全となる。カリニ肺炎、赤痢アメーバー、抗酸菌感染症AZT、インジナビルなど治療薬は開発されたが、エイズが怖いのは免疫を壊すことことがある。

○再興感染症

結核

紀元前…エジプトのミイラに結核の痕跡が見られる。

1935年～…結核が日本での死亡原因の首位となる。

1950年…抗生物質により発生が減少。

現在…抗生物質に対して抵抗性を示す結核菌が現れる。世界で20億人が感染。

インフルエンザ

1918年…スペイン風、世界で5億人が罹り数千万人が死亡したとも言われる。

この風邪のウイルスは第一次大戦のおり、米軍兵士によって米国から欧州西部に持ち込まれ、世界中に拡散され、特にスペインでの流行が大きく報じられたため『スペイン風邪』の名が付いた。

1957年…アジア風邪、世界で200万人以上の死亡者と推定される。

１９６８年…香港風邪、世界で１００万人以上の死亡者と推定される。
２００９年…新型インフルエンザ、世界の２１４カ国・地域で感染。

西ナイルウイルス
従来アフリカに見られた疾患（蚊の媒介で突然高熱を出し、頭痛・筋肉痛）が１９９９年以降に米国で多発したが、日本では発生を見ない。

新型インフルエンザ
１９９７年、香港で発生。
頭痛、筋肉痛、咽頭痛の症状があり、肺炎に60％が罹り多臓器不全で死亡する。
流行地域でトリと接触、飛沫、接触感染で７日以内で発症する。

サーズとマーズ（ＳＡＲＳとＭＡＲＳ）
２００２～２００３年に発生したＳＡＲＳは、患者８、０９６人のうち死亡者７７４人で致死率は約10％であった。
２０１２年のＭＡＲＳは、２、４９４人が感染

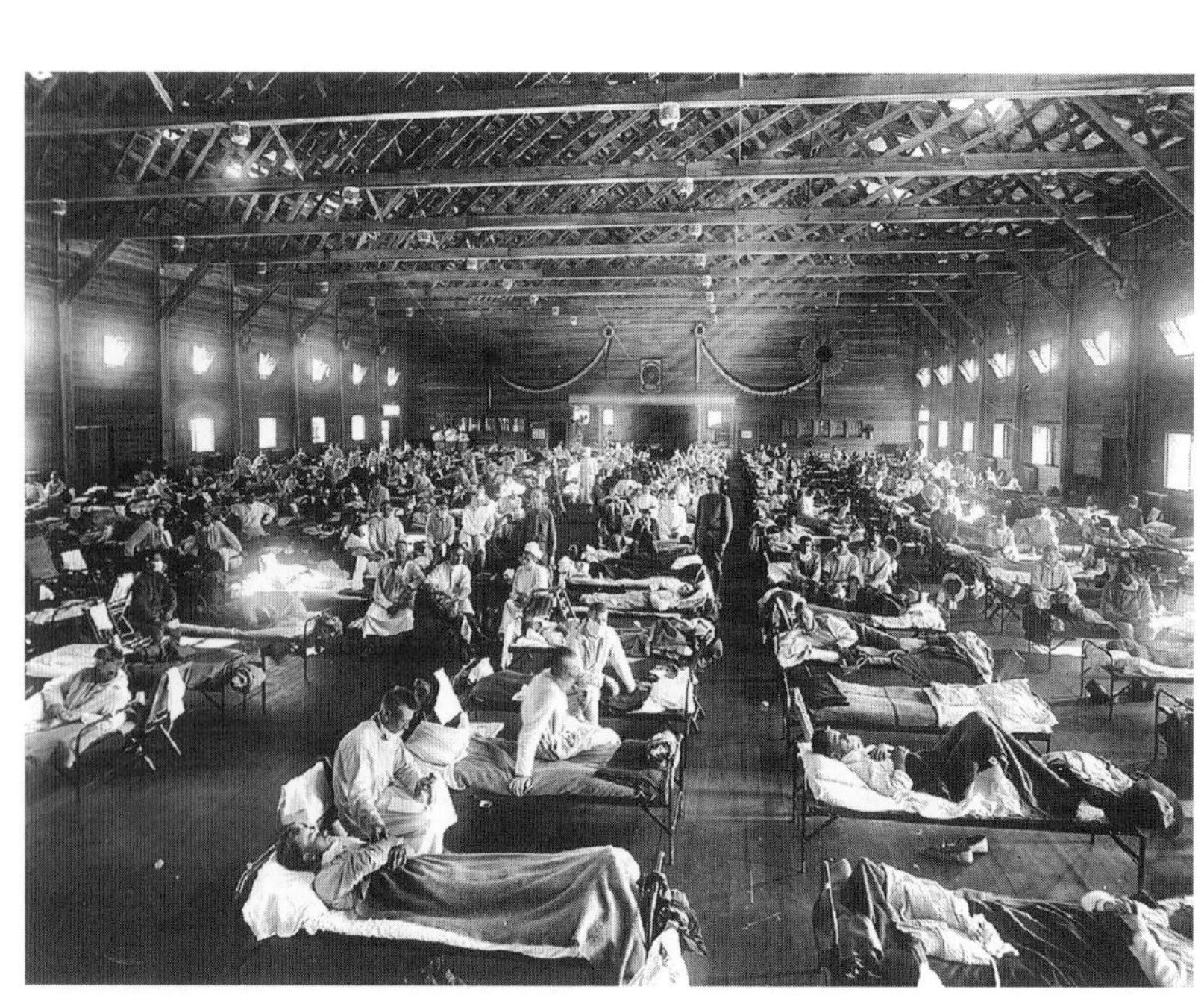

し、死亡者858人で致死率は34％であった。

《インフルエンザの予防》

*三密を避ける

① 換気の悪い密閉空間（換気を行なう、可能であれば2つの方向の窓を同時に開ける）

② 多くの人が密集（互いの距離を1～2m程度空ける）

③ 近距離での会議や発声（原則禁止、やむを得ない場合はマスク装着）

マスクをしてしぶきを飛ばさない。

家庭内発症が多い、接触後2日以内にタミフルを服用すると効果がある。75㎎を一日一回7日～10日服用する。ただし、解熱3日後でもウイルスの13％が残存する。手など皮膚の消毒は、消毒用アルコールで、50％以上の濃度のものであれば効果がある。物の表面の消毒は、次亜塩素酸ナトリウム（0.1％）が有効で、こまめな手洗いが効果があるとされる。なお、コロナウイルスは、物体表面上で24～48時間しか持続しないことから、輸入品で感染する可能性は低い。

*クラスター対策

① 夜間から早朝にかけて営業している、バー、ナイトクラブなど接客を伴う飲食店業への出入りを控えること。

② カラオケ、ライブハウスへの出入りを控えること。

ジム、卓球など呼吸が激しくなる室内運動の場面で集団感染が発生していることを踏まえた対応が必要。

《濃厚接触の定義》

接した時期……発症2日前

接した距離……手で触れることができる範囲（目安として1m）

必要な感染予防策なく、患者と15分以上の接触があった者。

《新型コロナウイルス肺炎の症状》

ＷＨＯなどによると、今回の新型コロナウイルスに感染し、発症した際の主な症状は、

- 発熱、咳、息苦しさなど呼吸器症状、それに筋肉痛や倦怠感などが報告されている。
- 重症化した場合、肺炎や呼吸困難を引き起こしたり、腎臓が機能低下したりすることがある。

70歳で亡くなった芸能人の志村氏は、独身であり、酒・たばこが大好きで持病も抱えていた。症状を訴えた時点で速やかな対応がなされていたら助かったかもしれない。

新型コロナウイルスは、１００人の感染者の八割（80人）は軽く、２割（20人）が重症化し肺炎を起こし、そのなかの17人は助かり、３人が死亡する。

《新型コロナウイルスの治療薬》

① アビガン

日本で開発され、中国や米国では既に使われ効果が確認されている。日本でも条件付きながら使用が承認された。発症初期に使用すれば効果が期待できる。

② クロロキン

米国で開発されたが、副作用が多く余り期待できない。トランプ大統領が宣伝したが、大統領補佐官の医学者が効果を否定したため罷免され話題となった。

③ オルベスコ

日本で開発された気管支喘息治療薬で、肺炎が改善されている。

④ アクテムラ

米・仏の共同開発。日本では関節リウマチ治療薬として承認されている。

《感染症（コロナウイルス）の検査》

日本では、医療機関から疑似症として保健所に届出後、地方衛生研究所または国立感症研究所で検

査。検体としては、下気道由来検体が望ましいとされているが、下気道由来検体の採取が難しい場合は、上気道由来検体のみでも可、採取は発病後3日以内のできるだけ早い時期の採取が望ましく、速やかに氷上または冷蔵庫に保管し、輸送までに18時間以上かかる場合は凍結保存が推奨されている。日本の最大の問題が、この検査にあると言われ、改善が進められている。

《医療崩壊》

① アメリカとコロナ感染症

米ジョンズ・ホプキンス大学の集計によると、日本時間の4月11日午前9時までの24時間で2、108人が死亡した。死者の累計は1８、７００人以上確認され、感染者は50万人を超えた。死者の半数は東部ニューヨーク周辺に集中している。

米国は近く死者累計でイタリア（1８、８００人超）を抜き、世界最高となる恐れがある。

オバマケアで6千万人の無保険者を大幅に減少したのを、全て元に戻そうとして3千万人が無保険者になっている。これにより無保険者が自己負担で医療機関を利用すれば、ＰＣＲ検査：11万円　初診料：14万円　入院料50～１００万円がかかり、従って、低所得者は病院にも行けない状況にあり、医療制度が大きく関係している。

② イタリアの医療崩壊

イタリアは、医療費抑制策のため、『病院を７５0カ所・看護師を5万人・医師を5万人削減』した、行き過ぎた医療改革により崩壊状態にあり、引退した医師や卒業前の医学生までも登用し対処している。スペインも同じ状況にある。

③ 何故、ドイツだけが？

3月19日、ドイツの首都ベルリン在住の岡本真希医師が勤務する病院では、2月前半から緊急でない手術を延期し、病院全体の稼働率を50％以下に下げているという。新型ウイルスの感染症患者を受け入れるためで、集中治療室は常にベッドを開けている状態だという。こうした対応で生じる損失については、ドイツ政府が日本円に換算して3、300億円以上を補償に充てると発表したことも態勢整備の追い風となり、死者の抑え込みとなっているという。

おわりに

新型コロナウイルス感染症のため、日本をはじめ世界中の国々が大変な苦難に陥っている。しかし、人間はコロナに負けない、そのことを歴史は実証している。

この困難を乗り越えると、医学をはじめ諸々がまた一段と進歩することは間違いない。

2020年（令和2）4月25日　講演

13 新型コロナウイルスのパンデミックから学ぶナイチンゲール、前野良沢の自然思想

はじめに

今、世界中でコロナが大暴れをし、その対応に大変苦慮している。本日は誰もが大きな関心をもっている、このコロナについて話をする。

私たちは、これから暫らくの間このコロナに対応して行かなければならない。其のためには、先ずコロナのことを良く知っておくことが肝要である。

コロナというものが、どのようなものであるのかを知っていれば、その対応も整理できるが、もし理解がなければ、現在の米国やブラジルのように大変な事態となる。それを防ぐには国民全体が、この事態を理解し実践して、薬の開発など進む一定期間耐

えて、コロナと共生するということを考えなければならない。

本日のテーマのなかに、何故ナイチンゲールや前野良沢をあげたかというと、彼らは数世紀も前に自然のなかで生きることを考えていたからである。

一　地球環境の激変

●温暖化と大水害とウイルス

日本の過去百年位の年平均気温平年差を『国土交通白書２００８』で見ると、確実に上昇し温暖化がどんどん進んで、太平洋と南九州の気温が1.5度位上昇し水蒸気が立ち込めている。つい先日も線状降水帯で大被害になったが、このこととコロナとの関係は無関係ではない。

温室効果ガスが大量に排出され大気中の温度が高まり熱の吸収が増えた結果、気温が上昇し、これに伴い海面水位も上昇することにより、結果として、『高潮及び海岸侵食』、『洪水の増大』、『土砂災害の激化』、『渇水危険性の増大』を引き起こす。

●温暖化と炭酸ガス

化石燃料の燃焼による二酸化炭素排出量の増加。
二酸化炭素濃度と気温上昇には高い相関がある。
エネルギー消費量は右肩上り、安価な石炭を火力発電に利用。

●温暖化と大水害とウイルス

２０１５年、シベリアから何とも恐ろしく不気味なニュースが舞い込んできた。当時、仏国立科学研究センター（ＣＮＲＳ）などの発表によると、約３万年前のシベリアに存在する永久凍土から新種のサンプルを発見したという。同ウイルスの発見は、永久凍土から採取した土壌サンプルから明らかになった。

二　地球環境の変化とウイルス

ＷＨＯと中国の専門家チームは、２月末に報告書を発表し、新型コロナウイルスは〝動物が起源〟と断定した。

コウモリ由来のウイルスがセンザンコウなど別の動物を介して人に感染されたとみている。センザンコウは食材や漢方として中国・武漢市の海鮮市場で扱われており、当初は市場から発生したとみられたが、今は市場以外の見方が有力となった。（東京新聞報道によると）

三　新型コロナウイルスとは？

キクガシラコウモリが持っていたウイルスの疑いが強い。このコウモリは日本にも生息している。それが他の動物を介して人に感染した。ゲッシ類、タヌキ、ヘビ、アカゲザル、犬猫などからも同じウイルスが分離されており、仲介役は今のところ不明。

四　問われる〝野生動物取引〟

世界中の人々に多大な影響を与えている新型ウイルスの大流行は、ペットや食用目的での〝野生動物取引〟が拡大していることが背景だと指摘されている。

新型コロナウイルスの中間宿主だと疑われているセンザンコウがアフリカから中国に大量に輸出されていることが話題となった。

一方で、「人間が野生動物の生息地を破壊し、数を減らすことが、ウイルスが人間に感染するようになる機会を増やす」とカルフォルニア大学デービス校のクリスティン・ジョンソン教授は警告し、ウイルスの宿主である動物が減少すれば、必ず他に悪影響を与えると指摘し、「人間、家畜、野生動物の全てを健全な状態に保つ、ワン・ヘルス（一つの健康）」の実現が重要と指摘している。

●ペットや食用目的で取り引きされている
　主な野生動物

①センザンコウ
中国で伝統的医薬品として珍重されているため、アフリカから中国に大量に輸出されている。

②インドネシアの食用コウモリ、西アフリカ・ナイジェリアの食用コウモリ

③その他
ホウシャガメ、フクロウ、コツメカワウソ、スローロリスなどはペットとして人気が高く密猟や密輸が後を絶たない。

これらの野生動物の最大市場は中国と言われているが、取引の中心地である東南アジアやペットとして輸入が増大している我が国も他人事では済まされない。

五　国連の警告（国連発表レポート）

●自然破壊や気候変動が続けば、新型コロナウイルス感染症のような病気が増える。
○新型コロナウイルス感染症のような動物と人間との間で感染する病気は〝動物由来感染症（ズーノーシス）〟と呼ばれる。

●国連のレポートは、ズーノーシスが自然環境と密接に結びついており、各国が一緒になって環境問題に取り組まなければ、再びパンデミックが起こるだろう。と訴えている

六　エイズ

エイズウイルスが人間に感染したのは、野生動物（猿やチンパンジー）の肉を食することが原因とも

言われ、又、猿の肉を処理する際にハンターの傷に感染したり、口に血が入るという説もある。

七　前野良沢と自然

前野良沢は、「人間が自然界の一部を支配したりすることができると非常に傲慢になって独力でしたように思う。自分の力は自然の力の一部という謙譲の心が重要である」といっている。

前野良沢の思想は、蘭学の鼻祖として誰もできなかった『ターヘル・アナトミア』を翻訳する時に、彼を支えた老子があった。人間も自然の一部であるという老子の考え方に、良沢は解剖学を学ぶことによって共感を覚えたのであろう。

近年、毎年毎年、日本を自然の猛威が襲っている。そしてその猛威は、年々激しくなっている．線上降水帯がもたらした豪雨、北海道地震による大停電、台風21号による高潮などで大きな被害が出た。とてつもない事象が次々と起き案じられる。

数年前、東日本大震災に襲われた地を訪れたが、高さ70メートルを超える巨大防潮堤がいとも簡単に破壊されているのを見て、人間が自然に逆らって生きることの空しさを感じた。自然に合わせた生き方をしなければ人類は生き残れないということを教えられた気がする。

中津に城下町を造った黒田官兵衛が「上善水の如し」といったことも、老子の思想に共鳴した柔軟な考え方を示したものと思われる。改めて老子の思想に思いを馳せる毎日である。幸いなことに中津には、この４００年間一度も津波も大きな地震も起きていない。大分や別府、臼杵などは何回も歴史のなかに出てくる。

我々は、驚くほど安全な場所に住んでいることに改めて感謝したい。

名誉も名声も求めず、只ひたすら学問と向き合う前野良沢について、杉田玄白は「生涯一日のごとく、確乎として動じず、じっとその態度を貫いて仕事を遂げる」人と評している（『蘭学事始』）

また、前野良沢は、著書『管蠡秘言（かんれいひげん）』のなかで「天地の運行に過不及があることは、其の原因は人為にある。山林を伐り尽くせば干ばつ烈風が至る…」と指摘している。

※『管蠡秘言』の管蠡（かんれい）とは、管の孔から天をを窺うような狭い見解という意味。

八　コロナから学ぶ（各界からの提言）

㈠「ニコルさん」

①ニコルさんの生涯

作家で環境保全活動家として活躍していたC・Wニコルさんは、英国ウェールズの生まれで、カナダやエチオピアで海洋哺乳類や野生動物の保護に取り組み、1962年、空手の修行で初来日、1975年の沖縄国際海洋博では副館長を務め、1980年から長野県の黒姫に拠点を置き、荒れ果てた里山を購入〝アファンの森〟と名付けて森の再生に取り組んだ。1995年、日本国籍を取得し、2005年には名誉大英勲章を受けた。

2020年4月3日、死去。

②ニコルさんの遺言

生命体は、あまねく素晴らしい競争力のなかにあります。〝カモシカと草〟〝ライオンとカモシカ〟〝アリとアリクイ〟、食べる側と食べられる側の間にある競争はウイルスも同じです。ウイルスから私たちが身を守るには、先ずは免疫を付けることです。その上で感染者を隔離する努力は当面必要でしょう。しかし、強制を伴う隔離は長く続けることはできません。そうしたなかで私たちは今、求められているのは〝バランス〟なのです。

〝免疫・隔離・そしてバランス！〟

大木があって、いろんな動物や植物が、何千何万年も一緒にバランスをとって共生してきているのは森です。我々の手入れは原生林に近い状態にすることです。

全ての生命は唯一無二の存在だが、お互いに結びついている。私たちは今こそ尊敬と謙虚さを学ぶ必要がある。

ニコルさんの「バランス」の考え方は、一緒に森の再生に取り組んだ松木信義さんから学んだものでした。

（２００３年、ＮＨＫインタビュー・黒姫山の森の再生から）

㈡「解剖学者　養老孟司さん」

新型コロナの発生率を見てもわかるように、大都会は危険です。暮らしいい条件のところに人間が動くとしたら、地方に動くのが自然じゃないでしょうか。ある程度自然に触れる生活をしたほうが自分のためでもあり、子供のためであり、社会のためでもあります。生活のなかで、何が中心かということをもう一度考え直す機会になるんじゃないでしょうか。

㈢「国際日本文化研究センター・准教授で歴史家の磯田道史さん」

クルーズ船（ダイヤモンド・プリンセス号）の検疫対応で、厚労省の検疫官は、規定に沿ってマスクと手袋をしただけで作業をし、職員のなかで感染者を出してしまった。

一方、自衛隊はオウム事件でバイオ・ケミカルの戦いを経験し、意識して対応し、防護服を着用し完全防備でクルーズ船に入り、一人の感染者も出さなかった。これが「歴史に学んでいるかどうか」の違いでしょう。

戦争や震災は、風景が一変するから記録に残るが、スペイン風邪は、日本国内だけでも約45万人が亡くなったと言われ、これは、ものすごいことなのに学校教育でも取り上げられないし、歴史家も余り研究してこなかった。

日本の歴史のなかでも、
○日本書紀には西暦３００～３５０年崇神天皇

五年、疫病で国民の大半が死亡、疫病払いをした。
○敏達天皇、用明天皇疱瘡で死去。
○聖武天皇、疫病を鎮めるために奈良の大仏（東大寺）を建立。
※聖武天皇の后、光明皇后のの兄の藤原四兄弟も天然痘で命を落とした。
○お守り、赤絵（疱瘡絵）などで疫病から逃れる。
※赤色が天然痘を退治するとして赤い着物を着せた。60歳の祝いに赤チャンチャンコを着せるのもそこからきている。赤色が魔物を退治するという道教の教えからきている。中津でも大新田の白髭神社は、天然痘を治す神様と言われ、藩主が天然痘の祈祷を命じられ、その洗米を天然痘封じとして領民に配布した記録があるが、いかに疫病に苦慮していたかが伺える。

今の出来事を記録して残し、教訓を後世にしっかりと伝えていかなければいけない。

歴史とは単に〝好き・嫌い〃で論じる嗜好品であってはならない。世の中を怪我せず歩いていくための〝安全靴〃のようなものです。だからこそ歴史は重要なのであり、歴史研究者の役割がある。

九　ウイルスとの戦い

(一) 断毒論

１８１０年、橋本伯寿（山梨県出身）は〝断毒論〃を発表し、そのなかで「痘瘡、麻疹、梅毒、疥癬は伝染病である。胎毒説を否定、異国から伝来し、人から人へ伝染する」と述べて、〝隔離の必要性、集会の遠慮、看護者の特定〃を指摘している。

(二) 中津藩と種痘

①七代・辛島春帆（正庵）（１８１８〜１８５９）は、日田の相良文敬の弟で咸宜園の都講を務めた秀才であった。辛島家に養子として迎えられ、１８４６年、家督を継ぎ、１８４８年、御朱印を頂戴し、

1849年7月、五代・正庵（養父）の意思を継いで、長崎に9人の医師とともに子供たちを連れていき、種痘を行なった（奥平藩臣略譜集録）。

（同行医師）神尾雄朔、藤野啓庵（東海）、藤本玄泰、原岡平泉、久松方庵、西周哲、横井玄伯、小幡竜洲、松川清庵

※七代・辛島正庵（春帆）の養父五代・辛島正庵は実子章司を天然痘で6歳で亡くし、養子の長徳が六代目を継ぎ御近習医師となったが、40歳で死去したため、2人目の養子として七代・辛島正庵（春帆）は辛島家に入った。

② 正庵と種痘

長崎で種痘に成功した中津藩の医師たちは、その年の暮れには藩主・奥平昌服に種痘許可の請願書を提出し、藩も直ちに許可を与えている。伊東玄朴たちにより9年遅れでやっと許可を出した幕府とは対照的であった。医師も中津藩も時代の先端をいっているという自覚が垣間見える。

③ 中津医学館の設立

1861年2月、村上玄秀、西千枝、神尾雄朔、藤野東海、藤本玄袋、原岡平泉、久松方庵らが中心となって、種痘を行ない併せて医師の教育も行なう医学館の設立が提案され、種痘の成功に感謝した多くの住民が協力し上勢溜（かみせいだまる）に設立された。小幡省吾、小松屋儀兵衛など多くの住民がお金はもとより、石屋は石を畳屋は畳を寄付した。福澤諭吉は多くの医学書を寄贈したという。この医学館は1871年12月、片端町に中津医学校として移設され、校長に大江雲澤、付属病院長に藤野玄洋が就任した。

十　世界の医学史

㈠ **医学の父・ヒポクラテス**（460～377BC）

ギリシャのコス島のアスクレピオス神殿医の子として生まれた。神殿は病院の原形とも言われ、神官が神殿で患者に宗教的な暗示療法や簡単な外科手術

をしていた。ヒポクラテスは、このようなまやかしの療法に疑問を持ち、「患者の上に起こってくる色々な変化を実証的に観察せよ」と述べている。

〝ヒポクラテスの誓い〟

ヒポクラテスの属した医師集団に由来する医師の職業倫理を述べた誓文で、今では世界の主要な医大などの入学式や卒業式の誓となっている。

1804年：フランスのモンペリエ大学

1968年：アメリカのジョンス・ホプキンス大学（全米で最初）

2004年：全米のほぼ全ての大学

ヒポクラテス全集は紀元前4～5世紀にアレキサンドリアの学者によって編纂され、ヒポクラテスは、「医は自然の臣僕なり」と述べている。

○医術とは、病人から苦痛を除去すること、少なくとも、それを緩和することである。

○医術を信じない人でも、それによって救われるという事実こそ、医術の存在と力の立派な証となっている。

○病気で苦しむ人々に深い理解を持ち、医師の居るべき場所は患者の傍である。

○効果があるものは、自然の治癒力、きれいな空気、良質の食事、緩下剤、入浴である。

(二) クリミアの天使・ナイチンゲール
（1850～1910）

○クリミア戦争：負傷兵1、500人の言語を絶する状態の負傷兵のイスタンブールの野戦病院にナイチンゲールは38名の看護師を引き連れて赴任し、衛生面、食事、音楽、レクリエーションなど劇的な改善を遂行した。死亡率が42％から2％になった。

看護とは、健康を回復したり保持するため、また傷病を予防したり治癒させるために、人間をできるだけ自然な最良な状態におくケアである。治療されなければならないのは、病人であって疾病ではない。病気よりも病人を知ることが重要である、とナイチンゲールは述べている。

○ナイチンゲールと自然（看護覚書から）

・看護とは、自然が働きかけるのに最も良い状態に患者をおくこと。

・治そうとしているのは自然であり、私たちは自然の働きを助けなければならない。

・自然が健康を回復させたり、健康を維持する。

・自然が病気や傷害を予防したり、治したりするのに最も望ましい条件に生命をおくこと。

「病気とは、健康を阻害してきた、いろいろな条件からくる結果や影響を取り除こうとする自然の働きかけの過程なのである。癒うとしているのは自然であって、私たちは、その自然の働きかけを助けるのである。」とナイチンゲールは述べ、看護にあたっての着眼を次のように示している。

・声の小さい人の言葉ほど注意しなければいけない。

・患者にものを言わせないで観察によって、その患者が何を望んでいるかを見極める。

・看護は常に進歩する技術であり、立ち止まることは後退を意味する。

・忙しいといってはならない医療職は患者さんに気を遣う仕事であって、気を遣わせる仕事ではない。

十一　世界に広がるコロナウイルス

日本をはじめとするアジア諸国の１００万人当たりの死亡数は、欧米に比べ圧倒的に少ない。日本のピーク値（5月4日＝0・39人）を見ても、欧州諸国とは2〜3ケタ異なるレベルで推移している。

●大分県に広がるコロナウイルス

（7月16日午前10時30分までの情勢）

大分県では60例、内中津市7例（4月22日以降発生）。

●日本に広がるコロナウイルス
年代別感染者：20代～50代が多い。
年代別死者数：60代から80代の高齢者が圧倒的に多い。
※新型コロナウイルスに感染した子供は大人より死亡する確率が低く、軽症で済む可能性が高いことを示唆している。

●新型コロナウイルスとは
コロナウイルスの仲間による感染症は、ヒトに感染して、カゼの症状を引き起こす4種類と、新型コロナのように動物を経由して重症肺炎の原因となる2種類の計6種がこれまで知られており、今回で7種となった。

感染者を死に至らしめる可能性のあるコロナウイルスは、これまでに3回出現し、パンデミック（世界的流行）を引き起こしている。最初は２００３年のＳＡＲＳ（重症急性呼吸器症候群）、次が２０１２年のＭＡＲＳ（中東呼吸器症候群）、そして今回、ウイルスが世代交代を繰り返しているうちに、突然変異が蓄積して重篤な症状を起こすように変異したのだろう。

十二　日本に広がるコロナウイルスの症状と経過

新型コロナウイルスに感染した俳優の志村けんさんは、肺炎の治療を続けていたが、症状は回復せず、発症から2週間で死亡した。

●コロナとサイトカインストーム
①肺で過剰炎症が起こり、多臓器不全に至って死亡するケースが報告されている。この時、免疫細胞がウイルスと戦うため作るサイトカインが、制御不能となって放出され続ける〝サイトカインストーム〟が起こり、自分の細胞まで傷つけてしまう現象が起きている。

②サイトカインストームは感染者全員に起こるわけではなく、今回のコロナウイルスでも、およそ8割は軽症で経過。感染に気付かないうちに抗体ができている人も少なからずいる。

③廃血栓症の誘発。

④サイトカインストームは高齢者や基礎疾患のある人で起こりやすいことが経験的にわかっているが、このことは、免疫力が健全であることが、サイトカインストームを起こさないために重要であることを示唆している。

十三　インフルエンザとパンデミック

（発生年度）　　　　（当時の世界の人口）

1918年　スペインかぜ
4千万人（死者数）　　8億人

1957年　アジアかぜ
200万（死者数）　　28億5千万人

1968年　香港かぜ
100万人（死者数）　　35億人

2009年　新型インフルエンザ
2万人（死者数）　　68億人

※何故か、40年、10年、40年、10年の間隔で発生している？

十四　感染症の歴史

㈠ペスト

540年頃、ヨーロッパの中心地であったビサンチウム（コンスタンチノーブル）で広がり、最大で1日1万人の死者が出たという。14世紀ヨーロッパで〝黒死病〟と呼ばれペストが大流行し、ヨーロッパだけで全人口の4分の1～3分の1にあたる2、500万人が死亡したと言われる。

●アテナイのペスト

ペロポネソス戦争のさなか、紀元前429年、篭城戦術を用いてスパルタ軍と対峙していたギリシャ最大のポリス・アテナイ（アテネ）を感染症の流行が襲い、多数の犠牲者を出した。この疫病は、かつて「アテナイのペスト」と呼ばれていた時期もあったようだが、記録に残る症状の分析と検討により、今日では、痘瘡（天然痘）または、発疹チフス、あるいは、それらの同時流行と考えられており、ペスト説はは否定されている。

古代ギリシャ最大の民主政治家として知られ、アテネにおいてペロポネソス戦争を主導したペリクレスもこの疫病で死亡しており、この戦争でのアテナイの敗北及びデロス同盟の解体を招いた。

●14世紀の黒死病（ペスト）

14世紀のヨーロッパで猛威を振ったペストは、感染すると2日~7日で発熱し、皮膚に黒紫色の斑点や腫瘍ができることから「黒死病」と呼ばれた。カナダ出身の歴史家ウイリアム・ハーディ・マクニールによれば、〝黒死病〟は中国の雲南省地方に侵攻したモンゴル軍が、ペスト菌を媒介するノミと感染したネズミを中世ヨーロッパにもたらしたことによって大流行したものである。

ただし、科学史家の村上陽一郎氏によって中東起源説も提起されている。

●16~17世紀のペスト

その後も、ペストは何度か流行しているが、17世紀は、14世紀とともに小氷期により、ヨーロッパの気候が寒冷化し、ペストが大流行して飢饉が起こり、英蘭戦争や30年戦争をはじめとする戦乱の多発によって人口が激減したため、〝危機の時代〟と呼ばれた。一方、中国の歴史地理学者・曽樹基氏によれば、16世紀から17世紀にかけての明末清初期の華北では、合計1千万人がペストで死亡し、人口動態の面でも大変化があったとしている。

●19世紀末のペストと北里柴三郎

○19世紀末、中国を起源とするペストが世界中に広がった。これは、雲南省で1855年に大流行した腺ペストを起源とするものであり、1984年の香港での大流行をきっかけとして世界的に拡大した。ロベルト・コッホに師事した北里柴三郎は日本政府により香港に調査派遣され、腺ペストの病原菌を共同発見した。

○北里の研究により腺ペストを治す方法は抗血清によって確立された。

㈡　**天然痘（痘瘡）**

●天然痘は人類が根絶した唯一の感染症である。

○紀元前：エジプトのミイラに天然痘の痕跡がみられる。

○6世紀：日本で天然痘が流行し、以後、周期的に流行する。50年間で日本の人口が8千万人から1千万人に減少したという。

○15世紀：コロンブスの新大陸上陸により、アメリカ大陸で大流行する。

○1980年：WHOが天然痘の世界根絶宣言。

㈢　**新興感染症**

●1981年：エイズ（後天性免疫不全症候群HIV）

○過去20年間で6、500万人が感染し、2、500万人が死亡。

●1996年：プリオン病（脳が海綿やスポンジのように穴だらけになって認知症の症状が進み、寝たきりとなり、やがて死亡する病気の総称）

○イギリスでクロイツフェルト・ヤコブ病と狂牛病との関連性が指摘される。

※クロイツフェルト・ヤコブ病：ドイツのクロイツフェルトとヤコブ両氏によって記録された脳神経病で、脳組織が海綿状になり、やがて死亡する。

●1997年：高病原性鳥インフルエンザ（H

5N1）

○人での高病原性鳥インフルエンザ発症者は397人、死亡者249人（2009年1月20日現在）

●2002年：SARS（重症急性呼吸器症候群）

○9カ月で患者数8098人、死者774名

㈣再興感染症

●結核

○紀元前のエジプトのミイラに結核の痕跡が見られる。

○1935年以降、結核が日本の死亡原因の首位であったが、1950年以降、抗生物質により大幅に改善された。

○世界では20億人が感染し毎年400万人以上が死亡している。

●マラリア

○紀元前：マラリアについて記録がある。

○6世紀：ローマ帝国を中心に大流行した。

○1950年代：殺虫剤DDTなどによる根絶計画を実施。

○現在：DDT抵抗性のハマダラカが出現。世界で年間3～5億人が感染し100万人～200万人が死亡。

十五　細菌とウイルス

㈠細菌とは

人間の目で見ることのできない小さな生物で、一つの細胞しかないので単細胞生物と呼ばれ、細菌は栄養源さえあれば自分と同じ細菌を複製して増えていくことができる。人体に侵入して病気を引き起こす有害な細菌もいる。一方で、人の生活に有用な細菌も存在する。（納豆菌など）

人体には多くの種類の細菌がいて、皮膚の表面や

十六　コロンブス交換と梅毒

１４９２年、コロンブスが新大陸（アメリカ大陸）発見の後に発生した東半球と西半球の間の植物、動物、食物、奴隷を含む甚大で広範囲にわたる交換を「コロンブス交換」と呼ぶ。その結果、トウモロコシとジャガイモはユーラシア大陸で極めて重要作物となり、ピーナッツとキャッサバは東南アジアや西アフリカで栽培されるようになるなど、世界の生態系、農業、文化の歴史において重大な出来事となった。しかし、ここでは多くの感染症もまた交換されることとなった。

コレラ、インフルエンザ、マラリア、麻疹、ペスト、猩紅熱、睡眠病、天然痘、結核、腸チフス、黄熱などがユーラシア大陸とアフリカからアメリカ大陸へもたらされた。

梅毒は、元来はハイチの風土病だったのではないかと考えられ、コロンブス一行が現地の女性との性交渉によりヨーロッパに持ち帰ったとされる。アジアへは、ヴァスコ・ダ・ガマの一行が１４９８年頃、インドにもたらし、日本には１５１２年に中国より倭寇を通じて伝わったとされ、江戸時代初期には徳川家康の次男・結城秀康も梅毒に罹患している。日本で流行する前に琉球王国、特に花柳界で大流行し、古参の人に罹患率が高かったので、梅毒は「古血」と称され、沖縄では場毒患者のことを「ふるっちゅ」（古い人）と呼ぶようになった。

一方ヨーロッパでは、16世紀のイタリア戦争を通じてヨーロッパ各地に広がった　ため「ナポリ病」と称することも多い。

十七　インカ帝国の滅亡と感染症

インカ帝国は、13～16世紀にかけて繁栄した。アンデス山脈沿いの南北４千㎞５カ国に及ぶ、現在のペルーを中心とした広大な大帝国であった。最盛期には人口1千万人を有した。有名な遺物として標高2、4千mの高地に作られたマチュピチュ都市がある。

1532年、スペインから来たピサロは、あっという間に、インカ帝国を滅ぼしてしまった。何故、そんなことが起きたのか?

インカでは、ピサロの来る少し前、スペイン人がもたらした天然痘が大流行し、国全体の人口が激減し、皇帝までが二代にわたり天然痘で死亡したため、その後、皇帝の座をめぐって内戦が起こり、ようやくアタワルパが皇帝になったばかりであった。

新大陸が発見された当時、南北アメリカ大陸には2千万人の先住民がいたが、その後、200年間で、人口が100万人に激減した。その原因の多くが、天然痘やインフルエンザ、チフス、麻疹などヨーロッパから持ち込まれた感染症によるもので、先住民たちには免疫がなかった。

●インカ帝国はどのように滅ぼされたのか

直接手を下したのは、スペインの軍人、フランシスコ・ピサロであった。ピサロは、1532年11月16日、インカ帝国の皇帝アタワルパを捕虜にした。そして、インカ帝国を征服し、滅亡させた。ピサロが率いた兵は、僅か168人の土地に不慣れなならず者たちで構成されてした。当時、中南米にスペイン人の居住区はあったが、戦場から遠く援軍を求められる状況ではなかった。一方、インカ帝国は、アメリカ大陸で最も発展した国家で、アタワルパは、その絶対君主であった。

ピサロは圧倒的に不利な状況のなかで、何故勝利したのか?　原因を突き詰めると、それは、天然痘であった。

当時、インカ帝国には天然痘が大流行し、更に麻疹なども広まり、1000万人だった人口は、130万人に激減し、皇帝も天然痘で死亡し、王位をめぐって内戦も起きていた。

十八　世界一の長寿村＝マチュピチュ（ペルー）・ビルカバンバ（エクアドル）

●マチュピチュ

○食事のバランスが良い（野菜、果実、魚、豆類、アルパカ、クイ（食用モルモット）の肉・骨までまるかじり、チーズ、ヨーグルト、チチカカ湖の岩塩等々。

○運動を坂道で自然にしている。

○100歳以上が日本の2倍。

●ビルカバンバ

長寿村として名高いビルカバンバは、標高1、700mのアンデス山脈の山中にあり、インカ帝国最後の砦となった地である。

インカ帝国の滅亡により、スペイン人の追撃を逃れてマチュピチュを放棄した後、この地に最後の要塞を築いた。

主食はトウモロコシや芋で粗食だが、ケソと呼ばれるフレッシュチーズと丸ごと茹でて食べるクイというモルモット。「ケソ」はカルシウム、ビタミンA、B2が豊富。

「クイ」は良質の蛋白質、脂肪、カルシウム、ビタミンなど高い栄養価。

これら長寿村の食糧事情は、総じて粗食で「五低二高」が特徴、つまり動物性蛋白質や脂肪、塩分、糖分が少なく炭水化物と食物繊維が多いのが特徴。

ビルカバンバの西側には、アンデス最高峰のマンダンゴ山がそびえ、そこからの氷河が流れ込み、人々はミネラル豊富な水を利用し灌漑を行なっている。

1971年の調査では、819人中9人の割合で100歳以上と発表されている。

クイを丸ごと茹でて頭から尻尾まで食べるが、これにはタウリンが含まれていて、血圧を下げる効果がある。ちなみに、50～54歳の80人中、高血圧は2人であった。

その他、ヤーコン、豆類、トウモロコシ、アルパカの肉など食している。

十九　免　疫

免疫には「自然免疫」と「獲得免疫」の2種類の免疫システムで健康を維持している。

○自然免疫：病原菌やがん細胞を食べて消化して排除する。外来異物と戦う自然免疫が活発に機能している人は、たとえ新型ウイルスに感染しても、回復が早い。

○獲得免疫：進化した動物で見られる免疫システムで侵入してきた病原体にぴったり当てはまる抗体を作って退治する。

㈠　コロナと自然免疫

自然免疫を活性化する物質としては、乳酸菌のペプチドグリカン、キノコや酵母のβグルカン、グラム陰性細菌ＬＰＳがある。これらは自然免疫担当細胞であるマクロファージを活性化するマクロファージはウイルスが感染してしまった細胞を食べて処理してくれる。従って、ＬＰＳを多く含む食品を普段から摂取することが新型コロナウイルスに対する備えとなり、また万一感染した場合にも回復を早めることになる。

㈡　ストレスと自然免疫

腹が立つ、悲しい、怖いといった精神面のストレスを感じると、交感神経が緊張し、内分泌系器官に伝達され、コルチユイドというホルモンが分泌される。このホルモンは一種のステロイドホルモンで、免疫担当細胞の働きが弱ったり、死んだりしてしまう。ストレスと免疫は連動している。

㈢　加齢と自然免疫

加齢によって、耳が遠くなったり、物が見えにくくなるのと同様に免疫力も衰えてくる。免疫力をサポートする賢い食生活、生活習慣、そして気持ちを明るく持つことが重要。加齢でＮＫ細胞の活性化は確実に低下する。

㈣ 山中教授とファクターX

新型コロナウイルスの感染者数に対する死者数を比較すると、欧米とアジアでは桁違いであり、アジアの諸国は総じて死者数が少ない。この理由として、京都大学の山中教授は、「過去に似た種類のコロナウイルスがアジアで流行して、住民の一部に免疫がある可能性、人種などによる遺伝子情報の違いが指摘されているが決め手がない」と述べ、ファクターXを解明すれば、「今後の対策戦略に活かすことができるはず」と指摘している。

二十 コロナ後の世界

新型コロナウイルスは、リモートワークを主流にするきっかけになるかも知れない。もしそうなった場合、人々の住む場所の決め方にも大きく影響し、今後10年に及び逆都市化トレンドの引き金になるかも知れない。

逆都市化によって、現在使われているインターネット・サービスの多くが活性化するだろう。それだけではなく、新たな分野でのテクノロジーの開発や法整備も加速するだろう。

まとめ

《自利利他》

大乗仏教（紀元前後頃からインドに起こった改革派の仏教）の精神で、従来の仏教が出家者中心（自利中心）であったことに対抗して、自分たちを菩薩と呼び利他中心の立場をとった。東アジアやチベットなど何れも大乗仏教の流れを受ける。

２０２０年（令和２）７月18日 講演

14　巻頭言・会長挨拶

4月14日と16日の2度にわたる震度7の熊本大地震は、その後、熊本県のみならず大分県の湯布院や別府、深耶馬溪にまで影響を及ぼす地震であったことが明らかになってきた。この地震により亡くなった方が49名（4・26現在）避難者は4万8千名を超え、その後も増え続けている。更には家を失った方々が車中で寝泊りをすることからエコノミークラス症候群と呼ばれる肺血栓症が発症するなど大きな後遺症を残す地震であることもわかってきた。両県の被災者の方々には心からお見舞いを申し上げる。

昔から九州は比較的に地震の少ない地域であると言われてきた。しかし歴史を紐解くと過去には巨大な地震に何度も襲われている。特に1596年の慶長豊後大地震は高崎山などが崩落し、別府湾は大津波に襲われ瓜生島が水没し死者700余名と伝わっているほどの巨大なものであった。その後、この地震は中央構造線沿いに四国から京都の伏見城の崩落までに広がるM7.5の巨大地震であったことが記録されている。更に1605年の慶長大地震M7.9、1698年の大分県中部地震、1703年の大分県西部地震、1707年の宝永地震M8.6、1769年にはM7.3超の日向・豊後地震などの巨大な地震があったことも記録されている。そして1854年にはM7.4超の豊後水道地震も発生し別府湾が大津波に襲われている。また明治以降もM6.0超の地震は1891年、1916年、1975年、1983年、2006年と続いており、決して大分県が地震の少ない地域ではないことが歴史的な史料によって証明されている。

このように地震災害の予想をするためにもその地域の歴史に残された過去の記録や町役人の記録、役所の記録などが貴重なデータとなる。従ってこのような古文書の研究・調査をすることは将来の災害に備えるためには極めて重要なことである。中津市文化財協議会は既に数回に亘りこのような研究発表を続けており、必ずや地域住民の皆さんの安全を守り、災害に備えるために役立つものと考え、将来の我が町と自分の命を守るためにも重要な役割を果たすものと確信している。

今年もまた様々な歴史的情報を提供することで、災害への備えはいうまでもなく、この地域の活性化と観光事業への貢献など各領域に役立つ研修会を行なっていきたいので皆様のご支援のほどをお願いする次第である。

「巻頭言」２０１６年（平成28）５月27日

中津地方文化財協議会として昨年度は『国史跡長者屋敷官衛遺跡』など古代史の話から『福澤諭吉と長沼村事件』などの現代史に至るまでそれぞれの専門の方々から大変素晴らしいお話をしていただいた。また中津医学校の付属病院長・藤野玄洋が開院した〝月波楼医院〟―現在は河豚の料亭として有名な〝春帆楼〟などを巡るツアーも計画していただき、色々と思い出深い企画を行なうこともできた。これもひとえに役員の皆さま方並びに会員の皆様方のご協力のお陰だと思っている。歴史を学ぶことはただ単に古きを訪ねるのみならず「古きを訪ね新しきを知る」、〝温故知新〟あるいは〝温故創新〟の精神こそ重要ではないかと思っている。古い歴史を講釈し解釈することのみに終わらずその歴史のなかに潜む真実あるいはその時代に生活した人々の生き方などを知ることでこれからの日本人の生き方や日本のあり方を学ぶことであり、また新しきことにチャレンジする勇気を奮い起すものでなければならないといつも考えている。例えば今年４月には中津と玖珠を結ぶ景勝地耶馬溪が〝日本遺産〟に認定されたことでこの方面の観光客も増えると同時に歴史上の探索も重要になると思われる。これは九代目・村上田長先生が大分師範学校校長を終え玖珠郡群長となった時に私費で玖珠と中津を結ぶ道路を整備したことから両町村や耶馬溪の文化交流がはじまったと聞いている。現在この道の鹿倉峠にあり閉鎖されている広場に建立されている村上田長の顕彰碑を皆さんが見学できるようにして欲しいと願っている。今後はその意味においてもっと若い市民の方々にもこの会に参加していただき次に続く中津を作ってもらえたらと願っている。今年も様々な企画をするのでよろしくお願いする次第である。

「会長挨拶」２０１６年（平成28）６月７日

昨年は中津地方の様々な文化財の探訪や関西方面における中津出身者の痕跡を訪ねるフェリーを利用してのバスツアーなどの研修旅行を行ない大変好評であった。古代史から現代史に至るまで中津文化財協議会は広範囲の歴史を探求・顕彰するということで参加者も徐々に増えてきている。

今年の元日には前野良沢と『解体新書』にまつわるＮＨＫ正月時代劇『風雲児〜蘭学革命』が放映された。その関連で当日の早朝から村上医家に残っていた一節截（ひとよぎり）を復元して演奏をしている〝一節截の会〟の練習風景も全国放映された。また前日の大晦日には同時代劇番組で主演の前野良沢を演じた片岡愛之助さん他御一行が文化会館でのプレミアムトークショウに参加されるために来津された。当日はその時代劇ドラマのなかで一節截を演奏された著明な尺八演奏家の藤原道山氏と共に玄関ホール吹き抜けの２階踊り場にて一節截の会のメンバーも一緒に一節截を演奏するなどハプニングもあり、〝蘭学の里・中津〟らしい光景が行なわれて大変嬉しく思った。

中津藩の〝蘭学の里〟に関する顕彰碑は中津駅北口前や中津城前に中津ロータリークラブにより〝蘭学の里〟紹介の碑文の掲示板が建てられている。更に中津城3階にも法人城代として前野良沢や中津の蘭学と藩主奥平家との関係、並びに中津ロータリークラブの向笠廣次先生を顕彰する展示などが行なわれている。これらの展示物も半年毎に少しずつ入れ替えており〝蘭学の里〟を顕彰してきたロータリークラブの方々のご努力に敬意を表して展示も〝蘭学の里〟らしく変更する予定である。また、今年は特に中津市内における様々な中世の遺跡などを訪ねるという計画もある。古代史から中津藩の蘭学、仏教史、現代史に至るまで数々の話題や最近起こった耶馬溪の山崩れの原因を解明するために専門家であり中文教の会員で役員でもある松本仁之氏による耶馬溪の地質調査の話などが6月の定例講演からはじまることになっている。

このような様々な観点からこの中津の歴史や文化財にアプローチすることを通じて、中津の方々に中津のことをもっとよく知ってもらい、中津に関心を持っていただき、そして大勢の方々が中津に観光客として訪問して下されば有難くうれしいと思っています。

「巻頭言」2018年(平成30)5月9日

昨年は元日早々から中津藩の前野良沢と『解体新書』にまつわるNHK正月時代劇『風雲児〜蘭学革命』が放映され、その後、大江医家史料館にて中津藩蘭学の特別展示などがあり〝蘭学の里中津〟がますます盛り上がってきている。私も中津城の法人城代として3階の展示を担当しており、それにともなって〝中津藩蘭学の系譜〟の特別展示を行なっている。特に蘭学の鼻祖として前野良沢を支援した中津藩主・奥平昌鹿公や蘭学を日本全国に広めようと1810年に日本初の和蘭辞書である『蘭語訳撰』を刊行し、なかでも822年には日本で3番目の蘭和辞書である『バスタールド辞書』も刊行した奥平昌高公について展示を行なっている。それに関する『中藩蘭学の系譜』という小冊子も作成し中津城で販売している。なるべくわかりやすくしたくて写真や図表、イラストをふんだんに盛り込んだ内容にしてビジュアル系に作成したので、是非ご覧になっていただきたい。

また、11月10日には前野良沢が趣味として吹いていた一節截（古代尺八）の「第3回一節截の会全国大会」が中津の当院で開催された。一節截は鎌倉時代末期から室町時代にかけて日本全国に広まり、戦国時代には徳川家康や織田信長、武田信玄なども愛好したということで知られていたが、前野良沢を最後に現代の大型の譜化尺八の普及に伴って急速に衰退していった。

中津では本徳照光氏が中心となって一節截を復元し、２０１１年頃から尺八の大師範・伊藤正敏先生が指導することになり、現在、会員が20名を超すようになって全国的にもこの笛を吹く方が多くなってきている。中でも千葉県柏市在住の相良保之先生から沢山の資料（古文書）をいただき、この古文書を〝中津一節截の会〟の細田冨多氏を中心に解読し、譜面や吹奏法に至るまでを翻訳して演奏や大会を開催できるまでに至った。歴史の重みを現代に復活させることができ、これは画期的なことであると多くの方に感謝している。

この中津地方文化財協議会は、中津藩蘭学のみならず古代史から宗教史や災害史、またブラジルの移民など現代に至るまでの広い繋がりの話題が提供され、それぞれの専門家から毎月一回、講演が開催されることができているのは皆さま方のご協力のお陰である。

今後とも中津の歴史や文化財を広く紹介し、未来の創造に活かすようなことにお役に立てれば幸いである。

「会長挨拶」２０１９年（令和1）6月20日

2019年12月31日、中国武漢市で原因不明の肺炎が発生したことが報告され、その後、この肺炎の感染症は新型コロナウイルス感染症であることがわかり、瞬く間に中国全土に広がり2020年3月11日、WHOがパンデミックを宣言しました。この間、この感染症は全世界に広がり、6月29日現在、感染者は全世界で1千万人を超え、死者は50万人を超えるという、とてつもないパンデミック（国際的大流行）となっています。そのため中津地方文化財協議会の講演に中津サンリブの会場が使えなくなり、やむなく当院の玄真堂ホールにて体温を計りマスク着用の上、ソーシャルディスタンスを取り200人収容可ホールで60人以下ということで継続せざるを得ず、講演の演題もコロナウイルスに関するテーマが主体となりました。

このようなチャンスに我々が過去の歴史のなかでウイルスと闘った中津藩の辛島正庵を中心とする天然痘との闘い、また天然痘ワクチンを日本で最初に導入しようとして失敗したオランダ商館のシーボルトとその弟子である伊東玄朴や高野長英などの話などをすることができました。

1849年7月、中津藩の辛島正庵が10人の医師と共に長崎に天然痘のワクチンをもらいに行き、中津に持ち帰って2千人の子供に種痘を行なったのですが、これが日本で最初の種痘となりました。その翌月、佐賀藩の伊東玄朴たちの活動により、佐賀藩主が自分の息子に種痘をさせている場面を絵に描かせて全国に広めるということを行ないました。やがて、この活動は京都や大阪と全国に広がりはじめ、遂に漢方医たちが頑強に抵抗していた江戸においても9年後の1858年には伊東玄朴たちが江戸のお玉ヶ池に種痘所を作り、それが後の西洋医学学問所、東京大学医学部へと変遷しました。中津の種痘所は中津医学校から大分医学校、そして大分県立病院へと変遷してきました。

このような感染症の危機と闘い、また新しいものを取り入れ、生み出すということを歴史は教えてくれているようです。私たちもこの困難をチャンスととらえ、このような感染症の研究を生かし、この感染症の歴史や情報を市民に提供しながら中津地方の歴史を検証していきたいと思っています。今後ともよろしくお願い致します。

最後に、中津地方文化財協議会事務局の大西重行部長が大いに〝縁の下の力持ち〟として長きに亘りご活躍下さいましたことに、心からお礼を申し上げます。

「会長挨拶」２０２０年（令和２）６月30日

中津山国川

Ⅱ エッセイ

―つれづれなるままに「灯」（「大分合同新聞」連載）

帰路

宇都宮氏の居城を訪ねて

昨年末、中津地方文化財協議会の太田栄副会長のご案内で、黒田官兵衛が1588年、中津城内に呼び寄せて謀殺し、合元寺（赤壁）で家臣も討伐した宇都宮鎮房の居城・城井谷（福岡県築上町）を訪れた。

宇都宮氏はもともと下野国（現在の栃木県）を本拠としていたが、源頼朝の命で九州で勲功を挙げた信房が1185年ごろに木井馬場（福岡県みやこ町）に入部したことから始まり、4代目の通房の時には豊前国最大の武士団に成長。6代目の冬綱のころには北朝方として活動し、豊前の守護に任じられた。大内領国時代にもその地位を保ち、親族の佐田氏は宇佐郡代、野仲氏は下毛郡代を世襲し豊前一帯を支配していた。

黒田官兵衛は1586年、秀吉の九州征伐の軍監として馬ヶ岳（福岡県行橋市）の城主・長野三郎左衛門、時枝（宇佐市）の城主・時枝平太夫、宇佐（同）の城主・宮成吉右衛門を降伏させたが、1587年に豊前一帯に国人一揆が起こり、宇都宮鎮房は黒田長政の大軍を岩丸山上（築上町）で撃退した。一揆の原因は宇佐市の禅源寺の年代記録に記されているが、検地が実施されたため先祖伝来の土地を奪われるという懸念を生じたからだともいわれている。

訪れた城井谷は狭く、深く、幾つもの支城が広がっており、堅固な城であったことを実感した。中津城跡の長政が鎮房を埋葬した場所には後に城井神社が建立された。

2014年2月15日

眞野喜洋名誉教授の逝去

去る2月15日、私の直前まで日本高気圧環境・潜水医学学会代表理事を務めていた眞野喜洋東京医科歯科大学名誉教授の訃報に接し、まさに胸のつぶれる思いがした。

眞野先生は東京医科歯科大学の同級生で、学生時代にはボート部のリーダーとして、また体育会の会長としていつもスポーツマンらしい爽やかな議論のできる学友であった。学生時代から梨本一郎先生の下で潜水医学の研究を続け、さらに海底居住の実験などにも参加し、30メートル、50メートル、100メートルと深海潜水の新しい展開などについても研究協力をしていた。

1972年、九州労災病院に赴任した私は天児民和院長の指導の下、整形外科の仕事をしながら高気圧医療と潜水士の骨壊死の研究をするようになり、眞野先生と同じ医療の領域に踏み込むことになったという不思議な縁を感じた。73年のバンクーバーの国際高気圧環境医学会で遭遇して意気投合、同じ領域の共同研究をやることになった。その後、41年間、毎年のように行動を共にして国際学会で共同発表するようになり、私たちのライフワークとなった。

眞野先生は日本を代表する高気圧医学の第一人者となり、たくさんの著書や論文は世界中に知れ渡っている。その偉大な友人を失ったことは痛恨の極みである。眞野先生のご冥福を心よりお祈りする。

2014年3月22日

京都にて一節截を吹く

「解体新書」翻訳の中心となった前野良沢は蘭学の研究の傍らに「一節截」（一節切とも書く）という尺八の一種を吹いていたことはよく知られている。良沢の大森宗勲流の一節截は中津藩士・簗次正、神谷潤亭に伝わり、現在、中津市内で6本発見されている。

筆者が主宰するマンダラゲの会では「中津一節截の会」という部会をつくり、本徳照光氏が復元した一節截を、尺八師範伊藤正敏氏による指導を受けながら当院にて3年間、練習を重ねてきた。去る3月26日、一節截研究者として高名な相良保之氏主催による「一節截コンサート」が、一節截とゆかりの深い京都の正法寺にて開催されたのを機に伊藤氏と出席し、演奏してきた。

さすがに全国から集まっただけあって名演奏家が多く気恥ずかしい思いであったが「伊勢おどり」など江戸時代の楽譜を翻訳して吹いたところ、その吹き方でよろしいという相良氏のお墨付きを得た。鎌倉、南北朝に始まり、室町、安土桃山時代に全盛を極めた一節截が現代によみがえり、京都の高台にある古刹で演奏されたことに一同感動したようである。

後醍醐天皇や伏見宮も吹かれていたということで、亡き母が東洋女子歯科医学専門学校時代にお世話になっていた青蓮院門跡の東伏見慈洽名誉御門主の御仏前に1本献上してきた。

2014年4月26日

竣工式と国際フォーラム

去る4月12日、当院の新病院 竣工(しゅんこう)を記念して、高気圧医学国際フォーラムが開かれた。特別講演者は国際潜水・高気圧環境医学会のピーター・ベネット理事長（米デューク大学名誉教授）、アレックス・ソバキン・米ウィスコンシン大学公衆衛生学博士、柳下和慶東京医科歯科大学准教授。3人とも高気圧医学・潜水医学の世界で著名な演者であり、聴き応えのある講演ばかりであった。

中でもベネット理事長は1981年に686メートルという深度潜水の実験に成功し、人間の耐圧性の限界に挑戦した国際的なパイオニアである。80年にはレクリエーションダイバーの安全を守るためのDAN（海洋レジャー安全協会）という国際組織を設立し、急性潜水病にかかったダイバーたちを救出してきたことでも知られている。

米国では増加中の糖尿病で足部壊死(えし)した患者を、足部の切断から守るために高気圧酸素治療装置が毎月、造設され、多くの病院で創傷治療センターが創設されているという。翻って日本の現状を考えると、多くの国公立大学病院から大型高気圧酸素治療装置が撤去され、民間の同装置も減少が続いている。

その理由は高気圧酸素治療の診療報酬が米国などに比べ、10分の1と極端に低いために装置の維持管理ができないという。深刻な現状である。

2014年5月29日

ほたるの里友枝を訪ねて

去る6月5日、母・ミツヱの生まれた福岡県築上郡友枝の〝ほたるの里〟を、職員たちと訪ねた。昔は中津市内でもあちらこちらに見られた蛍も、よほど郊外に行かなければ見られなくなってきた今日この頃である。

この地域の人々はまず清流を保存し、蛍の棲める環境を整えたのみならず、カジカガエルを人工ふ化して放流している。川沿いを歩くとまずカジカガエルの声を聞き、やがて暗闇の森の中から次々と光の帯が現れてくる。その光の帯は次第に点滅の間隔を整え、打ち合わせているかのように同調して移動してゆくのである。

蛍は交尾をし、産卵してから10日でふ化し、幼虫となって9カ月から2年かけてカワニナという貝を食べ、上陸して40日して、前蛹（ぜんよう）（さなぎになる前）になり、さらに10日してさなぎになる。そして羽化後、わずか3～5日間だけ空中を飛び回り発光し、交尾をするのである。この数日間の恋の瞬間が幻想的な光の乱舞であることを考えると、大自然の神秘に大いに感動してしまう。

江戸時代は回船問屋だったという別所家の長女であった母ミツヱは、一族の期待を担って、日本で最初の公認の東洋女子歯科医学専門学校に１９２７年、２回生として入学した。免許取得後、最初に開業した地が友枝であることを考えると、この蛍の光は誠に感慨深いものであった。

２０１４年7月4日

セントルイスの学会にて

去る6月17日、米ミズーリ州セントルイスで開催された国際潜水・高気圧環境医学会に出席し、当院の川嶌眞之院長、小杉健一医師と「骨髄炎に対する局所持続洗浄療法におけるオゾン・ナノバブルの応用」とスポーツや外傷などが原因で起こる「コンパートメント症候群に対する高気圧酸素治療の応用」という演題で発表してきた。

学会初日には早朝から夕方まで、「難治性創傷に対する高気圧酸素治療」のテーマで、高気圧酸素治療の基礎と臨床、職員教育、患者教育、保険問題など徹底した研修が行われた。米国人の教育熱心さをあらためて感じた一日であった。

3人に1人が肥満という米国では、メタボリック症候群、特に糖尿病の増加が大きな問題になっており、脳血管・循環器疾患のみならず、足部の難治性潰瘍も増加している。かつては治療に難渋して切断された症例も多くあったそうだが、高気圧酸素治療が極めて有効であるということから保険適応になって、高気圧酸素治療装置は急激に増加したという。

19世紀初頭、トーマス・ジェファソン大統領が、当時フランス領だったセントルイスを購入したことから西部開拓の玄関口になったこの町には、ゲートウェイ・アーチがシンボルとして存在していた。米国のたぎるようなパイオニア精神がみなぎる町であった。

2014年8月8日

ロコモ　チャレンジ

日本整形外科学会は今、人類が経験したことのない超高齢社会・日本の未来を見据え、組織を挙げて「ロコモ　チャレンジ」に取り組んでいる。

「ロコモ」は正式名が「ロコモティブシンドローム」。筋肉や骨、関節、軟骨、椎間板といった運動器の障害によって、歩行や日常生活に何らかの障害を来たしている状態の総称である。ロコモチャレンジはロコモに負けない日本をつくるとして学会が掲げているスローガンであるが、メタボに比較するとまだまだ世間の認知度は低いようである。

日本人の平均寿命は男性約80歳、女性約86歳で世界のトップレベルといわれている。一方、健康寿命は男性約70歳、女性約74歳で、病気になり自立度の低下や寝たきりになる期間が男性は10年、女性は12年もある。いわゆる要支援、要介護になる主な原因は、運動器の障害23％、脳血管障害22％、認知症15％である。

学会では七つのロコモチェックを提唱している。片足立ちで靴下が履けない、家の中でつまずいたり滑ったりする、階段を上がるのに手すりが必要、やや重い物を持つ家の仕事が困難、重さ2キロ程度の買い物をして持ち帰るのが困難、15分くらい続けて歩くことができない、横断歩道を青信号の時間内に渡り切れない―などの症状があれば、運動器疾患の予兆の可能性もあるので要注意である。

2014年9月9日

一節截と簗次正

ＮＨＫの大河ドラマ「軍師官兵衛」の影響で多くの観光客が中津城に押し掛けてくるようになり、中津市ではうれしい悲鳴が上がっている。ドラマは回を追うごとに人気が高まっているが、人気の訳の一つに時代考証に真摯に向き合っていることもありそうだ。その一例は、時折出てくる縦笛が一節截を使用していること。

中国から百済を経て伝わった雅楽尺八が次第に進化して鎌倉時代に一節だけの一節截となり、室町、安土桃山時代には尺八といえば一節截が吹かれた時代があった。特に集大成者として大森宗勲が知られている。蘭学の鼻祖として「解体新書」の出版に大きな功績を残した中津藩の前野良沢は、伯父の医師宮田全沢に廃れかかった芸能を稽古するように勧められ、宗勲流の名手となったとされている。

全沢の四男は１７５５年、簗家の養子に迎えられ簗次民と名乗った。次民の子利秀の養子になった正田孫左衛門の三男は次正と名乗り、弓馬槍剣の奥義を窮め中津藩の指南役となった。次正は良沢と親交があり、築地の中津藩中屋敷で高山彦九郎を交えて一節截の練習に励んでいたことが記録にある。

簗家にはこの一節截が残されており、私たちも「一節截の会」を結成してその復元に成功し、毎月練習に励んでいる。優しい音色をぜひ聞いていただきたい。

２０１４年10月16日

一隅を照らし一隅に輝く

去る11月8日、鹿児島市で開催された第49回日本高気圧環境・潜水医学学会（有村敏明会長）にて、「一隅を照らし、一隅に輝く　高気圧医療をめざして」と題する代表理事講演を行った。

１９７２年、筆者が九州労災病院で高気圧酸素治療を始めたころは、一酸化炭素中毒やガス壊疽、潜水病などにしか行われていなかったが、その後内外の学会などの豊富な検証を経て、多くの疾患が保険適応となった。当院でも骨髄炎、糖尿病や閉塞性動脈疾患に伴う難治性潰瘍、脊髄神経疾患、壊死性筋膜炎、スポーツや外傷に伴う腫れと痛みを特徴とするコンパートメント症候群、潜水病、脳梗塞など多くの疾患を治療してきた。

しかし高気圧酸素治療は、診療報酬が欧米の3分の1から10分の1という低さに加え、ほとんどの入院が包括支払いになったため、無料で行っているという現状になり、多くの医療機関から治療装置の撤退が続き、治療に重大な支障を来たすようになってきた。関西や四国で発生した潜水病が東京や九州にまで送られたりする事態となっており、政府にも陳情を続けている。

このような中で母がお世話になった京都の天台宗青蓮院門跡東伏見慈晃門主から表題のようなお言葉を賜り、われわれも〝水滴をうがつ〟ようなさらなる努力を続ける必要性を強調して講演を終えた。

２０１４年11月18日

マチュピチュとクスコでケーナを吹く

アルゼンチンのブエノスアイレスで開催された国際高気圧環境医学会の招請講演を依頼されたのを機に、ペルーに立ち寄った。その折、前野良沢の吹いていた「一節截（ひとよぎり）」に極めて類似したアンデスの笛「ケーナ」を携え、私たちのケーナの先生であるリチャード氏と、彼の友人でインカの末裔（まつえい）であるガイドを頼りに、世界遺産マチュピチュにたどり着いた。

標高2400メートルに造られたインカの空中都市は、スペイン軍に見つかることなく無傷のまま1911年、ハイラム・ビンガムによって発見された。その精巧な石造りの建造物と周囲の山並みや段々畑を息をのむ思いで見つめてしまい、ケーナを吹くことも忘れてしまうほどであった。

マチュピチュ村で食べた食事は豊富な野菜と果実、ヨーグルト、チーズ、豆類、トウモロコシ、インカ米とモルモットの丸焼きであった。ここからエクアドルに入った所のビルカバンバが、コーカサスと並ぶ長寿の村であることは京都大学の家森幸男教授の調査で既に明らかになっているが、アンデス山中の運動が長寿に拍車を掛けたようである。

遺跡見学の後はインカの首都クスコに戻り、現地のケーナ吹きと大いに音楽交流を楽しむことができた。自然宗教、言葉、顔貌、楽器などが蒙古民族と先祖を同じくすることを喜び合った。

2014年12月25日

田原淳と温泉

前回「灯」のマチュピチュ訪問記で、南米アンデスには元気な高齢者が多い長寿村があると書いた。心残りは、時間の関係でマチュピチュ村にある温泉に入り損ねたことである。

温泉の湧出量日本一の大分県では、現在は九州大学病院別府病院と名前が変わっているが、1931年に九州大学温泉治療学研究所（温研）が発足し、温泉について国際水準の研究を積み重ねてきた。ここで長年研究を続け、温泉学の第一人者となった矢永尚士九州名誉教授の著書「温泉研究と私」には、温泉の歴史や効用、楽しみ方、リスク管理とさまざまな知識が分かりやすく書かれている。

中津の田原春塘（しゅんとう）の養子となった田原淳（すなお）は東京大学医学部を卒業後、ドイツに留学。その時、心臓拍動メカニズムの解明に重要な役割を果たすことになった田原結節を中心とした刺激伝導系を発見し、今日の心電図やペースメーカーの基礎を築いてノーベル賞受賞者に匹敵する研究者となった。矢永先生は70年に温研に赴任した時に、所長室の写真を見て初代所長が田原淳であることを知ったそうである。

一昨年、別府で開催された「日本温泉気候物理医学会」で「高気圧酸素治療」について講演した時、あらためて温泉の効用と高気圧酸素治療の効用が類似しており、健康維持と病気の治療に有効であることに驚いたものである。

２０１５年2月3日

中津城と奥平昌高侯

ＮＨＫの大河ドラマ「軍師官兵衛」は大変な評判を取り、中津城にも大勢の観光客が押し寄せてきた。中津城内には中津ロータリークラブが生んだ、日本人として2人目の国際ロータリー会長を務めた向笠廣次氏の遺品や中津藩蘭学の展示などに加え、歴代奥平藩主の書画や遺品などが展示されており、多くの観光客の目に留まったようである。

歴代藩主の中でも中津城5代目の奥平昌高侯の遺品は数も多く、豪放な書や名品のかぶとなど一見に値するものが多い。昌高侯は国際的にも著名な蘭学大名として知られ、シーボルトの江戸参府日記やオランダ商館長の日記にも数多く登場している。

ウォルフガング・ミヒェル九州大学名誉教授によって、中津市歴史民俗資料館分館の村上医家史料館叢書が中津藩蘭学の史料として研究が続けられている。その中の「人物と交流Ｉ」には昌高侯が、シーボルトや商館長と頻繁に交流していたことが記載されていて興味深い。

昌高侯はフレデリック・ヘンドリックというオランダ名までもらっており、シーボルトが江戸に滞在中は毎晩のように訪問し、オランダ語で会話をしている様子が生き生きと記載されている。また、〝中津辞書〟と呼ばれる和蘭辞書と蘭和辞書も自ら刊行し、蘭学を日本中に普及させることにも大きな役割を果たしている。

２０１５年３月９日

前野良沢の自然思想

昨年は黒田官兵衛ブームのおかげで多くの観光客が中津城を訪れた。中には3階に展示してある「前野良沢と中津藩蘭学」を見て、「解体新書」の主役が良沢であったことや良沢が中津藩医であったことに感動し、便りをよこす人も増えてきた。

ドイツ人クルムスの原著「ターヘル・アナトミア」の翻訳書が「解体新書」であり、日本の近代医学・科学の源流であることはよく知られているが、著者名に杉田玄白、中川淳庵などが記載されているために良沢は脇役にされていた。しかし良沢の長崎留学時代の恩師であった吉雄耕牛の序文や杉田玄白の「蘭学事始」を読むと、翻訳に当たって中心的役割を果たしたのは良沢であることがよく分かる。良沢が著者として名前を残すことを拒んだ理由については、辞書もない時代に「不完全な翻訳で出版することに耐えられない」とか「名利を求めず」と長崎留学の途中、太宰府天満宮に参拝し誓ったとかさまざまな説が存在する。

良沢は「虚心石を友とす」という自然思想の持ち主。「人間が自然界の一部を支配したりできると非常に傲慢（ごうまん）になり、独学でしたように思い込み、自分の力は自然の一部という謙譲の心がなくなるのではないか」という精神にあふれた人であった。東日本大震災後、4年を経てあらためて良沢の思想の深さと大きさを感じる。

２０１５年４月13日

合水堂顕彰碑除幕式に出席して

去る4月25日、日本医史学会開催の直前に、大阪市中之島の大阪市中央公会堂前に建立された合水堂（がっすいどう）顕彰碑の除幕式があり、出席した。

合水堂は1804年、世界で初めて麻沸散（通仙散）という全身麻酔薬を使って乳がんの手術に成功した華岡青洲の弟、華岡鹿城（良平）によって1816年にこの地に設立された医塾である。

鹿城は麻酔薬をよく使いこなし、外科手術の上でも妙技の評判高く、和歌山県紀の川市名手（なて）にある本家「春林軒」にも劣らない評価を得た。2代目南洋（準平）も同様に評判が良く、中津の医家大江一族からは雲沢、春亭、久、忠庵の4人と阿部原和泉が入門している。中津市立大江医家史料館には、華岡家からの3通の手紙と青洲の画像や医訓を込めた漢詩、乳がんの手術図を展示している。

顕彰碑の方は華岡家春林会と日本医史学会、第29回日本医学会総会によって建立された。除幕式に当たり日本医史学会の小曽戸洋理事長、春林会の五十嵐慶一会長らがあいさつをした。

青洲の「活物究理」（患者を活かし、科学的にものごとを極める）という思想、人々の命を助ける医術を極めるという哲学は、今日においても新鮮である。大江雲沢の「医は仁ならずの術、務めて仁をなさんと欲す」の源流はここにあったのである。

2015年5月20日

大坂と中津を結ぶ医学史

神戸のポートピア国際会議場で5月下旬に開催された第88回日本整形外科学会学術総会（会長・吉川秀樹大阪大学教授）において、「大坂と中津を結ぶ医学史」と題して講演する機会を得た。

大坂と中津を結ぶ医学史を考えてみると実に多くの中津人が大坂にお世話になっている。江戸時代にあっては大坂で中津の人々は教育され、育成され、大きく成長していった。大坂はその意味で、中津の人材育成の中心地ともいえる役割を果たしていた。

例えば13代続いている村上医家の初代良道は、大坂の古林見宜（ふるばやしけんぎ）に医学を学んだ。1640（寛永17）年に免許皆伝を受け、村上宗伯と改名して中津市諸町に開業し、中津藩医・村上家の開祖となった。村上医家史料館には免許本2冊が展示されている。

1871（明治4）年には、中津医学校取立方となった大江雲沢が華岡医塾の大坂分塾（合水堂（がっすいどう））に入門し、華岡準平に学んだ。大江医家史料館の画像や華岡家からの手紙が保存されており、乳がんの手術図や腫瘍の所見図が展示されている。

さらに、緒方洪庵の適塾は医学史上に大きな影響を与えることになった中津人たち11人を育て、藤野玄洋（大分医学校の創立）、田代基徳（整形外科の開祖・田代義徳の養父）ら、多くの医人を輩出することになった。

2015年6月27日

モントリオールの学会

去る6月18日から20日までカナダのモントリオールで国際潜水高気圧環境医学会が開催され、「減圧性骨壊死(えし)の治療」「化膿(かのう)性脊椎炎に対する高気圧酸素治療」の論文を当院川嶌真之院長らが発表した。

カナダ、アメリカでは糖尿病性難治性腫瘍の増加に伴い急速に高気圧酸素治療装置の台数が増え、患者が切断を免れる、または創傷の治癒が早いと評価されて保険適用対象になり、今はそれが世界的な流れとなっている。そんな中で最先端の高気圧酸素治療の基礎的な研究が数多く発表され、内容の濃い学会になった。

最終日の夕食会。恒例の学会表彰では五つの学術賞に加え、若き科学者に対する「ヤングサイエンティスト賞」の授与式があった。日本高気圧環境・潜水医学会の前任の理事長だった故・眞野喜洋東京医科歯科大学名誉教授の名前入りの賞で、私が提案者であることから栄誉あるプレゼンターを仰せつかった。

「水滴は岩をもうがつ」という言葉がある。若い頃は一見やりがいがないと思われる未知の仕事や研究を指示・指導され、戸惑うことも多い。しかし、それを拒まずコツコツと続けることで思わぬ世界が広がってくることがある。そんな地味な研究にいそしんでいる若い科学者を応援・支持するために、今年から同学会に新設された賞である。

２０１５年７月29日

我が父の戦争記録を発見して

当院が3年がかりで増改築した時、当院の歴史や研究資料を残すために川嶌博物館を開設した。その折、さまざまな研究資料や開発した骨髄炎治療装置、潜水病の研究記録などと一緒に、父母の遺品を展示したいと思い父・眞濟に関する戦争資料も探し出した。

父は日体大を卒業後、体育教師として三重県立高等女学校に赴任。見つかった資料から、その時期の１９３８（昭和13）年に召集され、過酷な日中戦争を体験していたことが分かった。

食料も弾薬も尽きた厳しい戦況下、迫撃砲などの破片を体中に１３０カ所も受けながら戦い不死身の中尉といわれていた事、女学校の教え子たちから武運長久の祈りを込めて寄せ書きされた日章旗が贈られた事などが載った新聞の切り抜きが残っていた。父が受けた功五級金鵄（きんし）勲章と一緒に、１４４人に及んだ所属部隊の戦死者名簿もあった。復員後、現中津南高校の体育教師として復職していた父にとって、重い記録であった。

第2次世界大戦が始まると、父はいたたまれない気持ちから再度志願し、知覧特攻基地の第2守備隊中隊長として従軍した。これについても当時の新聞記事がある。だが父は連日の空襲の中で飢餓と疲労に倒れ、「戦病死」として靖国神社に祭られている。

一市民であった父親の戦争体験のすさまじさを、あらためて知ることができた。

２０１５年9月3日

東日本大震災の被災地を訪ねて

今夏、仙台市で開催された宮城県臨床整形外科医会で最新の高気圧酸素治療に関する講演をしたのを機に、東日本大震災の被災地を再び訪ねた。

向かったのは、津波で壊滅的状態となっていた東松島市のＲＥＯ研究所のオゾンナノバブル工場。千葉金夫社長は東京医科歯科大学の故眞野喜洋名誉教授と共に、オゾンナノバブルと酸素ナノバブルという３００種類の細菌を殺菌できる先端的な液体を製造した。殺菌力は塩素の約30倍ながら、毒性は全くない。糖尿病性難治性腫瘍や骨髄炎の局所持続洗浄療法などに広く応用され、最先端医療として治験が進んでいる。九州大学の大平猛教授が主宰するマイクロ・ナノバブル学会も毎年開催されるようになった。

壊滅状態だった工場はようやく生産再開までこぎ着けて、医療のみならず養殖岩ガキのノロウイルスの殺菌、仙台笹(ささ)かまぼこの製造過程における殺菌など、食品部門でも広く活用されている。しかしながら工場はいまだに5メートルのかさ上げ工事が続けられ、完全な復興には至っていない。

この工場の近くで、宮城県有数のブランドとして知られている白謙かまぼこ工場では、食中毒予防の殺菌にナノバブルが使用されている。ここで販売中の笹かまぼこを購入し職員たちとおいしさを味わえたこともうれしかった。

2015年10月15日

地域医療構想について

厚生労働省が「地域医療構想策定ガイドラインに関する検討会」（２０１５年３月）でまとめた構想に基づき、一般病院における入院病床数は最大20万床削減されることが大きく報道された。大分県や各市町村単位でもこの構想について協議がなされている。

県内では団塊の世代が75歳以上となる25年までに病床数22％削減、特に県北では35％削減という構想が検討されている。９月に札幌で行われた全日本病院学会で、厚労省高官は「病床数の削減を優先させるのではなく、各地域の実情に合わせた医療の持続可能な病床数を検討すべきだ」と言っていた。

しかし、現実には「削減ありき」になってしまうのではないかと危惧している。団塊の世代が75歳以上になる25年には、がんや心筋梗塞、脳梗塞、大腿骨頚部骨折や脊椎圧迫骨折などにより、むしろ病人は増え続け、35年ごろにそのピークを迎えることになりそうだ。

そうした見通しにもかかわらず急性期病床、慢性期病床とも減らすようなことがあっては、再び医療崩壊を招き、患者のたらい回しや高齢者の切り捨て医療といった事態も予想される。

国の厖大な借金という財政難から計画された病床削減と推測されるが、第一に国民の安全安心な医療・介護の体制づくりが必要ではないかと考える。

２０１５年11月９日

国際学会で草の根交流

私が理事長をしている日本高気圧環境・潜水医学会が11月中旬、前橋市の群馬大学で開催された。連動して同大学で開かれたアジア太平洋潜水・高気圧環境医学会は２０１３年に中国で開いたのが最初。私が主催者となった今回のアジア太平洋の学会に向けては昨年、中国・鄭州で準備会をした。中国のほかオーストラリア、台湾、インド、日本の代表者たちが集まる国際色豊かな話し合いである。

発展途上国ではまだまだ欧米や日本のように基礎研究も十分に行われていない。そのため高気圧酸素治療の実際や潜水病の基礎、臨床の情報交換をと、日本での学会開催になった。

アジア太平洋の学会当日、米国からは国際潜水・高気圧環境医学会理事長のジョーンズ氏、ヨーロッパからはスウェーデンのカロリンスカ大教授のリンド氏も出席した。そして翌日には中津市で国際セミナーがあり、両氏のほか中国・上海の上海交通大、九州大先端医学研究所、宇宙航空研究開発機構(JAXA)、大分大などからさまざまな分野の専門家たちが、大変興味深い研究を次々に披露した。

アジアや欧米の友人たちが和気あいあいと交流する姿を見ていると、われわれ民間の医学者や科学者が草の根で交流することで、世界平和の道に少しでも貢献できるのではないかとの思いを、あらためて深くした。

２０１５年12月16日

浄喜寺を訪ねて

中津市の村上医家史料館が１９８２年３月８日に菊池次郎館長（村上記念病院理事長）のご尽力で開館して以来、約３千点の資料が収集され、ウォルフガング・ミヒェル九州大学名誉教授らによって解読されている。昨年10月から今月11日まで開催された「医は仁術」（北九州市立いのちのたび博物館）にも村上家の資料が多く展示されていた。

この博物館を昨年末に見学した折、村上医家の初代・村上宗伯の出身母体である浄喜寺（行橋市）にも足を運んだ。村上家の遠祖は村上天皇の第６皇子源良国とされる。良国から数代を経た良成が仏門に入り蓮如上人の直弟子となり、浄喜寺を建立。２世良祐、３世良慶と名乗った。

良慶は顕如上人の直弟子となり、石山合戦では織田信長方の大軍を向こうに大奮戦し、顕如の子の教如上人の危機を救い軍功を立て法院大僧都に任ぜられた。細川忠興が帰依した良慶には寺領３００石が寄進され、小倉城築城の際は総監督の大役を仰せつかった。

郷土史家と共に訪ねた浄喜寺はまるで城郭のような風格ある大本堂であった。村上水軍の拠点ともいわれる由縁の井戸も存在していた。この寺の５世蓮休の三男良道（後の宗伯）は大坂の古林見宜に医を学び、中津で初代の医者として開業した。そして現在もその村上家は医家の家系として13代に及び、連綿と受け継がれてきている。

２０１６年１月26日

倉成龍渚、雲華上人と頼山陽

筆者が会長の中津地方文化財協議会で1月、神戸輝夫大分大学名誉教授が「雲華上人と倉成龍渚」と題し講演をされた。

豊後竹田に生まれた雲華は叔父である日田の高僧釈法蘭の下で成長し、詩学と仏教学の教えを受け19歳の時、姉の嫁ぎ先である中津の正行寺に跡継ぎに迎えられた。雲華は才能を見込まれて京都の高倉学寮に籍を置き、教学と講演に励む学僧であった。29歳の頃には博多の亀井南冥やその一族に学び漢詩の添削を受け、詩作と書画の活動を本格的に開始した。雲華は広島の頼春水とその子山陽などとも交流した。大谷大学に残されている雲華の講義録を見ると、真宗教学以外の一般の仏教学にも深い学識を持っていたことが分かる。その学問と教養の深さから日田の広瀬淡窓らとも交わった。頼山陽は１８１８年に淡窓の元を訪ねた後、雲華と共に日田から山国を経由して中津を訪れ、耶馬渓図巻記を描いている。ただし耶馬渓を最初に紹介したのは、１７９４年「耆闍崛山記」を著した倉成龍渚。中津藩の進脩館教授で、雲華も師事してた儒学者である。倉成が耶馬渓の自然美を描いた詩を頼春水に示したことが、山陽の耶馬渓訪問のきっかけになった。

雲華や倉成龍渚、頼山陽が耶馬渓を天下に広める重要な貢献をしたことを知っておきたい。

２０１６年2月26日

国際学会で学術賞を授与

米国ラスベガスで6月初旬に開催された国際潜水・高気圧環境医学会に出席した。ペンシルベニア大学のクリス・ランバートソン教授により創始された本学会に、私と東京医科歯科大学の眞野喜洋名誉教授は1975年からほぼ毎年参加してさまざまな論文を発表してきた。初期の学会は潜水病や骨壊死（えし）の研究発表を主体としていたが、20年ほど前から高気圧酸素治療の演題も半数を超えるようになった。例えば糖尿病性の難治性潰瘍、突発性難聴、脳卒中、脊髄神経疾患、一酸化中毒、スポーツ障害などさまざまな分野で研究発表が行われる。今は出席者も増え、世界中の研究者が発表する国際的な学会となっている。

この学会は2014年に亡くなった眞野名誉教授を顕彰するため、昨年、若き科学者や医師の研究を奨励する六つ目の国際学術賞〝ヤング・サイエンティスト賞〟を創設した。世界への貢献を認められた証しであり、日本人として名誉ある学術賞である。

私は今年の本学会の夕食会で、潜水漁民の潜水病を研究しているカリフォルニア大学の若き研究者グループにこの賞を授与するプレゼンターを務めた。故眞野名誉教授が愛した桜に思いをはせ、しの笛で〝さくらさくら〟の演奏を添えて学術賞を差しあげた。天上の彼もさぞや喜んでいるであろうと思う。

2016年7月7日

学会に出席して

7月上旬、岡山で第39回日本骨・関節感染症学会（会長・尾崎敏文岡山大教授）が開かれた。1978年発足の本学会は私も創設に関わった縁で、ほぼ毎年、演題を提出して参加している。今日では整形外科領域における感染症対策の指導的役割を果たす存在となり、多くの若い医師たちの姿を頼もしく思った。

特に最近は術後の感染症予防として高度無菌手術室が整えられ、人工関節など大きな金属機具を使う整形外科領域の感染症を著しく低下させ喜ばしく思う。九州労災病院勤務時代の1972年当時、骨髄炎患者は5～10年と継続入院し、10～20回もの手術を受ける難治性の病であり、掻爬術を行っても再発率40％以上だった。しかし私が開発した局所持続洗浄療法は、再発率を10％まで下げる画期的な治療法となり、全国的に普及し日米、中国の専門書にも掲載されている。

1981年、中津に開業後は全国から来院する骨髄炎の患者さんの600もの症例に対応する中で、高気圧酸素治療も併用することで再発率を5％まで下げることができた。このたび、当院の眞之院長が一層の改善に取り組み、オゾンナノバブル水を使用した持続洗浄を施すことにより治療期間の短縮と治療成績のさらなる向上をみたと報告した。この方面の治療法はもっと進歩するのではないかと期待している。

2016年7月30日

ハーバード大学の学生たちに中津を案内

サマー・イン・ジャパン2016地域プログラムの一環として8月上旬、広津留真理代表理事から依頼されハーバード大学の学生たちとその関係者たち17人を中津に招待した。

東九州龍谷高校の生徒たちとの交流イベントの後、古民家レストラン朱華にて私が講師を務めるランチョンセミナーに出席してもらった。

前野良沢から福澤諭吉に至る中津藩の蘭学の歴史をスライドも交えて英語で説明し、その後、東九州龍谷高校の生徒たちも合流して福澤旧居や中津城も案内した。

福澤諭吉が一万円札の顔になっていることは知っていても、どんな人物だったかはほとんど知らなかったようである。江戸時代の封建制度が崩壊し、明治維新という近代化が怒濤（どとう）のように押し寄せる中で、欧米を訪問して自らの進む方向を示し、西洋文明を積極的に取り入れた。さらには日本を近代国家へと進める人材育成を目的として慶応義塾を設立した。多くの原書を購入・翻訳・出版したほか新聞なども発行し、日本人の思想形成に大きな影響を与えた人物であることを伝えた。

私は福澤諭吉が訪れたホワイトハウスをはじめライデン大学なども訪れたことも交えて話した。彼らにも感銘してもらえたようで、ガイドのしがいがあった。

2016年9月6日

郵 便 は が き

料金受取人払郵便

812-8790

博多北局
承 認
3150

169

福岡市博多区千代3-2-1
麻生ハウス3F

差出有効期間
2021年7月
31日まで

㈱ 梓 書 院

読者カード係 行

ご愛読ありがとうございます

お客様のご意見をお聞かせ頂きたく、アンケートにご協力下さい。

ふりがな お 名 前	性 別（男・女）
ご 住 所 〒	
電　話	
ご 職 業	（　　　歳）

梓書院の本をお買い求め頂きありがとうございます。

下の項目についてご意見をお聞かせいただきたく、
ご記入のうえご投函いただきますようお願い致します。

お求めになった本のタイトル

ご購入の動機
1書店の店頭でみて　2新聞雑誌等の広告をみて　3書評をみて
4人にすすめられて　5その他（　　　　　　　　　　）
＊お買い上げ書店名（　　　　　　　　　　）

本書についてのご感想・ご意見をお聞かせ下さい。
〈内容について〉

〈装幀について〉（カバー・表紙・タイトル・編集）

今興味があるテーマ・企画などお聞かせ下さい。

ご出版を考えられたことはございますか？

・あ　る　　　・な　い　　　・現在、考えている

ご協力ありがとうございました。

藤野玄洋について

私が会長を務める中津地方文化財協議会の定例研修会で今夏、藤野玄洋についての話をする機会を得た。玄洋は１８４０年、中津市京町に生まれた。父親は藤野東海という町医者であった。玄洋は広瀬淡窓の咸宜園に入門し、敬天思想を学んだ。58年、緒方洪庵の適塾に入門し蘭学を学び62年には長崎養生所でボードインに外科学、眼科学を学んだ。

その後、長州の奇兵隊の軍医となったという説もある。そして71年、中津医学校の開設に伴いその付属病院長となった。しかし、財政上の事情から同医学校の維持が困難となり、当時の馬淵清純町長（中津町）を通じて大分医学校設立建白書を県に提出し設立に専念した。80年、大分医学校は正式に設立され、現在は県立病院となっている。

玄洋は77年、西南戦争の時、伊藤博文の依頼により傷病者収容のために下関に「月波楼医院」を設立した。だが戦争が早期終結したため、妻ミチが料亭として経営し大繁盛して「春帆楼」と名前も変えた。伊藤博文など明治維新の元勲たちが頻繁に出入りし、95年には日清講和条約の交渉の場となった。「春帆楼」はフグの専門店として東京や広島、名古屋、別府などに支店を持つほどになった。

一方の玄洋は医術に専念し大坂で開業。最後は中津で死亡。夫婦の墓は中津市下小路の安全寺にある。

２０１６年10月11日

「マンダラゲの会」と温故創新

中津市大江医家史料館周辺で10月下旬、私が会長を務める第24回マンダラゲの会があり、寺町の西蓮寺では講演会を開催した。

島田達生大分大学名誉教授は田原淳がテーマ。田原の大発見が解剖学・心臓学の歴史を変えたという業績を伝えた。淳は中津の医師・田原春塘の養子になり東京大学を卒業後、ドイツのマールブルク大学に留学。数多くの解剖から、世界初の刺激伝導系の発見をした。この発見により心電計やペースメーカーなどが発明されたのは周知の事実であり、ノーベル賞級の発見であった。

次いで、この刺激伝導系を現代の最先端医療に応用した佐竹修太郎葉山ハートセンター副院長による「不整脈に対する最新治療～高周波ホットバルーンカテーテル」。最も危険な不整脈の一つの原因となり、脳梗塞など命に関わる合併症を引き起こす心房細動の研究をした佐竹氏は、16年をかけて高周波ホットバルーンカテーテルを生み出し米国で大成功を収めた。そして今春、日本でも保険適用になるという画期的な治療法を開発した。

佐竹氏は既に700例の治験を行っており、臨床レベルでは田原淳と同様にノーベル賞級の業績といえる。彼はこの治療法を自宅の物置小屋でただ一人、開発した。その努力には頭が下がる。この「温故創新」ともいえる2人の講演に感嘆の声が上がっていた。

2016年11月7日

藤野玄洋と石川清忠

去る3、4日の2日間、筆者が代表理事を務める第51回日本高気圧環境・潜水医学会が、東京の日本医科大学において宮本正章会長主催の下、開催された。高気圧医学と潜水医学に関するトップレベルの研究や講演、発表があり、非常に質の高い、内容の濃い学会であった。

学会が開かれた日本医科大学・橘桜会館で、同大学の歴史について展示が行われていた。同大学の源流である済生学舎、私立東京医学校、そして大学創立に大きな役割を果たしたのが、1871年に開設された中津医学校付属病院の藤野玄洋の門人であった、杵築出身の石川清忠である。

1876年、長谷川泰により済生学舎という医学専門学校が開設され、9千人もの医師が明治時代に誕生した。野口英世など世界の医学に貢献した著名な医師たちが含まれている。

石川清忠は、中津医学校で藤野玄洋から物理、化学、解剖学などの初歩を学び、済生学舎に入学した。卒業後、長谷川の片腕として医師の養成に重要な役割を果たした。しかし1903年、専門学校令により済生学舎の存続は不可能となり、その年に廃校宣言を出すに至った。

学び場を失った600人の医学生のために、石川は私立東京医学校を創設し、次いでこの医学校は日本医学専門学校となり、今日の日本医科大学と継承されている。

2016年12月19日

学術総会を終えて

明治大学の玉置雅彦会長主催による第5回マイクロ・ナノバブル学術総会が昨年12月、開催された。10年前、東京医科歯科大学の同級生・眞野喜洋名誉教授が中心となり、研究会として発足し、私も当初から参加している。次第に出席者が増え学会となり、盛大に開催されるようになった。この学会の面白さは、日本最先端のマイクロ・ナノバブル技術の研究成果を知ることにより、医学領域を越えた最先端技術と医療の連携ができることを理解できる点であり、非常に興味深い学会である。

現在、日本では骨髄炎の標準治療となっている局所持続洗浄療法に、当院ではこのマイクロ・ナノバブルを応用した。すると骨髄内の凝固血栓や組織片などにより引き起こされていたチューブの閉塞（へいそく）や洗浄液漏れトラブルの減少が顕著だった。近年では人工関節置換術後の感染症の持続洗浄療法にも応用されている。

また国東市のナノプラネット研究所と共に開発したマイクロ・ナノバブルの介護浴装置を当院の老人保健施設で車椅子対応型足浴装置として整えた。すると従来の介護浴の10倍を超し8時間以上も持続する血流が得られ元気回復などに非常に役立つことが分かった。

昨年の学会では九州大学の細胞培養系への応用など、他にも最先端の講演があり大変勉強になった。

２０１７年2月7日

和田壽郎先生をしのんで

去る2月4日、心臓移植パイオニアである札幌医大名誉教授・和田壽郎先生の七回忌に招かれて講演をする機会を得た。心臓を含む臓器移植は今日、当たり前になっている。だが１９６８年、わが国最初の心臓移植手術を手掛けた和田先生においては、さまざまな困難に直面していた。

和田先生は、私が代表理事を務めている日本高気圧環境・潜水医学会の創設に関わられた。73年から今日に至るまで、ほぼ毎年、43年にもわたって国際学会で発表するというきっかけも与えてくださった。94年、私が会長を務めて中津市で開催した日本高気圧環境医学会では、ご出席されただけでなく励ましのメッセージまで頂いたことは、今でも鮮明に思い出される。

２００５年、中津市医師会主催の学術講演会で講演された折には、医師会の先生方々とも和やかに交流していただき、その人柄の温かさを皆で感じることができたひとときであった。12年の一周忌の際には周子夫人より請われ、学会を代表して書いた忌意文が配布されたことも思い出深い。お弟子さんらが和田先生の厳しさと優しさを語り合っていたことも、とても印象的であった。

このたび七回忌において、偉大な指導者であり、パイオニア精神あふれる先生についての感銘と、尊敬の念をお話しすることができ大変光栄であった。

２０１７年３月13日

島峰徹とわが母校

わが母校東京医科歯科大学の整形外科開業医部会で去る2月18日、学祖である島峰徹初代学長についての講演を依頼された。母校の前身、東京高等歯科医学校は１９２８年、新潟県長岡市出身の島峰徹を初代校長とする日本最初の国立高等歯科医学校として誕生。さらに44年には医学部を併設、国立東京医科歯科大学として御茶ノ水駅前に創立された。

島峰徹は長岡藩医の息子として幼少からの秀才ぶりを注目されていた。だが父親が53歳で早世したため母しげの手で育てられ、困窮のどん底の中から東京帝国大学に入学した。食費も学費も払えない事を見かねた近隣の内藤久寛（後の日本石油初代社長）は学資金のみならず、卒業後はベルリン大学医学部歯学科への留学費も援助した。

その後、ドイツで歯科医師となって最新の歯科医学を学び数多くの論文を発表。さらに米国ハーバード大学などで歯学教育の実情調査をした後、８年間の留学を終えて14年に帰国し、翌年に永楽病院院長（後の東京大学分院）となった。28年には東京高等歯科医学校校長に就任し、東大をはじめ多くの歯科大学に人材供給を支援した。なんと私の母の母校東洋女子歯科医学専門学校にも病院長をはじめ多くの人材を送り、創立を支援していた。わが母校について調査するうちに分かった事で不思議な因縁を感じた。

２０１７年４月10日

「第25回マンダラゲの会」を開催

4月中旬のこと、私が会長を務めるマンダラゲの会が大江医家史料館で開催された。〝温故創新〟の理念の下、中津の歴史を訪ね学びながら新しきものを発見、創造することを目的として2005年から活動を続けてきた。

今回は「上善水の如し」の言葉で有名な黒田官兵衛が築城した中津城の天守閣の有無について中津地方文化財協議会副会長太田栄氏が講演された。かねて天守閣の有無については中津市において議論の的となっていたが、多くの歴史研究者によって確実に天守閣があったという史実が発見されたということであった。

当院の川嶌眞之院長はマイクロ・ナノバブル水医療への応用に関して講演。国東市のナノプラネット研究所との共同研究でマイクロナノバブルの発生装置を開発し、それを介護施設の利用者から了解を得て使用すると、従来の介護浴の5・3倍をはるかに超す37倍もの血流量が認められたことを報告した。介護施設利用者の血流改善や浮腫軽減などに役立てられそうだ。

さらに東京医科歯科大学の故眞野喜洋教授らとREO研究所が共同開発したオゾンナノバブル水を難治性潰瘍や化膿性骨髄炎などに応用した経緯も説明。その結果、著明なる殺菌効果と急速なる組織の修復作用が認められ、今後の医療に大いに応用できることを期待すると締めくくった。

2017年5月9日

米百俵と人材育成

わが母校東京医科歯科大学歯学部の同窓会があった去る5月20日のこと。同大学の学祖島峰徹のゆかりの地で先生についての講演を依頼され、新潟県長岡市など旧長岡藩周辺を巡ることが」できた。

長岡藩は戊辰戦争の折に官軍との激烈な戦いで廃墟となったが同藩の支藩の三根山藩から米百俵が送られてきた。戦後の復興を担った執政小林虎三郎はこれを食料に回さず国漢学校を開校し人材育成に回すことを提案し、その結果この学校からは多くの人材を輩出した。中でも小金井良精は大変な苦労の末、東京大学の解剖学の教授となり多くの長岡藩出身の人々を東大の教授として育てた。

島峰も同様に極貧の中で東大に入学したが、学資が続かず停学寸前で日本石油初代社長となった隣人の内藤久寛から援助を受けた。卒業後はベルリン大歯学科に留学、さらにハーバード大など世界各地で歯科の教育課程を見学し、わが母校の前身東京高等歯科医学校の初代校長となった。

私たちはこの方々の旧跡をたどりながら島峰の父恂斎の墓を訪ね、その墓地で中津出身の横井豊山の墓も参拝することができた。長岡藩は耕読堂という塾を創設し、１００年以上にわたり人材育成のため全国から教授を集めた。その中に横井豊山も塾頭として招請されていた。長岡藩による人材育成の奥の深さを知ることができた旅だった。

２０１７年6月22日

フロリダの国際学会で講演

米国フロリダ州ネイプルズ市で6月末に開催された国際潜水・高気圧環境医学会での招請講演のため成田空港から飛び立った。私の発表は1972年以来、続けてきた骨髄炎治療の成績についてだった。骨髄炎は発症すると再発を繰り返し、数十年間も膿汁(のうじゅう)を排出し、時には切断に至る整形外科領域では最も治療困難な疾患である。私は九州労災病院で局所持続洗浄療法に使用するチューブを開発し、72～81年にかけて256例、開業後も773例を治療している。この治療法は国内のみならず国際的な専門書や雑誌にも掲載されている。

前述の256例の局所持続洗浄療法のみの治療による再発率は11・7%。過去16年間の371例は高気圧酸素のみの治療で再発率32・8%であったが、再発した101例に局所持続洗浄療法を併用すると再発率を4%に抑えることができることを発表した。特に近年は洗浄液に東京医科歯科大学の眞野喜洋名誉教授が考案したオゾンナノバブル水を使用したところチューブの閉塞(へいそく)も解消し治癒率もさらに向上している。

講演後の夕食会では名誉会員として〝眞野・川嶌学術賞〟を授与した。その時にオゾンナノバブル水の製造工場が東日本大震災で破壊されたがようやく復興したことを話し、横笛で「花は咲く」を演奏したところ、全員起立で万雷の拍手を頂き大いに感激した。

2017年8月4日

一節截の合宿を終えて

去る8月19日、20日と宇佐市の禅源寺で恒例の一節截（ひとよぎり）の合宿が行われ、今後の一節截についての話し合いもあった。一節截は一休禅師が好んだ尺八の〝先祖〟として知られており、戦国から江戸時代にかけては武田信玄ら武将たちの間でも愛好されていた。だが後に「解体新書」を翻訳出版した中津藩の前野良沢を最後に、次第に廃れて今日の尺八に代わってしまっている。

一節截を前野良沢が練習し、いとこの簗（やな）次正に伝授し彼がさらに中津藩の医師神谷潤亭に伝えたことで中津の医師たちを中心に広がっていた。その一節截が中津市立村上医家史料館に4本、簗家に1本発見され、それを機に本徳照光氏がこの笛を復元し、7年前から「一節截の会」が発足して当院で練習を積み中津城のひな祭りなどさまざまな催事で演奏している。笛の指導をしていただいている尺八の師範・伊東正敏氏による素晴らしい音色のために尺八愛好家たちも数人この合宿に参加した。

最初は吹き方も分からなかったが、千葉県柏市の研究家・相良保之氏が当院を訪れ「糸竹（しちく）初心集」という入門独習書をくださり、当会の細田富多氏が翻訳しそれを中心に江戸時代の楽譜や吹き方を手探りしながら練習を重ねてきた。全国の愛好家の会が来年11月には当院で開かれることが決まっているので今回の合宿には一層の励みとなっている。

２０１７年９月１日

全日本病院学会に参加して

金沢市において9月中旬、全日本病院学会（神野正博学会長）が開催された。大分県病院協会会長として過去10年以上にわたって毎年参加している学会である。

２０２５年には団塊の世代が75歳以上となり超少子高齢化社会を迎える日本において、社会保障システムをどう改革するか活発な議論がなされた。社会保障財源に充当するとされた消費税増税が延期され、年々高度化、多様化していく医療介護に対して、質の向上と安全確保、経営の効率化を図り公共性の高い医療サービスを継続していくためには何をすべきかも、真剣に討論された。

学会テーマは「大変革前夜に挑め！　今こそ生きるをデザインせよ」。当院からは10人が参加し、発表・討論に加わった。特に院長は病院のあり方委員会の一人として、「２０２５年の医療をデザインする」の演題で力強く発表した。

医療が社会的共通資本として安全安心を保証することで日本経済の安定に貢献するとともに、医療費の一定程度の自然増を認めていかなければ、高齢化や医療の進歩についていけず、持続可能性が失われてしまう。その論理は大変説得力があり人々に共感を得る内容であった。

医療介護費の過度の抑制は将来の希望を奪い、その結果人々は不安解消のために貯蓄に走り、経済発展にも大きな支障を来すということである。

２０１７年10月10日

北京・天津にて講演

北京郊外の河北医科大学付属の教育病院として河北燕达（えんだ）医院がある。10月下旬、同医院で開かれた国際セミナーで特別招待講演をする機会を頂き、「日本における高気圧酸素治療の歴史と適応疾患の現状について」の演題で話した。

この病院はすでに4千床、さらに介護病床を1万床に拡大するための建設途上であり、中国のすさまじい発展ぶりを目の当たりにした。1993年以来、当院が支援してきた王興義理事長の北京聖斉日中友好骨髄炎医院とも連携して、私の開発した局所持続洗浄チューブを使用した骨髄炎治療と高気圧酸素治療が併用して行われている。

王先生と私は名誉主任として就任することになり、王先生は河北燕达医院でも骨髄炎の外来に対応することが決まった。

天津で開催された中国高気圧医学会総会と連動した、アジア太平洋高気圧・潜水医学会にも出席した。同学会理事会の満場一致で私が理事長に指名され、2年後には中津で同学会が開催されることも決定した。本学会に加入する全病院で5千基超の高気圧酸素タンクを有しており、骨髄炎や難治性潰瘍、脊髄神経疾患など広範囲な疾病に対して大いに活用されていることが発表された。

私は講演の中で、アジア太平洋領域における高気圧医学の発展に、少しでも貢献したいと心から思っていることを述べた。

２０１７年11月17日

前野良沢と「解体新書」の謎

日本の近代医学・科学のあけぼのともいえる「解体新書」の出版は杉田玄白らが著者として知られており長い間、定説となっていた。

しかし１８６９年、中津出身の福澤諭吉が再版した杉田玄白著の随筆集「蘭学事始」の中に、玄白が、オランダの解剖書「ターヘル・アナトミア」の翻訳の盟主は中津藩の前野良沢であり、われわれは良沢にオランダ語の単語や文法を学びながら、辞書のない時代に1年半かけて翻訳したことを正直に記している。

さらに90年、諭吉が「蘭学事始」に序文を加えて再度出版したその中で、「辞書もなしに翻訳した苦労を考えると感涙して咽び泣いた」と書いている。

にもかかわらず「解体新書」の著者名になぜ、前野良沢の名前がないのか。これは医学史上の大きな謎で、この謎解きを含んだドラマが前野良沢を主人公として来年正月の夕刻、ＮＨＫテレビの時代劇番組として約90分にわたり放送される。

それにちなんで31日には中津文化会館で、主演の片岡愛之助らによるトークショーがある。さらには来年2月12日まで「『解体新書』と前野良沢」をテーマにした特別展示が、中津市の大江医家史料館で開催されている。大江医家史料館では良沢が愛好した一節截（ひとよぎり）という縦笛の演奏会なども行われるということである。

２０１７年12月21日

「解体新書」を巡って

ＮＨＫ正月時代劇「風雲児たち～蘭学革命篇」は「解体新書」の翻訳を巡って中津藩医・前野良沢（りょうたく）と小浜藩医・杉田玄白（げんぱく）や中川淳庵（じゅんあん）たちの協力と多くの人々の支援によって解剖書「ターヘル・アナトミア」を翻訳・出版する過程を見事に表現したドラマで反響を呼んだようだ。

従来「解体新書」は著者名に前野良沢の名前はなく、杉田玄白らが中心に行ってきたことになっている。鳥井裕美子大分大学名誉教授と県立先哲史料館は大分県先哲叢書（そうしょ）として前野良沢の著作集を編集し、鳥井先生は前野良沢の一代記を出版して彼の果たした偉大な役割を学術的に実証した。こうした専門家のご努力のおかげで中津藩医・前野良沢が翻訳の盟主であったことが判明してきた。

名利を求めない良沢は翻訳が学問的に完成していないなどを理由に名前を伏せさせたことや、当時オランダの紹介本が発禁本になり著者が逮捕されたこともあって、そのリスクを杉田玄白たちが背負い出版せざるを得なかった事情もドラマの中で説明されていた。

発刊に向けて玄白が友人の平賀源内を通して老中・田沼意次の理解を求めるシーンもあった。何事も事を成すに当っては多くの人の努力と協力があってこそ完遂できることを物語っていた。良沢は蘭学の鼻祖であり、この翻訳で日本の近代化が始まったと言っても過言ではない。

２０１８年1月26日

日本マイクロ・ナノバブル学会を主催して

昨年12月上旬のこと、明治大学駿河台キャンパスリバティータワーにおいて、日本マイクロ・ナノバブル学会の第6回学術総会を主催した。

１９９０年代に徳山高専名誉教授・大成博文氏（ナノプラネット研究所所長）がマイクロバブル発生装置を開発した。広島のカキや北海道のホタテ、三重の真珠の養殖改善に活用したところ、成長促進効果が見られたということからマイクロバブルが一躍脚光を浴びるようになった。

このマイクロバブルを強制的に圧壊して作製したのがナノバブルという極微小気泡である。東京医科歯科大学の故眞野喜洋名誉教授や産業総合技術研究所の高橋正好氏、ＲＥＯ研究所の千葉金夫氏らによって開発され私の母校東京医科歯科大学で既に10回に及ぶ研究会が重ねられている。だが日本の最先端技術として各界から注目され、着実に実用化されている。

当院の院長は骨・関節感染症領域でこの抗菌力を局所持続洗浄療法に応用し、極めて良好な結果を得たことを報告している。筆者自身も基調講演として、マイクロバブルとナノバブルの応用について話した。オゾンナノバブルは整形外科領域において骨・関節感染症のみならず褥瘡（じょくそう）や難治性潰瘍などの治療にも応用されている。その優れた洗浄効果と殺菌力に加えて、生体に対しては副作用がないことを報告した。

２０１８年3月8日

「第27回マンダラゲの会」を開催

中津市立大江医家史料館にて4月中旬、第27回マンダラゲの会を開催した。大江医科史料館と村上医家史料館を中心とする中津藩の医学史、蘭学の歴史を顕彰するために発足させた会で既に14年に及んでいる。

大江雲沢が実践していたという薬湯風呂を再現する目的で、薬草を春に植栽、秋に採取して金色温泉にて薬湯風呂にしたのが始まりだった。やがて会を重ねるごとに、中津の蘭学や医学史に関する講演会で講師を招くようになった。

今回は前野良沢が趣味として楽しんでいた一節截（ひとよぎり）という縦笛の音色を聞いてもらう演奏会を企画した。その古楽器を復元、練習している「一節截の会」の方々に演奏してもらった。場所は黒田官兵衛の末弟の20代目にあたる黒田義照住職の西蓮寺で行った。

今年元日にＮＨＫ正月時代劇「風雲児たち～蘭学革命篇」が放送された。「解体新書」を刊行するまでに至った杉田玄白と前野良沢の関係をさらに明らかにするために、私がまとめておいた中津や全国に残る詳細な資料を基に講演させていただいた。

このようにほそぼそと開催されていたマンダラゲの会が次第に「蘭学の里・中津」のイメージとともに定着してきた。中津城3階にも中津藩蘭学の資料が展示されている。蘭学の里としてますます知られるようになり、観光客増加の一助になれば幸せである。

２０１８年5月21日

学会にて講演

5月下旬、神戸の国際会議場にて開催された第91回日本整形外科学会があり、「化膿(かのう)性関節炎に対する局所持続洗浄療法とオゾンナノバブル療法」の演題で講演した。

川嶌式局所持続洗浄療法は１９６９年、虎の門病院で私が考案したものだ。70～81年、九州労災病院で２５６例の骨関節感染症に対してこの療法を適用したところ、再発率10％という極めて良好な成績が知られることとなった。

全国的に保険採用されたのみならず、米国や中国の専門書にも紹介された。また中国の日中友好骨髄炎医院でも多数の症例が発表されている。

81年からは当院でも局所持続洗浄療法と高気圧酸素療法を併用して２６６例の治療を行った。その結果、再発率は約５％まで下がった。

さらなる改善を目指して、この化膿性関節炎に対して故眞野喜洋東京医科歯科大学名誉教授の考案したオゾンナノバブルを用いた局所持続洗浄療法について発表した。

オゾンナノバブルは強力な殺菌力と洗浄力を持ち、琵琶湖の汚水洗浄にも使われた。従来の持続洗浄療法ではヨード製剤を使用していたが、粘稠度が高く回路が閉塞(へいそく)しやすいという欠点があった。オゾンナノバブルに代えることでほとんど閉塞がなくなり、術後管理がしやすいことを報告した。

２０１８年６月23日

福澤諭吉と「蘭学事始」

杉田玄白が前野良沢と共に「ターミナル・アナトミア」翻訳に当っての苦労話をまとめた「蘭学事始」には、良沢を盟主として蘭学を学びながら翻訳作業を進めたことが正直に書かれている。しかし、「解体新書」には良沢の名前が翻訳者として記されていないという不可思議な本である。

このことの事情を記載したのが「蘭学事始」であるが、玄白の一番の高弟・大槻玄沢が1820年、高岡の長崎浩斉から依頼され写本作製した時になぜか「蘭東事始」と題され、他の弟子たちへの写本も「和蘭（おらんだ）事始」と題したようである。その後、玄白は試みに変えてみたがやはり「蘭学事始」がよいと明記した浩斉宛ての手紙が発見されていることは片桐一男著「蘭学事始とその時代」で判明している。

この「蘭学事始」を福澤諭吉は1869年、神田孝平が湯島聖堂の露店で発見した「和蘭事始」を「蘭学事始」として復刻したが、1890年、医務局長・長与専斎の以来で再版した。その中の序文で諭吉は「先人の苦心に感極まりて泣かざるはなし」と記し良沢たちの苦労をしのんでいる。

金沢大学で開かれた北陸医史学会で特別講演を依頼され、「杉田玄白と前野良沢～解体新書を巡って～」を演題に語ったのは今月8日。東京経由で金沢入りしたのだが、集中豪雨の最中。ようやく講演会に間に合うことができたのだった。

2018年9月3日

マチュピチュの長寿食について

宇佐市の県立歴史博物館で9日まで、「マチュピチュ・古代アンデス文明と日本人展」と題して特別展が開催されている。

インカ帝国は13～16世紀に南米のペルーからアルゼンチンに至る5カ国を支配した広大な帝国であった。だが1532年のスペイン人の侵攻によって、一瞬のうちに滅亡したことで知られている。マチュピチュと近隣のビルカバンバはインカ帝国がスペイン人と戦った最後の拠点といわれている。

私がアルゼンチンで開催された国際会議の途中にマチュピチュを訪れて以来、アンデスの音楽や文化に関心を持っていたことから「マチュピチュの健康長寿食に学ぶ」というテーマで講演を依頼された。世界保健機関が注目し、京都大学が調査研究していたマチュピチュとビルカバンバは100歳以上の長寿者の割合が高く、食事のバランスがよいことでも知られている。

現地を訪れてみるとアボカドやバナナなど果物が多い。アルパカやヤギから取られたケソというチーズは牛の胆汁が含まれ、タンパク質とカルシウムが極めて豊富である。トウモロコシやユッカ、アワ、ヒエはカリウムと食物繊維が多く、健康に重要な食材が網羅されている。タンパク源としてはほかに現地でクイと呼ばれるモルモット。丸ごと姿焼きにして食べているのには驚いた。

2018年7月18日

老子の思想に思いをはせる

「人間が自然界の一部を支配したりすることができると非常に傲慢(ごうまん)になって独力でしたように思う。自分の力は自然の力の一部という謙譲の心が重要である」と前野良沢は言っている。

前野良沢の思想は、蘭学の鼻祖として誰もできなかった「ターヘル・アナトミア」を翻訳する時に彼を支えた老子である。人間も自然の一部であるという老子の考え方に、良沢は解剖学を学ぶことによって共感を覚えたのであろう。

6月から9月にかけて、日本を自然の猛威が襲った。そしてその猛威は年々大きくなっている。線状降水帯がもたらした豪雨、北海道地震による大停電、台風21号による高潮などで大きな被害が出た。関西空港の滑走路水没をはじめとてつもない事象が次々と起こったのだ。地球はこれから先どうなるのかと改めて考えさせられる。

数年前、東日本大震災に襲われた地を訪れたが高さ70メートルを超える巨大防潮堤がいとも簡単に破壊されているのを見て、人間が自然に逆らって生きることのむなしさを感じた。自然に合わせた生き方をしなければ人類は生き残れないということを教えられた気がする。

中津に城下町を造った黒田官兵衛が「上善水(じょうぜんすい)の如(ごと)し」と言ったことも、老子の思想に共鳴した柔軟な考え方を示したものと思われる。改めて老子の思想に思いをはせる毎日である。

2018年10月9日

向笠寛先生、ご逝去

去る11月25日、元中津市医師会長で中津市の向心会大貞病院元理事長の向笠寛先生が92歳で逝去された。この先生には私がこのたび旭日双光章を授章するに当たり大変なご指導をいただいた方だったので一言述べたい。

先生は久留米大学の助教授を最後に退職し、中津市に精神科単科病院としての大貞病院を１９７１年に設立された。精神科医としてはアルコール依存症の治療薬を開発し、現在も大手製薬で製造・販売されている。

その後、中津市医師会長を2期4年務められ、在任中には中津市医師会立ファビオラ看護学校ならびに健診センターを創設した。当時、私も理事として先生の獅子奮迅するお姿を拝見しリーダーとしてのあるべき姿を示していただいた。

学校名を〝ファビオラ〟と命名させていただいたのは私だったが、この名前が最初は県や国に認められずに苦労した。その時も向笠先生はこの校名を強く推してくれて、そのひたむきな姿勢に私も感銘を受けながらお手伝いさせていただいたことを記憶している。しかし開校直前まで着工できず、周りのありとあらゆる人たちに協力をお願いしてついに開校にこぎ着けた。

今では中津にはなくてはならない、地域医療を支える看護学校と健診センターとなっているのは、この向笠先生のおかげである。今は心からご冥福をお祈りしたい。

ファビオラ精神と「敬天愛人」

2018年12月15日

古代ローマ時代の貴族ファビアン家の一員であったファビオラは390年に世界で最初の公立総合病院、さらに〝回復期の患者のための〟宿泊所（現在のホスピスの原型）を建設した。彼女はその病院で、病気や貧困のため不幸な犠牲者となった患者を看とった。彼女は自らの手で病人に食物を食べさせ、いまわの際の病人の口元を水で湿すことなどもした。また彼女自身が肩に抱いて汚物で汚れ患者を運ぶこともあった。彼女の慈愛と思いやりの精神は、後にナイチンゲールが看護学校を設立するきっかけになったこととしてよく知られている。

1995年4月、私は中津に開校した看護学校にその精神を受け継いでもらいたいと考えた。開校のために大変な努力をされた故向笠寛医師会長の許可を得て「ファビオラ」と名付けさせてもらった。

ところで明治維新で活躍したリーダーの一人、西郷隆盛が「敬天愛人」という言葉を残している。私はこの言葉を昨年の県病院学会のテーマとした。西郷は明治の頃にキリスト教の精神を伝えた「敬天愛人」という本を読み、「人を大切にして思いやりの精神を持つことがこれからの時代をつくっていく基本思想でなければならない」と説いている。これこそがファビオラの慈愛の精神であり、われわれ医療人にも共通した理念と思い、テーマとして掲げたのである。

２０１9年2月2日

アンデスの元気長寿食

古代アンデス文明展（8日〜5月6日）が県立美術館で開かれている。その間に、アンデスの伝統楽器ケーナをわれわれに指導してくれているリチャード氏らと、ケーナの演奏や長寿食について話をする機会がありそうだ。私も4年前に訪れ、その地に暮らす人々の元気長寿ぶりと素晴らしい健康食に感動し、その長寿食について調査研究した。

世界三大長寿地域としてアンデスのビルカバンバ（エクアドル）が注目されたのは１９５５年、米誌リーダーズ・ダイジェストに「心臓病と骨粗鬆症の患者が少ない村」として紹介されたのがきっかけである。その後、世界各国から調査団が訪れ元気長寿の住民が多いことが明らかになった。京都大学名誉教授で医学者の家森幸男氏らも調査に度々訪れ、健康長寿の理由は伝統的な食習慣にあると紹介している。

この地域のヤーコンはキク科の根菜で野菜として食されているほか、その葉は茶として飲用される。食物繊維やミネラル、さらにオリゴ糖を含んでおり究極のダイエット食材としても近年注目されている。形は山芋に似ていて生で食するとシャリッとした梨のような食感と甘い味がする。ヤーコンのオリゴ糖と食物繊維は腸の中でビフィズス菌を増殖させることでも知られている。この菌の増殖によって悪玉菌を減らし、大腸がんなどを予防する効果が期待されている。

２０１９年3月8日

〝現代のシーボルト〟

年2回の恒例となっている中津藩蘭学を顕彰するマンダラゲの会は4月中旬、中津市立大江医家史料館で開催された。同史料館では開設以来、参加者も交えて薬草園の手入れや植苗、植え替えなどし、その後、近くの西蓮寺で講演会を開いている。

前座として「ロコモ予防について」と題して話した当法人のクリニック所長に続き、ウォルフガング・ミヒェル九州大学名誉教授が「中津の蘭学史をみつめて」のテーマで講演した。

ミヒェル先生は40年前に九州大学文学部の研究生として来日後、教授、学科長、現在は名誉教授。私の推薦で村上医家史料館や大江医家史料館の顧問となり、19年間ご活躍いただいている。母国のドイツ語はもちろんのこと、ラテン語、英語、オランダ語、日本語、中国語など6カ国語に精通し日本の古文書や漢文も解読できて語学の天才ともいわれる方である。

彼はこの19年間、村上医家史料館や大江医家史料館の数千点に及ぶ膨大な医学史料を解読して十数冊の史料集を出版。全国の図書館や研究者に中津市から配布されている。現在も2週間に1度は両史料館に来られて解読作業を続けている。

〝現代のシーボルト〟といってよいほど日本の医学史ならびに蘭学史に精通した方である。中津藩蘭学の奥行きの深さを改めて感じた講演であった。

２０１９年5月27日

村上玄水の肖像画

今年1月、村上玄水の肖像画が発見されたニュースに中津は沸き立っている。13代続く中津藩・村上家7代目の村上玄水は若い頃から天文学や蘭学に興味を持ち、長崎ではシーボルトの周辺の医師たちからもオランダ医学を学んだことで知られている。

1819年3月8日、藩からの許可を正式に得て、自ら執刀の下に人体解剖を行っている。メスなどの解剖道具も前もって鍛冶屋に作らせ、また事前には動物も解剖するなど用意周到だったことがうかがえる。

最近の研究で九州では2番目の解剖だったことも分かってきたが、その解剖図と解剖記録は他に類を見ないほど精密であった。解剖により、どの臓器にどんな病気が発症し、どの薬を使って治療すればよいかを初めて知ることができた。オランダ医学が漢方医学と比較して勝るとも劣らぬ、優れた医学であることを立証できるという確信を深めたようだ。

この解剖には57人もの医師たちが観察に集まり、また中津藩のお抱え絵師である片山東籬や佐久間玉江らによる詳細な解剖図が残っている。中津には線画の原図しか残っておらず解臓文も持ち出されていたが、東京都中央図書館に貴重本として保存されていることが分かり、私がそのコピーを入手して村上医家史料館に展示している。肖像画とともに見ていただきたい。

２０１９年6月27日

プエルトリコにて

米自治領であるプエルトリコに6月下旬、国際潜水・環境医学会で訪れた。フロリダから東南に1600キロのカリブ海にある島国で、1492年にコロンブスが発見した西インド諸島の一部大アンティル諸島の一角に位置する。その翌年、プエルトリコの現在の首都サンファンに入港した際、スペイン語で「プエルト＝美しい港、リコ＝豊かな」と叫んだことが地名の由来とされている。

その名の通り、カリブ海に浮かぶ島国は自然と歴史に満ちている。コロンブスによる発見後、しばらくはスペイン領だったものの、独立戦争の時、米国の介入により1898年からアメリカ合衆国に編入され、自治領となった。公用語は英語とスペイン語で現地の人たちはほぼスペイン語を話している。自治政府の議事堂にはプエルトリコと米国の国旗の両方掲揚され、議事堂を囲むように米国の歴代大統領の立像もある。

平均気温25・4度の過ごしやすい環境で、主要産業は観光。ラム酒生産や農業、漁業などが生活基盤である。サンファンの歴史地区を案内してもらったが、カリブ海の海賊から守るための多くの要塞（ようさい）が世界文化遺産として保存され、美しいスペイン風の街並みが多くの観光客を集めていた。また米大リーグやバスケットボールなどに多くのプロスポーツ選手を輩出していることでも知られている。

2019年8月2日

開国を見通した蘭学家老

日本洋学史・欄学史の世界では第一人者の青山学院大名誉教授、片桐一男氏から「鷹見泉石　開国を見通した蘭学家老」という本が送られてきた。かつて古河歴史博物館（茨城県古河市）を訪れた際、古河藩の家老鷹見泉石の膨大なる資料や記録にぼうぜんとし、驚かされた記憶がある。

大坂城代や京都所司代、幕府では老中主席などの重責を担った古河藩主土井氏に家老として務めた鷹見泉石。重職にありながら、多くの蘭学者やオランダ領事ブロンホフらとの交流を通して海外にも向かう広い視野と深い知識を得て、藩政に貢献したことが分かる。

中でも１８０４年、ロシア使節レザノフの長崎来航という重大事件の際、うまく対応できない幕府を尻目に巧みに問題を処理し、穏便に開港を断った。シーボルト事件や大塩平八郎事件などにも遭遇したが、鷹見の広い視野と人脈が幕府の処置、対応に影響を与えたことが記録されている。大槻玄沢が杉田玄白、前野良沢ら蘭学者や蘭学愛好家の重鎮を招いて開いたオランダ正月の会にも度々出席したこともある。当時一流の蘭学者やオランダ医学、医薬品など最先端の知識や情報を交換していた。

政治をつかさどる人たちの陰には鷹見泉石のような豊かな学識と教養、国際的な見識を備えた人たちがいたことがこの本には記録されている。

２０１９年９月７日

「蘭学の里」碑文の倒壊

9月22日から23日にかけて襲った台風17号は九州の各地で災害を引き起こしたようである。中津城敷地内の「蘭学の里」碑文も倒壊した。中津ロータリークラブ50周年を記念して私が会長の時に別の二つのロータリークラブと合同で建立したものである。

中津は前野良沢から福澤諭吉に至る蘭学の里であり、また近代医学発祥の地であることを記した碑文であった。前野良沢が辞書もない時代に蘭書「ターヘル・アナトミア」を杉田玄白らと3年半かけて翻訳書「解体新書」として出版したことから、日本の近代化が始まったといわれている。

その苦労を知った5代目中津藩主奥平昌高が日本で最初の和蘭辞書「蘭語訳撰」や日本で3番目の蘭和辞書である。「バスタールド辞書」を出版し、蘭学が全国に広がる機運となった。その後、中津藩は村上玄水や辛島正庵、田代基徳、福澤諭吉、小幡英之助ら、そうそうたる医学者や蘭学者が誕生し日本の近代化に大きな貢献をしたのである。

これらのことが書かれた碑文の復元に中津ロータリークラブとしても全力で取り組んでいる最中であるが、中津市ならびに地域の方々の応援、ご協力をぜひ頂きたいと思っている。それにしても、このような巨大な台風が次々と来る地球環境の激変に、手をこまねいているだけでよいのであろうか。

２０１９年10月15日

郷土中津で国際学会

10月下旬、第4回アジア太平洋潜水・高気圧環境医学会を中津で開催した。この学会は中国から発足し2年ごとにアジア各地で開いている。最新の潜水・高気圧医学の研究を発表し、互いに切磋琢磨(せっさたくま)して医療や研究水準の向上を図るのが目的である。

私たちと共同で20年間、羊500匹を使って潜水病による骨壊死(えし)の作製に成功し予防法についての研究を続けているウィスコンシン大学のソバキン博士の発表やさらに糖尿病性壊疽(えそ)、ガス壊疽、脳卒中、脊髄神経疾患などにも各国が高気圧酸素治療を応用していることが発表された。

高気圧環境医学会会員数3万5千人を擁し高気圧酸素治療装置5500基を提供する、中国の学会創設者である高春錦(ガオウチュンジン)会長も出席された。出席者はいずれもこの医学会の重鎮の方々。今回は私が主催者を務めたこともあり、中国や台湾、韓国、インドのみならず米国、スウェーデン、アルゼンチンからも各代表が一堂に会したことは、大変光栄であり感謝に堪えない。

学会終了後は全員で中津の温泉に浸かり、和やかなレセプションをした。翌日は県立歴史博物館で神仏習合について学び、宇佐神宮に参拝。さらに別府の地獄巡りや温泉も堪能した。一日八景や羅漢寺などを訪れたグループもあり、それぞれが秋の美しい耶馬溪での感動を胸に帰国したに違いない。

2019年11月22日

中津のシーボルト

昨秋のことになるが、中津市歴史博物館が新装開館した。国文学研究資料館館長のロバート・キャンベル氏と九州大学名誉教授のボルフガング・ミヒェル氏を迎え、中津市と国文学研究資料館との間で、日本語の歴史的典籍の国際共同研究ネットワーク構築計画に関する覚書が交わされた。奥塚正典市長も出席した締結式の後、キャンベル氏とミヒェル氏が講演した。顧みれば筆者は１９８１年に中津に帰郷して以来、12代続いた村上家の史料について郷土史家の今永正樹氏と協力して研究に着手。村上医家史料館を立ち上げ96年に中津市の史料館に移管することになった。

２００４年には大江医家史料館も整備されたものの、私たちだけで４千点に及ぶ膨大な史料を解読するのはとても無理だった。退職後、中津に帰郷していた元京都大名誉教授の福永光司先生と一緒に史料の解読に当たった。福永先生が死去された後はミヒェル氏に継続調査をお願いし、長年にわたり月に２度、中津に来ていただいた。

その結果、中津藩の蘭学などの１万点にも及ぶ膨大な史料が少しずつ解読され、このたびこのような国際的なネットワークに公開された。このミヒェル氏の功績はまさに中津におけるシーボルトといっても過言ではない。シーボルトと同じく日本の文化に最も貢献したドイツ人の一人である。

２０２０年１月４日

高野長英と中津

中国武漢で発生した新型コロナウイルスの肺炎拡大で世界中が大変な事態になっている。ウイルス性感染症というのはワクチンがない場合、人から人へと爆発的に流行して多数の死者を出すことがある。その最たるものが天然痘で、日本では奈良時代から発生の記録が残り、幕末に至るまで最大の感染症であった。この天然痘の完全制圧のため１８４９年、オランダ商館の医師モーニッケが本国から取り寄せた天然痘ワクチンを、中津藩の辛島正庵らや佐賀藩の医師たちが国内に広めた。

佐賀藩医で特に活躍したのが伊東玄朴である。玄朴は高野長英と共にシーボルトに蘭学と医学を学び一、二を争う高弟であった。

ところで１８２８年、シーボルトは国禁であった日本地図の国外持ち出しを計ったとの罪で国外追放となり、多くの門下生も処罰された。長英は長崎を脱出し日田の咸宜園を訪れ、その後は中津藩医村上玄水の蔵に約40日間、かくまわれた。村上家には「最後までやりぬかなければ最初からしない方が良い」という長英のオランダ語の学問訓が残されている。

幕府の奥医師となった伊東玄朴や長英らが中心となって江戸に種痘を普及させるまでの一連の出来事が演劇になった。5月22日に中津文化会館で、前進座の元看板座長であった嵐圭史氏らが公演する。

２０２０年2月1日

伊東玄朴と種痘

１９８０年、人類を最も苦しめた天然痘の根絶を世界保健機関（ＷＨＯ）が宣言した時、「いずれ医学の発達によって全ての感染症は制圧されるはず」という言葉を多くの人は信じていた。しかし、天然痘と入れ替わるように次々と新しいタイプの感染症が登場して世界中を駆け巡っている。

昨年12月以来、新型コロナウイルスによる感染拡大が世界的な問題になっている。県内でも発症が確認され、さまざまな行事、催しが次々に中止されている。〝新型コロナウイルスパニック〟状態である。

江戸時代においては、天然痘（痘瘡(とうそう)）に30％の子どもがかかり、致死率30％という恐るべき感染症だったことが知られている。シーボルトの高弟でもある伊東玄朴は佐賀藩主・鍋島直正に種痘を提案、藩医・楢林宗建が中津藩と同時期の１８４９年に種痘を行うことに成功した。藩主はわが子にも接種し、そのことを絵に描かせ、種痘の安全性を全国に広めようとしたが、江戸幕府は漢方医の勢力が強く、困難があった。

だが玄朴たちは、手塚良仙らと種痘を行うことを続けて１８５８年、神田お玉ヶ池に種痘所を設立、西洋医学学問所、東京医学校、東京大学医学部と発展させた。ウイルスとの戦いが新たなものを生み出すきっかけとなったことを考えれば、今こそ踏ん張りどきであろう。

２０２０年3月12日

天然痘ウイルスと闘った中津藩

新型コロナウイルスはパンデミックとなって世界中に猛威を振るい、ついに東京オリンピックも来年の夏に開催延期になってしまった。政治や経済、医療に及ぼす影響は計り知れないものとなってきた。インドが原発とされる天然痘（疱瘡）もこのたびと同じように全世界に広がった。「日本疾病史」によると日本でも735年から1838年までの間に58回の大流行があった。死亡率は平均約30％と猛威を振るった。1796年にイギリスのジェンナーが始めた牛痘によるワクチンは、やがて日本にもシーボルトが導入したが失敗した。

1849年、中津藩医の辛島正庵は長男章司を疱瘡で亡くしたことから一念発起し種痘の専門書を集め、研究会を発足。ついに中津の医師9人とその子どもたちと共に長崎に出向き、出島の医師モーニッケから譲り受けた種痘を子どもたちに接種し持ち帰り、中津藩の2千人に種痘を成功させた。中津藩の種痘の成功を受けて、中津の町民の寄付によって中津医学館が開設され、1872年に大江雲沢を校長として医学校となった。その医学校は藤野玄洋らにより1880年、大分医学校へと発展し、現在の県立病院となった。

このようにウイルスとの闘いが新しい医療情報や価値を生むということからもわれわれはこの闘いに負けてはいけない。

2020年4月23日

感染症の歴史に学ぶ

新型コロナウイルスの拡大はとどまることを知らず国際的な大流行（パンデミック）になっている。今や全世界の人々を感染と経済的なパニック状態に陥れ、生活様式の大転換を強いられている。

このようなパンデミックは何もコロナに始まったことではなく、感染症の歴史を振り返るとたびたび人類に襲い掛かってきている。特にその始まりとしては紀元前430年ペロポネソス戦争の最中に籠城していたアテネの戦士を感染症が襲い、多数の犠牲者が出た。この疫病が天然痘か発疹チフスともいわれ、感染症の大流行だったことはよく知られている。

その後、542～543年にかけてビザンツ帝国（東ローマ帝国）で大流行したのがペストである。皇帝ユスティニアヌス自身も感染し、コンスタンティノープルへと広がり人口の半分を失って帝国は機能不全に陥った。

19世紀末には中国を起源としてペストが世界中に広がった。明治政府は北里柴三郎を調査のため香港に派遣し、ペストの病原菌を発見することになった。北里がペスト菌の抗血清を開発し治療法が確立された。

天然痘のワクチンのみならずペストの治療薬ができているということは、最終的には感染症を抑制できるということで、世界中が競って新型コロナウイルスのワクチンや治療薬を開発している。いずれ新型コロナも制圧され、風邪と同様に人類と共生することになろう。

スペイン風邪と新型コロナ

２０２０年5月25日

新型コロナウイルスは、わずか数カ月の間に全世界に拡散。7月6日現在、全世界で１１００万人を超す感染者、53万人の死者が出ていることを考えると、過去において同様の経過をたどったスペイン風邪のことを思い起こさざるを得ない。約１００年前に世界的に流行し、5億人が感染、１７００万人～5千万人もの死者が出たという、とてつもない感染症の大流行（パンデミック）が起こった。

「感染症の世界史」（石弘之著）などによると、１９１８年3月4日、米国カンザス州ファンストン基地の診療所で最初の報告があった。今回のコロナ同様に発熱と頭痛を訴える兵士が殺到。千人以上が感染、48人が死亡したという。渡り鳥の越冬地近くに豚舎があり、鳥インフルエンザがブタに感染、豚の体内で突然変異し、さらに人に感染して強毒性インフルエンザになったといわれている。

その後、その兵士たちが第1次世界大戦参戦に伴い、欧州に移動し、それが拡散して全世界的なパンデミックとなった。結果的に全世界人口の約30％に感染を引き起こし、多数の死者を出している。

日本においては第1波で約25万7千人、第2波では約12万8千人、第3波で約３７００人、合計38万人以上が亡くなっている。このようにパンデミックを引き起こした感染症は2度、3度と繰り返すことを教訓にして今回の新型コロナに備えなければならない。

2020年7月8日

マイク・バーグ氏と八面山

1945年5月7日、宇佐海軍航空隊基地を攻撃に来た米国のB29爆撃機に、中津市の八面山上空で日本の村田勉曹長の双発戦闘機が体当たりして撃墜。村田曹長も墜落した。

B29の11人の乗員のうち3人がパラシュートで脱出。そのアメリカ兵に三光村の村民がおにぎりなど食事を与え、捕虜として福岡の憲兵に引き渡した。亡くなった8人は埋葬し木碑を建てた。八面山の土地の一角の持ち主である楠木正義氏が平和公園を建設。その後、米国の遺族から送られてきた資料を基に記念碑や資料館が建てられ、清源氏一族や楠木氏一族、中津市三光の皆さんとともに毎年、慰霊祭を行っていることはよく知られている。

その後、遺族の友人であるマイク・バーグ氏が「写真や資料を提供してほしい」といった話が起こり資料を送ったところ、2012年には著書「エンパイヤ・エクスプレスの乗組員達と静かなる山」が刊行され、送られてきた。バーグ氏が15年7月17日に八面山に来訪された折には、中津ロータリークラブの方々と共に桜の木を植樹され、宇佐海軍航空隊基地もご案内した。

その後、本年6月に、さらに改訂版が私のところに送られてきた。よほど中津における歓待が記憶に残ったらしく、そのことが書き加えられていた。終戦記念日が近くなり、戦争と平和の重さを改めて感じさせられた今日このごろである。

２０２０年8月13日

米国首席領事が八面山へ

１９４５年5月、中津市三光の八面山上空で米国のＢ29爆撃機が日本軍の戦闘機に体当たりを受け、撃墜された。

パラシュートで脱出した米兵３人を三光村の住民が保護し、食事などを提供して福岡の憲兵隊に送った。墜落死をした残り８人も手厚く埋蔵し、戦後の今日まで追悼行事を行っている。

去る7月28日、八面山平和公園に在福岡米国領事館のジョン・テイラー首席領事が訪れた。当院から関係者３人が出席し、平和公園の管理責任者である楠木正一氏と共に案内をした。

Ｂ29の墜落地点の碑文と、私の友人でホワイトハウススタッフであったウイリアム・ブッシュ氏が植樹した桜の記念樹を訪れた。さらに平和公園の石碑や記念館などを見学、熱心に説明を聞き、各場所に深く黙とうをささげていた。首席領事が戦争のない世界を構築する努力の必要性を再認識する行為を行っている理由は、父上がＢ52爆撃機のパイロットだったことであると、後の報道で分かった。

私も父親が日中戦争で１３０発の弾丸破片を受けながら激戦を戦い抜いた結果、２４０人もの部下を亡くしたにもかかわらず功五級金鵄（きんし）勲章を受けたことが心の負担となり、太平洋戦争で知覧特攻基地の守備隊に志願し、そこで戦病死したので、このテイラー首席領事の深い思いに重なり、考えさせられる今日この頃である。

２０２０年9月15日

新型コロナと自然環境

19日時点で世界の新型コロナウイルスの感染者は４千万人を超え、死者は約１１０万人とスペイン風邪以来のパンデミックになってきた。中でもアメリカは感染者８００万人、死者20万人を超し、ついにトランプ大統領までが感染して入院する事態となった。

感染症のみならず最近の梅雨期の大雨による洪水、巨大台風の来襲、熱帯を思わせる高温の夏などとてつもない環境の変化が我々を襲っている。7月6日の国連リポートによると自然破壊や気候変動が続けば新型コロナのような感染症が増えると警告している。

2002年に発生した重症急性呼吸器症候群（SARS）はコウモリのウイルスに感染したハクビシンを食した人たちに感染が広がり、12年の中東呼吸症候群（MERS）は中東のヒトコブラクダが仲介をしたウイルスといわれている。

このように自然環境の変化で野生動物に新たな感染症が発生し、そのウイルスがいろいろな動物に感染、それを取り扱い、食した人間に感染するという経路をたどったのが今回の新型コロナである。「これは人間社会と自然界とのバランスが取れなくなっているからだ」ということをさまざまな学者が指摘しているところである。

人間の健康、動物の健康、環境保全、このそれぞれを重ねてワンヘルスとして捉え、このバランスの上に人間社会を作っていくことが必要になってきたように思えてならない。

2020年10月22日

III 備忘録

朝の祈り

1 「大分県病院協会」会報

第34回　大分県病院学会を終えて

去る11月13日、別府の国際会議場・ビーコンプラザにおいて第34回大分県病院学会が約2、600人の出席者のなかで盛大に開催され、無事に終えたことに感謝いたします。

この大分県病院協会は全国的にも珍しい協会で、大分県のほぼ全ての民間病院が登録されており、全国的にも極めて統一のとれた協会であることで知られています。当初は約200人の規模で開催されていた学会も、歴代の事務局長並びに役員の方々、そして70人を超すボランティアの方々の努力のお陰で、最近の6年間は2千人を超える盛大な学会となっていることは全国的にも注目されています。

当初は病院の質を上げることを目的として病院評価機構などについて勉強することが多かったのですが、近年は毎年違うテーマでそれぞれの病院の独自性を発揮した、質の高い発表が行なわれるようになったことも嬉しく思っています。特に医療の安全やサービスの向上、経営状況の改善、マネジメントに関する多くのことを自ら学ぼうという姿勢は、私が最初から考えていたとおりの方向であり、また、毎回行なわれる特別講演やシンポジウムも時期を得たテーマの発表が続いています。

今回の『「上善は水の如し」～不撓不屈の精神でみんなのために～』というテーマはNHKの大河ドラマ『軍師官兵衛』の黒田官兵衛の座右の銘です。これは、水は周りの状況がどんなに変わろうとも四角い枠に四角くはまり、丸い枠には丸く収まるが、時には怒涛の如く激流になり、大海となって万物を養うものであるという意味です。我々は国内外を問わず、不透明な時代にあって〝不撓不屈(ふとうふくつ)〟の精神でみんなのために頑張ろうという思いを込めてこのテーマにしたことが今回のシンポジウムにも表れていると思います。

また、今回は特別講演として、全日本病院協会の常任理事で〝病院のあり方委員会〟の委員長である徳田禎久先生による『どうなる、どうする民間医療～医療情勢激変を迎えて』というテーマで非常に詳しい医療情勢の分析のなかで、2025年に向けてどのような医療政策が行なわれ、また、病床の編成がどのように行なわれるかという大変詳細なお話であり、資料の内容も精細なものでした。このような情報のなかから自分たちの病院の行く末をどのような方向に考えるのか、非常に良いチャンスになったと思います。

更に、シンポジウムでは〝面白き医療、面白き介護〟ということで、アフリカのケニアを中心として医療支援を行なっている医療法人光心会諏訪の杜病院・武居光雄院長の『ケニア国における医療支援』、そして中国の医療支援を行なっている、かわしまクリニック所長（元川嶌整形外科病院院長）・田村裕昭先生による『骨髄炎治療における中国病院支援～中国との交流20年を振り返って～』、次いで大久保病院・大久保健作理事長による『〝医砥ばたカフェ〟へお越しください！～医療過疎地域において医療の原点を問う～』という三人三様のユニークなテーマであり、また、ユニークな活動を通して病院内のモチベーションを上げ、活性化を行なっているということが伝わってきました。

このように、絶えずチャレンジ精神と不撓不屈の精神で立ち向かえれば、黒田官兵衛のように〝負けない戦い〟、つまり〝負けない医療や介護〟ができると信じていけると思います。また、一般の発表やポスターセッションにおいても、それぞれに理念に基づいて様々な患者さんのためにどうしたら良いかということに対するマネジメントやサービス向上の工夫などが発表され、様々なディスカッションが行なわれたことを大変喜ばしく思います。この力を持っていけば2017年度の学会も、いかに医療情勢が厳しくなろうとも不撓不屈の精神で〝負けない戦い〟をやっていただけることを心から信じられる力強い学会であったことを報告致します。

最後に当院では〝温故創新〟の精神を持って精進するために開業以来、毎月曜日の朝礼で以下の〝七つの誓い〟を全員で唱和しているので参考までに記載しておきます。

かわしまフィロソフィー〝七つの誓い〟

一　生命を尊重し、医療の公共性に基づき社会に奉仕することを第一前提とする。

二　病に対する同情といたわりの心を持って診療を行ない、患者さんに優しく親切にすること。

三　人間形成と医療技術の研鑽をたえずおこたらないこと。

四　自らの仕事に対する責任を自覚し、より質の高い任務遂行のための努力、および創意工夫をおこたらないこと。

五　院内ではお互いの任務を尊重し、互いに譲りあって、誠実、協調、和の精神を尊ぶこと。

六　公私の区別を明確にし、清潔で規律ある院内にすること。

七　省資源、省エネルギー時代のなかで光熱費の節約に努力し、物品を大切にする気持ちを養うこと。

（2017年1月11日）

ビーコンプラザ

第35回　大分県病院学会抄録集

「巻頭言」

東日本大震災から既に6年を経過しています。現地の復興は徐々に進んでいますが、未だ万里の長城のような堤防ができ上がっているのみで、住宅地への回帰や商店街などの再開はまだまだ遅々として進んでいないのが現状です。地震と津波による災害というものの凄まじい破壊力を現地で見て、その恐ろしさと復興が容易でないことを実感しています。

この大災害に引き続き、昨年は熊本・阿蘇地域にも大震災が起こり、それは大分県の別府や湯布院にも及んでいます。更に今年の7月には大水害が大分県の日田地域や福岡県の朝倉地域に及んでいる状況を見ると、我々は常に災害に対しての覚悟と備えをしておかなければならない時代に晒されていることを感じます。つまり大災害が日常化している現状を踏まえ、それに対しての万全の備え、そして絶えず災害訓練をしておかなければならないことを痛切に感じている今日この頃であります。

また、世界情勢を見ても米国ではトランプ大統領が「アメリカファースト」を唱えて国際環境条約を破棄し、あるいはＴＰＰを離脱するということで国際的な協調体制が次々と壊れてきています。また、一方では中国、ロシアもそれぞれが自国を中心とした考えをしており、その隙間を縫って北朝鮮がミサイルを乱発するなど国際情勢が非常に不安定になっています。

そんな折、私たちの社会保障へと向かうべき国の経費も国防費や経済優先の方向へと向けられており、これまでにない医療費や社会保障費の抑制が続いています。それでも経済は横ばい状態のなかで拡張しつつあり、大企業の占める内部留保は３９０兆円を超えているにも関わらず、一般労働者の賃金には反映しておらず、その結果、世界的にも格差が拡大してきています。将来へ向かっての社会保障が抑制されながらもＧＤＰ60％となっている消費は横ばい状態になっているという現状を考えると、社会保障がいかに重要な役割を果たしているかということを考えざるを得ません。

日本医師会が表明しているように「〝医療は国のコスト〟という意見もありますが、社会保障と経済は相互作用の関係に在り、社会保障の発展が生産や雇用の誘発効果などを挙げて日本経済を支える」という観点が必要なのではないでしょうか。医療の拡充による国民の健康支援の向上は、経済成長と社会の安定に大きく寄与するということを我々は強く訴えていきたいと思います。

国民が安心して老後を迎えられるように、そのための社会保障が充実するように我々の学会が寄与することが多いのではないでしょうか。老後の不安を取り除き、国民に安心安全を示すことが経済成長をするための出発点であります。そのために本学会は安心安全で質の良い病院経営を目指す非常に重要な役割を果たしてきたのではないかと思います。

次年度は、２０１８年4月に医療費と介護費の同時改訂が控えており、我々も全日本病院協会や病院団体各種を通じて、また、各種学会を通じて医療費の増加を訴えていますが、現状は財政諮問会議の答申にあるように「社会保障の伸びの抑制」と言っており、毎年1兆円近く伸びている社会保障費が5千億円に抑制され続けています。更にこのような抑制が続けば、全国自治体病院協議会によると、２０１6年度の病院決算の赤字が２４０病院（62・８％）に増え、２０１５年度と比較すると４・９ポイント増加となっており、民間病院においても同様の現象になっています。この赤字決算は、補助金で成り立っている公共病院とは違って、民間病院においては即倒産を意味しており、医療の危機を思わざるを得ません。

国は地域包括ケアシステムとして「病床から在宅へ」を唱えており、入院期間の短縮や病院の機能を分類することによって病床数を２０２５年度までに約10～15万床削減するという計画も発表されています。しかし大分県では、現実には2030年度までは高齢者が増加し続け、その医療費や入院患者が増加の一途を辿っているのが現状です。そのなかで医療費や病床数の強制的な削減を行なえば、介護難民あるいは医療難民を増やすことになると思います。この現状を、例えば大分県の地域として在宅医療で賄うとすればそれに伴う膨大な人材が必要となり、また共稼ぎとなっている家庭では看ることもできず、労働環境にも大きな影響を与えると言われています。

地域医療・介護の連携は重要なことですが、これを急激に進めることの危険性を我々は指摘しておかなければなりません。大分県においては2025年度までの必要病床数に対して約4、200床過剰であると言われており、マスコミなども病床数の削減を唱えています。しかし、大分県においては「まず削減ありき」ではなく、現状を踏まえ「地域の住民に不安を与えない」ということを主張しています。

それぞれの病院がそれぞれの機能や特徴を生かし、その機能が十分に発揮できるような方向に病床を整備していくことが重要だと思います。自分たちの病院がどのような特徴を持ち地域に果たす役割を担っているかを改めて認識し、それに伴い急性期が適しているのか、亜急性期が適しているのか、または介護をしていくのか、それともそれらをミックスしていくのか、その計画と目的をはっきりと見定め2025年までに方針を示しておくことが必要になってくると思います。

急性期病床は今後も重要ですが、それにこだわって実際に救急医療として機能していない病院は問題になってくるので地域包括ケア病棟等を活用して一般救急も受け入れられる態勢をそれぞれの病院が整えておかなければならないと思います。また、慢性期病床においては治療を要しない介護のみの患者さんたちのベッドは介護医療院という名目で医療と在宅の中間的なものに変更されると言われています。それに備えどのような方向でいくかを各病院が計画をしていかなければならないことになるようです。

今後は様々なドラスティックな改革も行なわれることを覚悟して、それぞれの病院が〝敬天愛人〟つまり天を敬い、天からの広い視野で見て平等で公正な医療を行なう、また患者さんや利用者の方々、職員同士が〝愛〟の気持ちを持ってお互いを思いやる医療・介護が行なわれる必要がある、これこそが我々の目指すところだと思います。

日本の人口構成は2006年をピークに急速に減少しつつあり、今後、医療や介護を担うスタッフの確保が非常に重要になってくると思います。そのための魅力ある職場にするためにも、人材成長・教育の観点からも〝敬天愛人〟の心を持ってしっかりと職員教育を充実させていくということが、まさに重要になってくるのではないかと思っています。この度の学会における皆さま方のご活躍とご発展を心より祈念しております。


（2017年8月7日）

第36回 大分県病院学会抄録集「巻頭言」

ここ数年、色々な災害が続いていますが、また今年の5月、主に岡山県や広島県、愛媛県を中心に大水害が起きました。その後始末が終わらないうちに台風12号が東から西へと考えられないコースを辿って日本列島を縦断していきました。

我々はこのような大災害に対して常に準備をしておかなければならない現状になってきたようです。しかし、耶馬渓では全く台風もなく地震もなかったにも関わらず突然の山崩れが起こり、犠牲者が出たなかで中津市医師会の先生方やDMATの先生方が大変なご苦労をしながら出動しました。

このことなどから我々は自分たちの病院を守るのみならず地域全体を守るということに対しても常日

頃から絶えず災害訓練をして災害に備えるということをしていかなければならない時代が来たようであります。

また、国際情勢では、トランプ大統領がアメリカファーストと唱えながら次から次へと国際的な条約を破棄しています。そんななかで国際環境条約からも脱退するなど地球の温暖化や環境破壊はどこ吹く風といったような大国のエゴがまかり通っているような時代が来ています。それに対して国連や世界中の国々も振り回されているのが現状です。

北朝鮮とアメリカの関係は一触即発の戦争危機は去ったもののこれから先、どのような展開になるか全く見通しが立っていません。そのようななかで中国とアメリカ、ヨーロッパとアメリカの間で関税を巡って自国経済優先の原理の下に〝関税戦争〟が巻き起こっています。これは過去の歴史から見ても大不況になってやがて戦争へ発展したことは第二次世界大戦の教えるところであります。

そんななかで我々医療界を取り巻く環境も大変厳しい困難な改定を迎え殆ど診療報酬は上がらず、また、介護保険も非常に厳しい状況下で賢明なマネジメントをしていかないと右肩下がりになるという状況が続いています。

今年度の我々の学会は、『不撓不屈』をテーマに「どのような困難にあってもひるまず、くじけない強い意志で目標達成のために尽力する。木の枝は雪の重みがかかっても折れない限り、雪が融けてなくなれば元通りの張りに戻る可能性に長けている。どんな困難にも負けず挫折しないで立ち向かうこと、あきらめないで困難を乗り越えよう！」をテーマに行なっています。

今日の医療供給体制が、地域包括ケアの名のもとに医療機能が急性期、亜急性期、回復期、慢性期、そして介護療養型老健や老人保健施設、特別養護老人ホーム、居宅施設、自宅へと様々な機能分化が図られるようになり、自分の病院がどのような機能を分担すべきか明確に示しておかないと、立ちどころに淘汰の憂き目にあう可能性が出てきました。一般病床の平均在日数は年々短縮されており、認知症の要介護者や高齢者も急増しています。このようななかで2025年頃までに大分県全体だけでも必要病床数約4千床削減することが可能かどうか、実際には病人や介護者が増えているなかで病床をどのようにすることが可能かどうなのか、我々は早急に検討しなければなりません。

更に10％の消費税が実施されることになっていますが、医療や介護報酬には殆ど回さず、年収500万円の4人家族で可処分所得は35万円も減少すると伝えるなかで受診の抑制や救急患者が自宅で重症化するまで待機してしまうようなことも起こりうる可能性があります。我々が政治家に求めることは選挙に勝つためだけではなくて覚悟を決めてこの国の未来を考え、安心して老いも若きも暮らしていける日本社会を作っていただきたいということであります。そのための財源をどんなことがあっても捻出し社会保障の後退が起こることのないように、しっかりと社会保障が経済の財政的基盤の一つを支えそして生産の誘発効果や雇用の誘発効果を通じて日本経済を支えるものであるということ、そして医療の拡充による国民の健康水準の向上が経済の成長と社会の安定に寄与すること、老後が不安であるという思いを持つ多くの国民に安心を示すことが経済成長を取り戻すための出発点である基本原理に立ち戻っていただきたいと思っています。

否応なくやってくる長寿社会をただ単に高齢者を厄介ものにするのではなくて高齢者も元気に長寿を全うして70歳になっても80歳になっても働ける間は働き続けるという生き生きとした社会をつくっていくことが真の意味で〝元気長寿の社会〟といえるものでないでしょうか。我々医療機関もそのような元気な高齢者をつくっていくために貢献する、そういうことが必要なのではないでしょうか。

この度の学会では、「今後、どうなる医療　どうする医療介護」というテーマのもとに特別講演を開催、それぞれの病院がどのような特色を持って地域連携のなかで自らの病院を位置付けていくか、というシンポジウムも予定されており楽しみにしていただきたい。
最後に、大分県病院協会の皆様が一致団結をしてこの難関を乗り越えていただくことを願ってやみません。

（2018年8月6日）

2「中津市医師会」会報

根来東叔と人骨解剖図

前野良沢から福澤諭吉に至るまで、中津藩は多くの蘭学者を輩出し、日本の近代化のために大きな貢献をした藩である。1871（明治4）年、中津医学校校長に就任した大江雲沢は「医は仁ならざるの術、務めて仁をなさんと欲す」という医訓を残し、外科医としてのみならず、教育者として優れた業績を残した医師として知られている。大江雲沢の家を調査したところ、華岡青洲の画像や多数の華岡流外科手術図が発見され、当時の中津藩から華岡塾の大坂分塾に5名の医師が派遣され、学んでいたことが判明した。そのほかに『解体新書』や『重訂解体新書』なども発見されており、1889年には右田力太郎による献体解剖も行なわれ、前野良沢を生んだ解剖の流れが幕末・明治までも続いていたと考えられる。

中津に次々と医学のパイオニアが出現した背景には中津藩が藩を挙げて、蘭学に取り組んだという背景がある。日本の近代化に当たり、解剖学の果たした大きな役割が、中津藩の蘭学の歴史からも学び取れる。

1781年、大分県国東半島の医師・三浦梅園は中津藩医・根来東麟（ねごろとうりん）宅を訪れた際に東麟の父親。根来東叔が1741年に作成した日本最古の人骨解剖図を見せられ、この〝人身連骨眞形図〟を模写し、『造物余譚』という著書のに掲載している。私は三浦梅園

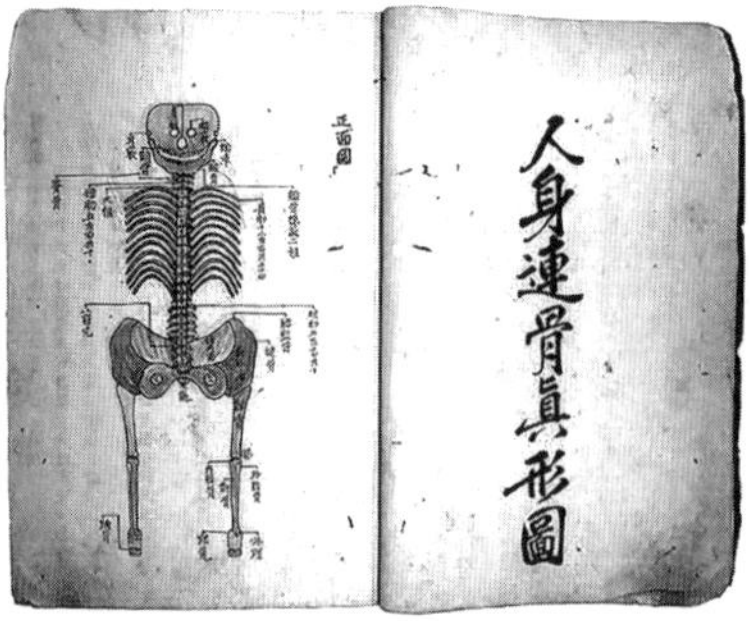

三浦梅園で模写した人骨図
（三浦梅園資料館蔵）

の資料館を訪れた時、梅園が模写して掲載したとされる『造物余譚』のこの根来東叔（ねごろとうしゅく）が描いた「人身連骨眞形図」を見て、必ずや本物の〝人身連骨眞形図〟がどこかにあるはずだと確信し、全国のあちこちを訪ねまわっていた。そうしていると日本医史学会の重鎮であり吉富製薬の取締役でもあった京都の宗田一氏がこの図を所蔵されていることを知り、「是非一度、中津で展示させていただきたい」とお願いをしていた。

宗田一氏は一万点以上に及ぶ膨大な史料を整理している最中だったが、その史料のなかにこの〝人身連骨眞形図〟が見つかればご協力いただくことを京都の会席料理〝順正書院〟で湯豆腐をいただきながらお話させてもらった。

しかし、1998年、宗田氏が亡くなられ、その膨大な史料の整理は京都の医学史研究家・石原理年氏に委ねられたので、再度石原先生にお願いをした。更に宗田先生のお宅を訪れ仏前に焼香させていただき、その時、登し子夫人からもお貸しいただけ

ることの快諾を得た。

そして1999年、〃人身連骨眞形図〃が発見され、石原先生から私に送られてきて、9月24日から村上医家史料館に委託展示されることになり今日に至っている。

この時、〃キャラバンなかつ〃を主催していた今吉次郎氏と共に『人身連骨眞形図を迎える会』を中津城で400名が集まって行なったことを覚えている。この時、中津を訪問された登し子夫人を人力車に乗せて中津城などを案内したことを想い出す。

この〃人身連骨眞形図〃に書かれている文章については、私の郷土史研究の大先輩である松山均先生が大略を解説して下さった。その後、退職後に中津に帰郷された前東大教授・京大人文科学研究所所長の福永光司先生が教育委員会からの依頼もあり、〃人身連骨眞形図〃に書かれた漢文の全てを解読して下さった。現在、その解読された文章は〃人身連骨眞形図〃と共に村上医家史料館に展示されている。

この人身連骨眞形図に関してはその後も研究が続き、近年、九州大学のヴォルフガング・ミヒェル名誉教授によって更に詳細なことが明らかになった。それは中津市歴史民俗資料館の医家史料館叢書Ⅺ『史料と人物Ⅳ』という書物に纏められている。

そのなかには、日本医学史のために日本の解剖学書を研究した小川鼎三氏によると『造物余譚』に取り上げられたこの人身連骨眞形図は、山脇東洋の人体解剖に先行する根来東叔の検屍に対する熱き態度を称えている。日本で最も古い科学的な人骨解剖図であることが明らかになった。

根来家の由来に関しては東叔が1742(寛保2)年10月21日に仕上げた『眼目暁解』で説明している。その詳細は『史料と人物Ⅳ』のなかに原典の文献が紹介されている。根来家は空海の跡を追って中国の治療秘法を見つけた真言系の僧侶で代々僧侶としてその治療法を伝えていた紀州根来寺の眼科医の流れの一族である。現在、その子孫の根来正輝氏が所有している〃根来家系図抄〃によると東叔は元禄11(1698)年4月7日に生まれ、和州広瀬郡阿部村に住んでいたが、いつ頃か定かでないが京都に移り住み、眼科を開業した。中津にお墓がある東麟は享保16（1731）年、山城で生まれた。父・東叔は宝暦5（1755）年4月12日に58歳でこの世を去り、京都大徳寺の清泉寺に葬られた。

父の死後、10年後の明和2（1765）年に東麟は中津藩の奥平家第三代藩主・奥平昌鹿から本道御医師に召し出され碌250石と薬種料4両を給されたというから相当に医師としての実力があったと思われる。根来家屋敷は中津の古地図では現在の新博多町の市営駐車場付近ということがわかっている。明和6（1769）年10月17日に近習医師となり、その翌年に眼科担当となった。この東麟の功績は福岡県築上郡吉富町広津の天仲寺山にある東麟の墓碑から読み取られ、正確な記録が判明している。

この墓碑の碑文によれば、その知識の幅広さや西洋医学に対する考え方、及び古方に根付いた姿勢のみならず、その知的基盤を提供した父・東叔の医術についても説明している。そして特技としては仏教と共にインドから中国へ伝わった白内障の手術についても記載している。また東叔の『眼科暁解』という著書もあり、その処方は根来寺の伝習から離れ、東叔の独立心と医学に対する姿勢がその著書の至るところに確認でき、彼独自の医療技術について記載されている。

また、眼球の構造や失明の原因などに関する〝眼珠全體家説〟を展開していて、眼球内の〝神水〟が流れなくなることが〝濃障〟の原因と考えたことなど様々な病気の原因について考察している。

宝暦4（1754）年、山脇東洋が京都において日本で最初の腑分けを実施したよりも以前の享保17（1732）年に東叔は火刑となって1カ月以上も野ざらしになっていた金柑長兵衛と中衆茂兵衛の亡骸の人骨を研究し、絵図にして描き留めていた。これが寛保元（1741）年に〝人身連骨眞形図〟として洛陽で完成されたので、験骨はおそらく京都だったとされているが、明確な記述は残っていない。

野ざらしになった遺体を興味深く観察する思いは

強い好奇心と知識欲に支えられた行為として理解できるが、眼科としていずれ目の解剖をしたいというその準備のためであったのかもしれない。東叔の息子・東麟は東叔の死後10年経った明和2（1765）年、中津藩に召し出され、中津城下の勢溜（せいだまる）の北（現在の新博多町の中津市営駐車場）に居を構え、医療と学問に励んでいた。そこに三浦梅園など様々な人たちが訪れたが、余りの蔵書の多さに非常に驚き、その向学心の高さにも感心させられたことが記載されている。

〝人身連骨眞形図〟の詳細に関しては、是非、村上医家史料館で実物を見ていただきたい。

この〝人身連骨眞形図〟はシミもなく極めて密度の高い和紙に描かれていて大変貴重な絵図なので、会員の皆様には是非、ご覧になっていただきたいと思っている。

（2014年）

整形外科発祥と中津
―整形外科の生みの親・田代基徳―

1972年、北九州市小倉にある九州労災病院に整形外科医として赴任した私は、朝の8時30分から午後11時までは日常臨床と手術を行ない、午後11時から午前1時までは潜水病と骨壊死の研究を命じられ、動物実験や潜水の集団検診の整理などを行なうという新たなる人生のスタートとなった。

このようななかで毎年のように日本の学会のみならず海外の学会に参加し発表をした。また、米国のウィスコンシン大学と共同研究をするようになり猛烈に忙しい毎日が続いていた。この労災病院の院長で九州大学名誉教授の天児民和先生から「今の仕事ぶりでは生活のバランスが崩れてくるから少しバランスを保つ意味も込めて医学の歴史について研究を

写真1　軍医学時代の馬上の田代基徳（村上医家史料館蔵）

したらどうですか」と言われた。もともと歴史に興味のあった私は、どのようにすればよいのかと尋ねたところ、天児先生は、「実は日本で初めてとなる東大の初代整形外科教授・田代義徳先生の養父は中津藩の藩医・田代基徳先生（写真1）なんだよ。その基徳先生のことを調査・研究すると整形外科のことがもっと詳しく理解できるのではないかな。君が土日の休みに中津へ帰郷する度に調べてみると良いのではないかな」と勧められた。私は日曜も休めない生活が続くとなるとこれは大変なことになるなと思ったが、内容には関心があったので早速、中津市の郷土史家・松山均先生や嶋通夫先生などを訪ね村上医家の3千点に及ぶ史料や大江医家の史料、また、中津の各寺院にある過去帳などを調査することになった。その結果、様々なことが解明されたので少しずつ論文にしたためてきた。

　中津藩には江戸時代中期頃から骨解剖学に興味を持った医師が存在していたことは村上医家史料館の根来東叔の人骨解剖図を見ればよくわかる。根来東叔は1732年、処刑された二人の男性の遺骨を写生し研究して〝連骨眞形図〟として1741年に完成させた。これが日本で初めての人骨図で、私は伝手（つて）を頼ってこの〝連骨眞形図〟を所持しておられる方にお願いをしてお借りし、現在、村上医家史料館に展示させていただいている。この〝連骨眞形図〟を、中津を訪れた三浦梅園が感動して見ており模写して彼の著者の『造物余譚』という旅日記に掲載している。また、1771年には前野良沢が骨ケ原で処刑された遺体の解剖を観察した後に『解体新書』を出版するなど中津藩は昔から骨解剖などに関心を持った藩であることは明らかである。

　私が立ち上げた大江医家史料館に展示されている初代・大江玄仙（1710〜1792）の史料によ

ると、御典医を務めた玄仙は1754年に長崎の栗崎流金瘡外科免許状をもらって帰ってきている。この栗崎流の免許状をみると、殆ど外傷外科や骨折の整復、脱臼の整復など整形外科に関するものが大半であることがわかる。これは長崎に栗崎道喜という南蛮流の医術に長けた外科医がいたことから、長崎ではオランダ流の外科が浸透していたことがよくわかる。大江家の初代・玄仙は二代目の栗崎道喜に南蛮流医術を学び免許状をもらった。私（川嶌家）の墓地のなかにも宝暦年間に死去した川嶌道庵という医師がいたことが墓石に記録されているが、この道庵も丁度同じ頃、栗崎流の外科を学んだことから推察すると、ほぼ同時期に中津藩から南蛮流医術を学んだ医者がいたということがわかる。その後、川嶌家は道庵から三代続いて外科医になっていることが75基ある墓石群から読み取れる。おそらく大江家の人たちと共に、中津から数名の医師たちが南蛮流医術（外科学）を学びに長崎に行ったと思われる。

大江家三代目の元泉（1768～1825）は中津城三代目城主・奥平昌鹿公から10人扶ち（ぶ）の御典医となり〝杏蔭斎正骨術名之目〟の免許状を長崎の吉雄耕牛塾の吉原元棟から受けているが、これは現存する日本で最古の整骨免許状と言われている。当時、整骨免許は医師のみに与えられ多くの医師が長崎で整骨術、今日の整形外科の基本を学んだものと思われる。

このような流れのなかで中津藩は、蘭学に傾倒し江戸時代中期から後期にかけて大坂の華岡青洲塾の分塾・合水堂に大江雲沢をはじめとする5名の医師が入塾し、更に適塾には11名もの医師が入塾している。このように中津藩の医師は蘭学を学ぶことになったそのなかの一人・松川北渚の実子である田代基徳が1839年、中津で生まれた。幼少時の名前は一徳、後に基徳と改名、号は太楽といった。幼児期に父を失い従兄弟の田代春耕の家を継いだことで田代基徳と称した。彼の実父である松川北渚は黒田藩儒学者・亀井昭陽の高弟で田能村竹田や僧月性、頼山陽とも交遊し医者であると同時に大変高名な儒

写真２　松川北渚の墓

学者であった。その北渚の実子として生まれた基徳は父亡き後、田代春耕の養子となって田代家を継いだ。私はこの松川北渚のお墓（写真２）が自性寺にあることを突き止め恩師の天児民和先生をお連れしたところ大変感動されて先生はお墓の前でしばし黙祷したことが未だに記憶に残っている。

田代基徳は１８５３年、中津を出て筑前、肥後、京都、大坂で漢方医学を学んだ。更に１８６２年、大坂の適塾に入門したが、その時、中津からは彼も含めて11名が入門し緒方洪庵に蘭学を学んだ。貧乏学生だった基徳はいつも腹をすかして食べ物に困り、緒方家のお正月用の餅をこっそり盗もうとしたところ洪庵の奥さんに見つかり、あわてて樽のなかに逃げ込んだ。しかし、奥さんに樽の蓋を開けられ見つかり、さぞかし叱られると思ったが、奥さんは黙って餅を一つ手のひらに載せてくれたのでホッとしたという話や、解剖した牛を食べてしまったなど他にも色々の逸話が残っている。

１８６２年、緒方洪庵が江戸の西洋医学所（現在の東大）の頭取に任命されたので基徳も一緒に付いていき、この医学所に入所した。しかし、病弱だった洪庵は間もなく死去し松本良順が頭取となったのだが、良順は医学書以外の蘭書を読むことを禁止したため足立寛らと共に学生争議（司馬遼太郎によると本邦初の学生のストライキ）を起こしたが、福澤諭吉に諫められて争議は収まったということである。諭吉と基徳は大変親しかったので諭吉の住居の近くで火事があった時、基徳が火事見舞いに駆け付けたところ、お煮しめが出たので大いに食べたが底からおにぎりが出てきた。基徳は、「どうしてお煮しめとおにぎりを別々に入れなかったのか」と文句を言った。また、諭吉の家で金平糖と有平糖が出されたので基徳が有平糖をおお掴みして食べるのを見た諭吉が「一発皆殺し」とからかったなど、周りの人を楽しくさせることが好きだったようである。

基徳は医学所では句読師（助教授）に任命され蘭学と数学を教えた。そして１８６５年には軍艦の軍医、１８６７年には医学所塾監、１８６８年、鳥羽伏見の戦争の真っ最中に『切断要法』（写真３）を著した。この『切断要法』は日本整形外科の曙と言われてもよいほどの本で実際の戦いの現場から毎日のように送り込まれてくる開放骨折している負傷兵を無麻酔（気絶させて）で切断をしていたが、この大手術にはクロロホルムという吸入式麻酔薬が必要であるということを説いた本邦初の本である。この『切断要法』に書かれた手術用法は現在の整形外科医から見ても的確に的を射た本であり、Gross, Bernard, Linhard の外科書に書かれている通りのクロロホルム麻酔を使用して四肢切断法の手術を行なうことを訳したものである。

正にこれは今日においても我々が行なっている手術方法と大差はない。

写真３『切断要法』

１８６９年、田代基徳は東京大学の前身である東京医学校の三等教授となり１８７０年には大学中教授となっている。１８７３年には一徳から基徳に改名し我が国最初の医学雑誌『文園雑誌』を創刊、更に『外科手術』（写真４）を出版したが、中身の３分の２は整形外科のことを書いている。１８７４年には陸軍軍医部２等軍医正になり、１８７５年、千住で刑死人を解剖して我が国最初の医学会『医学会社』を組織し参画している。１８７７年には西南戦争に従軍して敵味方の区別なく治療をしている。この年に『病体解剖社』を設立し外科手術の演習を行ない広く開業医にも解剖を学ぶ機会を与えた。１８８９年には第６師団軍医部長となり、１８９１年には練塀町に田代病院

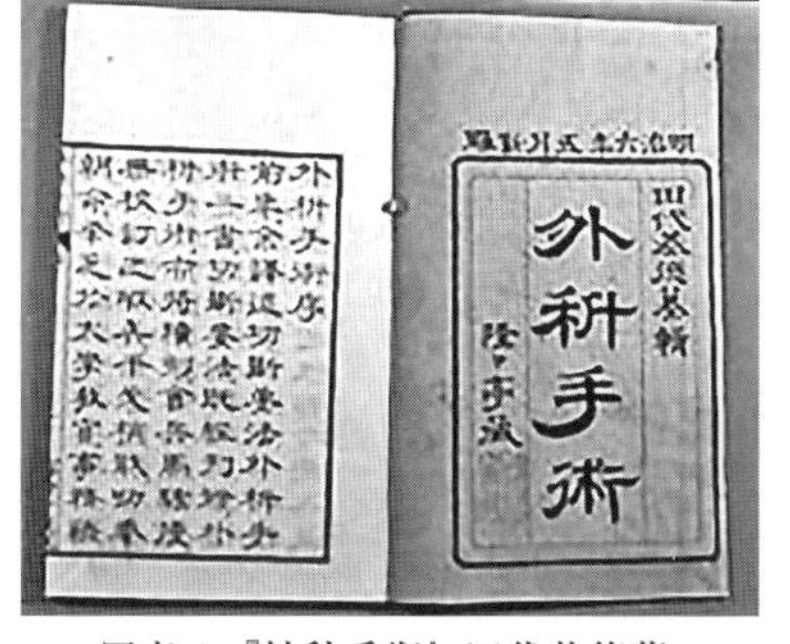

写真４『外科手術』田代基徳著

を設立し軍医も兼ねてその経営に当たった。

　中津の村上田長とも交流していた手紙（写真5）などが村上医家史料館に残されており、陸軍軍医学校校長時代の写真（写真6）も残されている。この写真は私がご家族からお預かりして村上医家史料館の蔵のなかに一時、保管していたが、現在は同史料館に展示している。

写真５　村上田長へ田代基徳からの手紙

写真６　陸軍軍医学校校長時代の田代基徳

　この田代基徳の養子となった田代義徳が東京帝国大学に整形外科講座を開いて初代整形外科教授となり、更に日本整形外科学会を創設し初代会長となった話は次回にさせていただく。

（２０１８年）

高野長英と中津

　２０２０年５月22日に中津文化会館において前進座の元座長だった嵐圭一氏を座長とする一行の演劇集団が高野長英の演劇を公演する予定である。なぜ中津で高野長英の演劇をすることになったのかということを少し述べてみたい。

　高野長英（写真1）の人生をかいつまんで話すと、１８０４年６月１２日に仙台藩の一門である水沢領主水沢伊達家家臣・後藤実慶の三男として生まれ、長崎にて蘭学を学びシーボルトの一番弟子となり抜群の蘭学者として活躍した。にも関わらず

写真１「高野長英」画像

シーボルト事件が起こり、その時、日田の咸宜園を経て中津の村上家に匿われ潜伏していた。そのことから中津との縁がはじまった。

その後、罪は一度、許されたが開国政策を説いたために幕府から睨まれ投獄された。しかし、脱獄して日本全国を逃げ回りながら諸国で蘭学を教え最も有名な蘭学者となり、1850年12月3日に死亡している。明治政府は彼の偉大なる功績を称え死後、正四位を授与されたこともあり、水沢市においては奥州市立高野長英記念館（写真2）があることからもわかるように著名な学者である。

写真2　水沢の高野長英記念館の外観

高野長英は水沢に生まれたが、養父の高野玄斎は江戸で杉田玄白から蘭方医術を学んだことから蘭書の蔵書が多く、長英も幼い頃から蘭学に強い関心を持つようになっていた。長英は1820年に江戸に出向き杉田伯元や吉田長淑などの著名な蘭学者に師事しその才能を認められ吉田長淑の〝長〟の文字をもらい受けて長英と名乗った。長英は後藤家の三男で悦三郎、諱（いみな）は譲（ゆずる）、初めは卿斎と名乗っていたが、前述のように江戸に出てから長英と名乗るようになった。長英は22歳で後藤家を継いだが、母が長英と弟の慶蔵を連れて実家の高野家に戻ったため、母の兄の玄斎の一人娘・千越（ちお）と婚約して玄斎の養子となり高野と名乗った。

長英は少年時代、祖父の元瑞、養父の玄斎、留守家の医師の坂野長安から学問を学ぶことで彼らから大きな影響を受け幼い頃からその秀才振りを発揮していた。この高野家の環境が長英の蘭方医学や蘭学に対する関心を持たせることになったきっかけであろうと言われている。

1820年、数え年17歳の時に水沢を離れ江戸に向かったが、この旅立ちが長英の波瀾万丈の人生の幕開けとなる大きな転機となった。長英は江戸に到着後、日本橋堀留町の薬種問屋・神崎屋源造のところに身を寄せた。神崎屋源造は水沢出身で養父・高野玄斎の知人であり、後に長英の理解者、支援者となる人物である。長英はその後、神崎屋から戸田建策のところに移った。戸田建策は一関の出身で前野良沢の弟子である大槻玄沢の弟子であった。しかし、長英は戸田との関係がうまくいかず杉田玄白の弟子である杉田伯元に入門を乞うたが内弟子にはしてもらえず元の神崎屋に寝泊まりしながら杉田塾に通った。

そして1822年、吉田長淑の蘭馨堂(らんけいどう)で蘭学の門人となった。そこで師の名前から〝長〟の一字をもらい〝長英〟と名乗り、ここに高野長英が誕生した。ここで本格的に蘭学と蘭方医学を勉強し、薬草学や辰砂（水銀と硫黄の化合物）などの鉱物研究にも励みオランダ語の文法の勉強もはじめた。そのためオランダ人ヒッセルから書籍をもらうなど外国人との交流もできるようになった。

1822年、病気で倒れた兄・湛斎の看病の傍ら診療を続けながらの生活をしていたが、その兄が翌年、亡くなった。長英は蘭馨堂を辞めて町医者を開業した。更に不幸が重なり、1823年12月25日には長英の赤坂の家が麹町で出火し、火事で焼けてしまった。師の吉田長淑も亡くなったため師の吉田塾を支えようと奔走したが、それもうまくいかず長英にとって人生最大の転機となる長崎留学をすることになった。

1823年、その頃、オランダ商館の医者としてドイツ人のシーボルトが長崎に到着して6年間、日本の動植物、歴史、言語など研究するとともに〝鳴滝塾〟を開設し、日本全国の多くの医者たちに蘭方医学を教えた。このシーボルトとの出会いが蘭学者・高野長英が誕生する大きなきっかけとなった。長英は鳴滝塾に入塾しシーボルトの直弟子となり、その抜群の語学力によってシーボルトの日本の研究を助ける一番弟子となり食住を保障された。シーボルト塾には高野長英以外に伊東玄朴、黒川良安、二宮敬作などの優れた医師たちも留学しており、高野長英にとってはその人たちとの交流も大きな励みになった。オランダ商館の商館長の江戸参府にも随行して日本に関する研究資料を集め、シーボルトの日本研究に大いに貢献した。ところが、シーボルト事件が起こり1829年、シーボルトは日本から追放された。シーボルトは帰国後、『日本植物誌』や『日本動物誌』など日本に関する研究を執筆したが、その大半に高野長英が協力し関わったことはよく知られている。

1826年、シーボルトは江戸参府で十一代将軍・家斉に謁見し、御典医・桂川甫賢、蘭学者・宇田川榕庵、元薩摩藩主・島津重豪、中津藩主・奥平昌高、蝦夷探検家・最上徳内、天文方・高橋景保らと交友した。この年、それまでに収集した30万点に及ぶ資料は博物標本などダンボール6箱にしてライデン博物館に送られ、現在も保存されている。シーボルトは日本の医学のみならず日本の生活資材や魚介類、動植物に至るまでありとあらゆるものを収集しており、筆者の私もこのライデン博物館を訪れたが、その収集資料の多さには目をみはる思いであった。また、植物園では楠本オタカの名前を付けた紫陽花を見たことがある。このようなことからシーボルトがスパイと間違われたこともわかるような感じがした。

シーボルトは医者というより博物学者であったようだが、当時の日本人にはなかなか理解できなかったらしいのである。スパイとされた理由の一つは日本地図を集めた、あるいは将軍家の紋付羽織をもらったなどとたわいのない理由で追放されたようである。今となっては気の毒な気がする。また、日本妻である楠本滝との間にはイネが生まれている。そして紫陽花の名を〝ハイドランジア・オタクサ〟としたのはおそらくお滝＝オタキの名前を反映させており、お滝に対する情愛の深さを感じる。

1830年、シーボルトはオランダに帰国したが、その膨大なコレクションに驚き、ウィレム一世から、ライオン文官功労勲爵士とハッセルト十字章を下賜された。また、集大成としての全7巻『日本』のなかには〝間宮海峡〟が表記されており間宮の名前が世界に広められた。

シーボルトは日本人の門人に論文を提出させて博士号を与えていたことが知られているが、その提出された論文42点のうち11点は高野長英の論文で突出していた。いかに彼がオランダ語に精通し優れた学者であったかがわかる。彼の論文は日本の結婚、風習や食べ物、お茶、古代史、神社仏閣、琉球など多方面に及びシーボルトの研究の基礎になっている。

これらのことから長英はシーボルト事件によって長崎を追放され、日田の廣瀬淡窓の咸宜園を経て中津に滞在したと言われている40余日間の中津での潜伏（写真3）期間中、村上家では村上玄水が自ら食事を運んだという言い伝えがある。村上家の蔵には「最後までやりぬかねば最初からしないほうがよい」（写真4）と長英がオランダ語でしたためた言葉が残っている。長英は中津の小祝港から出港する時に「世話になった」と漁師にワインをあずけた。漁師はワインを飲み干して空にしたビンのみを村上家に届けたという。

写真3　高野長英が潜伏したとされる村上家の蔵

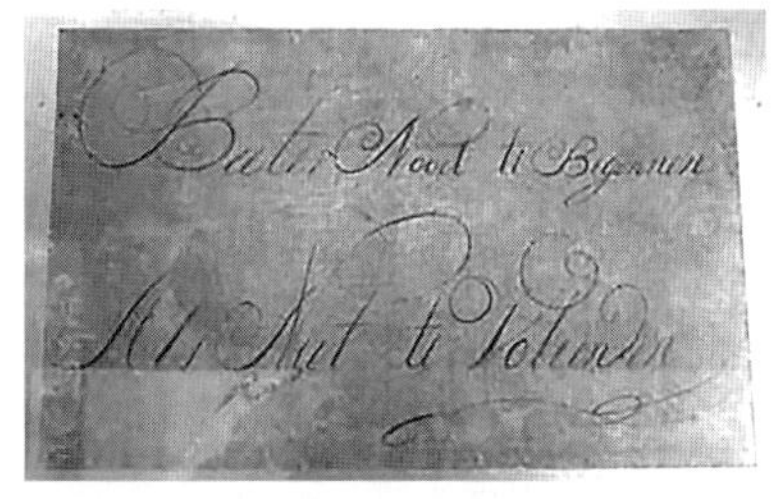
写真4　高野長英が村上家に残した蘭文「最後までやりぬかねば最初からやらない方がよい」（村上医家史料館蔵）

更に長英の潜伏先を探したところ、群馬県の福田宗禎宅にて蘭文で「水滴は力によらずして落ちることによって石をも穿つ」（写真5）としたためた書もあり、字体も同じでありほぼ同様の意味であろうと思われる。当時の蘭学者が自分を支える学問訓にしたものであり、現在、私も自分の病院玄関前にこの言葉をモニュメントとして刻んでいる。その後、長英は一旦許され、1830年には江戸に戻り開業

写真5「水滴は力によらずして落ちる事によって石をも穿つ」の学問訓（水沢の高野長英記念館蔵）

して蘭学塾〝大観堂〟を開いた。その間も多くの著書を残し精力的に活動を続けていた。1837年、アメリカ商船モリソン号が来航したが、浦賀奉行は砲撃を加えた。これは当時の異国船打払令によってとられた処置である。このような打払令に関して長英が記した年（1838年）にちなんで『戊戌夢物語』というエッセイを書き幕府の対外政策を批判した。1839年、目付の鳥居耀蔵が告発して長英や渡辺崋山、小関三英などの蘭学研究者を弾圧する事件が起こった。これが〝蛮社の獄〟と言われ、この事件で高野長英は捕縛され日本橋小伝馬町の牢屋に収監され終身刑となった。このことで日本の蘭学研究は大変な停滞の状況を迎えることになった。これは長英が36歳の暮れであり、まだ血気盛んな頃だった4年間も日本橋小伝馬町の牢屋で過ごすことになった。

弘化元年（1844）6月30日、伝馬町牢屋敷で火災が発生した。これは長英が脱走のために放火させたという説もあるが、これにより長英は牢から解き放たれそのまま逃亡した。その後、長英の人相書きが各地に出回ったため長英は硫酸で顔を焼き人相を変え各地で潜伏活動をしていた。その潜伏先は伊予の宇和島藩主・伊達宗城に庇護され兵法書や蘭学書の翻訳などを行なっていた。その後、大宮、熊谷、高崎などにも潜伏し、更に仙台や福島にも潜伏していたところ南町奉行所の鳥居耀蔵に取り押さえられたが、逃げようとした時に脇差しで喉を突いて自殺をしたのである。シーボルトの最愛の弟子であり、最高の蘭学者であった高野長英の哀れな最後であった。この長英のことに関しての多くの著書があり、また、長英の芝居なども中津でわらび座が一度行なったことがあるのは、長英の中津での縁があったことから上演されたと聞いている。是非、観劇されれば幸いである。

【参考文献】
日本の名著25『渡辺崋山・高野長英』責任編集・佐藤昌介　中央公論社（1984年）
『中津藩蘭学医・村上玄水について —高野長英との関わりを含めて—』日本医事新報（1983年）
『評伝　高野長英』鶴見俊輔著　藤原書房（2001年）
『長英逃亡（上）』吉村昭著　新潮文庫（1989年）（2019年）

3　おもしろ雑学

「邪馬台」巻頭言

最近、東京都議会や国会の衆院総務委員会において、女性議員に対してのセクハラ野次が問題になっているようである。

結婚すれば女性が子供を産み育てるのはごく自然のことである。しかし、未婚の女性に対して出産することを強要するかのような言葉を議会の最中に野次として発言をするのを聞いて、実に情けない思いがする。

現代においても未だにこのような嘆かわしいことが公的な場で行なわれていることについて、私は一言申し上げたい。

私の母は、日本で初めてできた女性が歯科医師になるための文部省公認の東洋女子歯科医学専門学校（昭和元年開校）の2期生として昭和2年に入学している。

母は、中津市内で小笠原藩時代から続いていた屋号を〝枡屋〟という廻船問屋の長女として明治42年に生まれた。ところが中津は九州で最も早く鉄道が敷設され、鉄道輸送が船の輸送より便利で早くなったことから多くの廻船問屋が倒産や廃業に追い込まれていった。枡屋もその渦中に巻き込まれ廃れていったそうである。枡屋のそのような存亡の時期に、長女であった母は一族の期待を背負って中津女学校を卒業後、東洋女子歯科医専門学校に入学することになり、東京に居住する母の叔母・右田フジヱを頼って上京した。

叔母は、明治22年に冨永章一郎という人の献体解剖をした右田力太郎の七男・秀に嫁いだが、秀が夭折したため津和野藩の亀井伯爵家の長女・保子様の乳母となった。その保子様が平成天皇の叔父に当たる東伏見殿下に嫁いだ時に侍女として一緒に上京し宮家に住んでいた。母はその叔母に物心両面で世話になりながら無事卒業することができたのである。母は叔母に世話になりながらも、その叔母が自立した女性として宮中で働く姿を見て、同じ女性として憧憬の目で見ていたようである。

母は卒業後、中津で開業したかったが、当時、男尊女卑の強い市内で女性歯科医が開業することに相当の抵抗があり、昭和7年、やむを得ず上毛郡友枝で開業し、2年後には山国守実に移転した。その後、ようやく昭和11年に中津市内船場に開業することができた。このように日本で最初の歯科医・小幡英之助などを輩出した中津市でさえ女性が社会で働くことが困難な時代があった。

しかし、その後は中津歯科医師会の福成米会長の計らいで理事を10年間も続けるなど、歯科医師として生きがいを持って80歳まで現役で歯科医として働き、85歳まで当院でもボランティアで入院患者さんの歯を診てあげていた。

このような母を見るにつけ、女性が職業を持って働き社会に進出することは当然のことである。と同時に出産して子育てもできるという大変な能力を持っている存在であると思っている。

　私も開業以来、既に20年以上に亘って保育所を開設しているが、多くの女性職員が2人以上の子供を出産し育てながら、当院で働いてもらっている。

　女性が職業を持ち、安定した収入を得ることができていれば、子供を2人、3人と出産して育てることができることを、母の後ろ姿を見て育ってきた私としては、その経験を踏まえ当院にも生かしてきたつもりである。然るに、未だに国会や都議会でのセクハラ野次などを聞くと本当に情けない思いがしてならない。

　今や女性が職業人として、家庭の主婦として、どちらも両立させてやっていける時代になっているのだと、みんな改めて自覚して欲しいものだと思っている。


（2014年7月11日）

「高気圧酸素治療の現状と可能性」

　1834年、フランスのジュノーは銅製高気圧酸素治療装置を作製し、初めて様々な疾患に対して高圧酸素治療法を行なったという報告がある。その後、この治療法はフランスを中心に発展し、1861年、オランダのブルンネル・カンプによるガス壊疽治療への応用によって初めて本格的な治療法が開始された。

　1963年にはアムステルダムで国際高気圧酸素治療学会が開催され、日本でも1966年に第1回日本高気圧環境医学会が開催された。私は1972年、九州労災病院に赴任後、天児民和九州大学名誉教授・院長のご指導のもとに整形外科領域における高気圧酸素治療や減圧性骨壊死の研究をすることからこの方面に携わることになり、現在、日本高気圧環境・潜水医学会の代表理事長を務めている。整形外科領域におけるこの治療法の利用は、当初はガス壊疽など嫌気性菌感染症に対する治療であったが、次第に化膿性骨髄炎の治療を通して好気性菌にも高気圧酸素治療が有効であることが、基礎的研究や臨床的研究から証明され、整形外科領域の骨感染症などに広く応用されるようになった。

その後、2015年4月からは壊死性筋膜炎への保険適用も認められ、整形外科領域における感染症にも広く応用されるようになった。近年は糖尿病に伴う血行障害（糖尿病足病変や糖尿病性難治性潰瘍など）の治療にも応用され、非常に良好な成績を得ている。その上に、骨髄炎を伴う感染性偽関節に対して有効な臨床成績が発表されることに伴い、骨形成に対しても有効ではないかという基礎的臨床的研究が続いている。更に、頚髄症や脊柱管狭窄症など脊髄神経疾患でも広く応用されるようになり、手術前のスクリーンにも活用されている。また、スポーツ外傷などに伴うコンパートメント症候群にも保険適用されるようになり、広くスポーツ障害にも応用されるようになった。特にスポーツ選手の早期の試合復帰などにも活用されており、非常に有望視されている領域である。

（2016年8月9日）

前野良沢と一節截

中津藩医・前野良沢（1723～1803）は『ターヘル・アナトミア』をはじめとして多くの蘭書を翻訳し蘭学の鼻祖と言われている（写真1）。筑前藩士・谷口新介の子で名は熹（よみす）、字は子悦、号は楽山または

写真１　前野良沢画像（個人蔵）

蘭化、通称は良沢と称し、幼くして父母を亡くし中津藩医・前野東元の養子となった。幼い頃、伯父の淀藩医・宮田全沢に養育された頃から特異な性格の人物となった。伯父の宮田全沢は、「世のなかで既に廃れた芸能を良く学び末々まで絶えないようにしろ」「世の人々が打ち捨てたことに取り組み、世のために其のことの残るようにすべし。世の人々がやっていることのみやれば、一生涯空しく人の後ろを歩かねばならない。男児たるものは人のせぬようなことを創始して、世の先導者たれ」と教育したため、幼い頃から一節截（ひとよぎり）という。その当時としては殆ど廃（すた）れかけていた縦笛を吹いて、その秘曲を極めるために稽古に勤しんでいたことが杉田玄白著『蘭学事始』にも記録されている。

中津城三代目藩主・奥平昌鹿公（写真2）は1769年、母の骨折を長崎の蘭方医・吉雄耕牛が見事に治療したことから蘭学に興味を抱き藩医・前野良沢を長崎に留学させた。長崎で良沢は吉雄や楢林らの通詞についてオランダ語を学び、留学わずか100日間で約2千語を習得して江戸へと戻った。その留学中に吉雄耕牛の勧めもあって、高価なオランダの解剖書『ターヘル・アナトミア』を購入し、これを翻訳する機会を密かにうかがっていた（写真3）。偶然、小浜藩医・杉田玄白も同藩医・中川淳庵を通じて『ターヘル・アナトミア』を入手していた。1771年3月4日に杉田玄白らは奉行所に前々から願い出ていた死刑が、〝骨ケ原〟で行なわれる情報を前日に得て、中川淳庵や中津藩医・前野良沢を誘いこの死刑囚の解剖を

写真２　奥平昌鹿（自性寺蔵）

観察することができた。その時、玄白と良沢の二人共が『ターヘル・アナトミア』を手にその解剖図を実際の人体の内臓の臓器と見比べたが、その余りの酷似していることに驚き感動した。その興奮冷めやらぬ翌5日から良沢の住まい（江戸中津藩中屋敷）にて3人で翻訳を開始した。当然、当時はオランダ語を日本語に訳すための和蘭辞書などなく、翻訳は大変な困難を極め1年半もの歳月を要した。その翻訳の合間に訳する言葉を考えたり気分転換のために良沢は一節截を演奏した。この翻訳作業は良沢をオランダ語の師範とし盟主として殆ど行なわれ、なんとか終えることができた。その後、解剖図を描く画家を調達し、発刊の案内書を作成するなど事前のプロデュースを杉田玄白が苦労して1774年8月、『解体新書』としてようやく出版にこぎつけた（写真4）。このように『解体新書』は、小川鼎三（元日本医史学会理事長）が「真の意味で蘭学の幕開けであり日本の科学史はここにはじまった、と言っても過言ではない」と述べている。しかし、良沢は翻訳者の名前には名を連ねることはなかったので名前は記されていないが、『解体新書』の序文には記録されている。また、杉田玄白が書き遺した『蘭学事始』にも良沢が翻訳に疲れると頭を休め気分転換のため一節截を吹いたことが記録されている。

この一節截という縦笛を、1983年、我々が

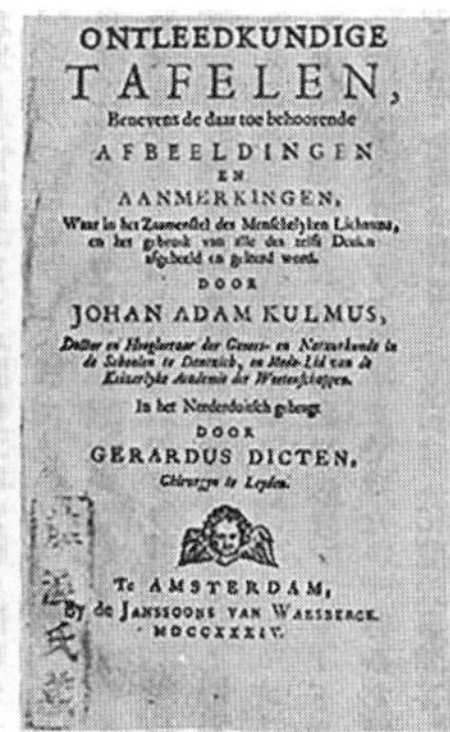

写真3　ターヘル・アナトミアの原本絵扉

写真4　解体新書5冊（大江医家史料館蔵）

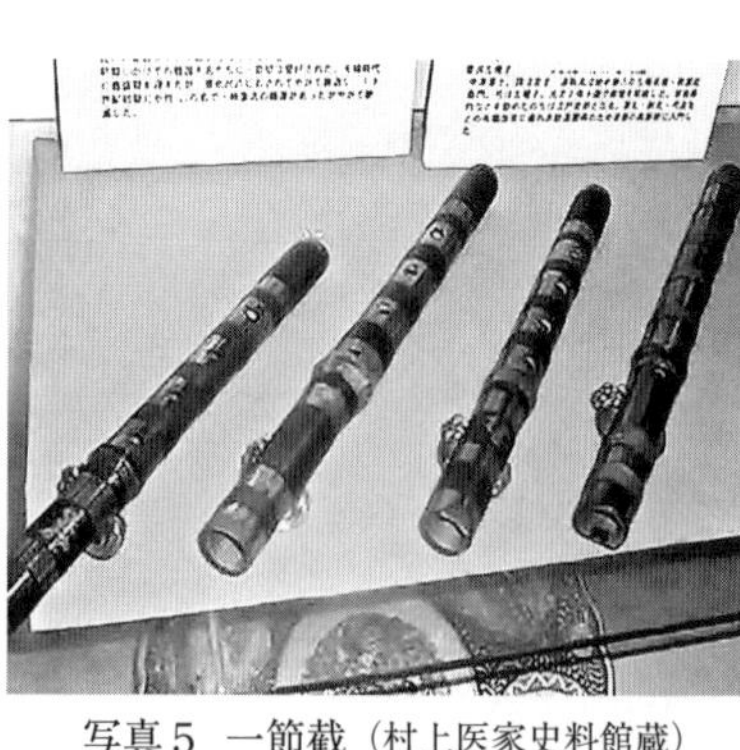

写真5　一節截（村上医家史料館蔵）

立ち上げた村上医家史料館でたまたま発見することができた（写真5）。村上医家史料館は１２代続いた村上家の約３千点の医学史料を展示している。１９９６年、新たに市の史料館として開館するための8カ月間の史料整理の期間中にたまたま4本の一節截が見つかった。これで『蘭学事始』に記載されているように良沢が中津藩に一節截を伝え残したことが本当だったことが明らかになった。

２０１１年の頃、村上医家史料館主事を10年間勤めていた本徳照光氏がこの一節截を復元作成され、尺八大師範の伊藤正敏先生が演奏したことから川嶌整形外科病院で月一回の練習日を設けてみんなで練習をはじめてみた。これが現在、20名を超える会員となり〝中津一節截の会〟となってあちらこちらで演奏活動を行なうようになってきた。このことが全国一節截大会をこの中津で行なわれるきっかけとなり一節截の歴史について相良保之先生が多量の史料を提供して下さり、また、吹き方のご指導をいただいたことから一節截の歴史について述べてみたいと思う。

一節截は相良保之先生が述べているように、飛鳥、奈良、平安時代へと引き継がれてきた尺八を原型として、鎌倉時代から一休禅師の室町時代そして大森宗勲の安土桃山時代、更に江戸時代の元禄辺りまで様々な階層の人たちによって盛んに吹き伝えられ、江戸時代後期の『糸竹古今集』の神谷潤亭（旧中津藩士）辺りでほぼその時代を終えた。一節截は〝中世の竹笛〟と呼んでもよい優れた日本の民族楽器の一つである（『一節截の調べ』より）。と述べられている。５１３年の『日本書紀』によると唐の宮廷の楽人呂僨が作った竹笛が百済を経由して7世紀頃、日本に伝わったと記録されている。法隆寺（6

２０年頃）にも聖徳太子愛用の尺八が残っている。古代尺八は六穴あり、唐の時代には真竹（まだけ）ではなく淡竹（はちく）で作製されている。正倉院に見られる尺八は６穴で３節の雅楽尺八であり細く短い。現在、８本発見されている。

一節截は〝一管節〟、または〝一節截〟あるいは〝一節切〟などとも書かれており、現行の普化尺八よりも細くて短い。管の三分の一のところに節があるので〝一節截〟の名がある。節穴は前面に４穴背面１穴である。音量も普化尺八に比べると小さく音域も狭いことから江戸時代になると次第に普化尺八に押されて廃れていったと言われている。井出幸男著『中世尺八の芸能』に書かれているものによると鎌倉時代（１２３３年）の『教訓抄』に琵琶法師と一節截の図があり、そこに一節截が描かれている（写真６）。このことから一節截は正倉院の雅楽尺八が進化し鎌倉時代には今日の一節截の形になったのではないかと言われている。その後、京都の後小松天皇の落胤と言われている一休宗純が一節截を吹いていたことが明らかな記録として知られている。一休は一節截を愛好し一休截という名の一節截が伝えられている。一休は「尺八は一節とこそ　おもいしに　幾世か老の　友となりけん」という句を伝え残している。このことからわかるように、鎌倉時代から室町時代にかけて広く神社仏閣などで演奏されていたことがわかる。ただその後、戦国武将のなかで北条幻庵が一節截を自ら制作し吹いていたという記録があり、その作り方が独特だったことから〝幻庵切〟と呼ばれている。その他にも一節截を愛好したと思われる戦国武将としては織田信長や徳川家康、北条氏直、武田信玄などがおり、一節截の全盛期があったことが知られている。また、精強な家臣団を率い

写真６『教訓抄』（1233年）
琵琶法師と一節截
井出幸男著『中世尺八の芸能』
（1988年）

て九州統一を目指していた島津義久も一節截を吹いていたという記録がある。安土桃山時代から江戸時代前期にかけて織田信長の家臣だった大森宗勲（1570～1625）は信長の死後、隠遁の身となり宗勲流という流派を確立し、一節截に没頭して多くの著作を残した。一節截を一般に広め同流派の中興の祖と言われる。その著作として『短笛秘伝譜』は現存する最古の一節截の譜と言われている。

前野良沢はこの大森宗勲流の一節截を習い一節截の名手として『蘭学事始』にも明記されている。同じく中津藩の武士で後に江戸の町医者となった神谷潤亭は殆ど廃れていた一節截の尺八を再興するためにこれを小竹と改称して多くの自作の新曲や、琴や三味線との合奏曲を発表した。著作としては『糸竹古今集』『一節截温故大全』『竹の根分』『糸竹五色貝』『十二調子名義考』『竹の鳩ひ』がある。

没落した北条氏のなかから一節截を大きくした虚無僧尺八のグループが出現してきた。このグループは1703年、明暗寺に集まり虚無僧寺の拠点として知られるようになった。この虚無僧が江戸時代には全国的に広がり、普化宗の虚無僧として国内のあちらこちらで見られるようになった。しかし、1871年、明治政府は幕府との関係が深く隠密などに利用された普化宗を廃止する太政官布告を出して虚無僧は僧侶の資格がない民籍に編入された。安土桃山時代における一節截の名人、大森宗勲の門人・中村宗三著の『糸竹初心集』を〝中津一節截の会〟の細田冨多氏が現代文に翻訳し、それをもとに我々は練習を重ねてきた。この音楽文献は木版本3冊からなり、上巻は尺八、中巻・下巻は三味線、いわゆる弦楽器（糸）と管楽器（竹）と呼ばれる近世邦楽器の入門独習書となっている。この本には指の運用法などが具体的に書かれており我々が再現するために大変に良い参考書である。また、なかには「伊勢踊り」や「近江踊り」、「すげ笠節」、「海道下り」など、江戸時代に歌われた曲も記録されており、我々が演奏するのに大変吹きやすい内容であった。その後、相良保之先生から寄贈されてきた『糸竹大全』も細田冨多氏に翻訳していただき、更に一節截の楽譜や演奏の吹き方の研究をすることができた。一節截は17世紀後半に最盛期を迎えたものの1684～1704年のピークを境にその後、廃れてしまった。

本徳照光氏によると中津の一節節は爐庵→宗佐→高瀬備前守→教院→安田城長→大森宗勲という流れを汲んだ中津藩の簗次正（正記）によって神谷潤亭に伝授し、最後は伊藤一雲へと伝えられたとされている。その流れから中津藩の御典医であった村上家にも参勤交代で江戸に随行した時に一節截を習い覚え入手し、中津に持ち帰ったものが残されていたと思われる。また、簗家には良沢から直接もらったとされる〝玉うたは〞と銘記された一節截が伝わっており（写真7）、現在、これを加えて中津には全部で5本の一節截が発見されていたが、近年、上原（かんばる）家にも一本発見されており、合計6本が見つかっている。

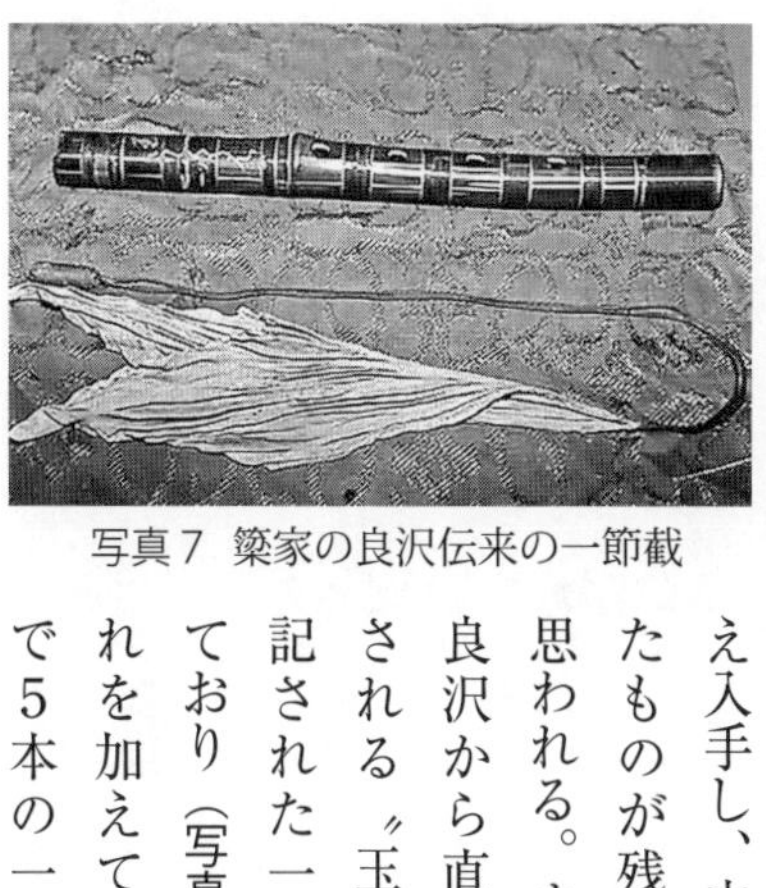
写真7　簗家の良沢伝来の一節截

我々は2005年から大江医家史料館や村上医家史料館の歴史を顕彰する〝マンダラゲの会〞を立ち上げ、春に薬草の苗を植栽し秋に収穫した薬草を金色温泉で薬蕩風呂にして入るという年2回の会合を開催してきた。我々はその秋の会合で一節截を演奏してきた。

現在は、マンダラゲの会の支部として〝中津一節截の会〞が2007年に発足して、中津城の雛祭りや市内や大分の『前野良沢特別展』を行なった先哲史料館や霊山寺、二葉神社、奥平神社のイベントなどで演奏させてもらっている（写真8）。本年1月元日、NHKで前野良沢のドラマ『蘭学革命』が放送されたことを機会に大江医家史料館で『前野良沢特別展』が開催され、そこでも一節截の演奏をした。また、京都で開かれた『第一回全国一節截愛好会』や例年の秋の〝マンダラゲの会〞（10月）の開催などでも演奏を開催している。

写真８　中津城人間雛に出演（1988年）

この度、本年11月10日、全国大会が中津で開かれたことに対して感慨深い思いで歴史を振り返ってみた。

前野良沢たちのパイオニア精神とそれを支えた美しい音色を奏でる一節截という両方の歴史を学びながら良沢の生き方と精神を継承していきたいと思っている。

（２０１６年10月18日）

我が臨床と研究の歩み

中津になぜ福澤諭吉のような偉人が生まれ育ったのか？

中津は慶応義塾を創設した福澤諭吉の出身地である。今、中津市の重要文化財になっている諭吉が育った旧家から３００ｍくらいしか離れていない船場町という所に私の実家があり、そこで私は生まれ育った。小、中学生の頃、この福澤諭吉の旧家を子供会の一員として、掃除を姉と共にしながら育ったので、福澤諭吉のことについては私の脳裏に鮮明に焼き付いている（図１）。

図１　福澤諭吉

福澤諭吉は封建制度が崩壊し、明治維新という近代化が怒涛のように押し寄せるなかで、自らの進む方向性をはっきり示し、慶応義塾を創設して多くの人材を養成して日本の近代化と日本人の思想形成に大きな影響を与えた。今日では一万円札の顔として広く知られており、多くの観光客が中津を訪れている。

私が北部小学校の5~6年生の頃、担任の松山均先生が私に「福澤諭吉について勉強するように」と言われ、諭吉のことについての伝記を読んだりして本と親しむことを教わり、更に読後の感想文を書き文章にするということを教えられた。そのような教えのなかで、中津に福澤諭吉のような人物が生まれてきたかということが私にとっては大きな関心事の対象であった。

『福翁自伝』の伝記によると、諭吉は蘭学という学問に大変興味を持ち、それを学ぶために長崎に留学をしたことがわかった。その記録によると中津では江戸の昌平黌に学んだ当時としては漢学のトップレベルの白石照山に漢学を学び、その漢学を基礎に中津藩の前野良沢のことを知った（図2）。前野良沢が蘭学の鼻祖と言われるようになっ

図2　前野良沢画像

たきっかけは、中津の一藩士が蘭文を読んでいたということを知り、自分も蘭学を学びたい一心で江戸から中津に帰郷しそれから長崎に留学し、蘭学を学びオランダ語の解剖書『ターヘル・アナトミア』を入手し、翻訳したことがはじまりと知った。諭吉も前野良沢と同じように長崎に是非、蘭学を学びに行きたいと長崎に向かった。その時の表向きの目的は、ペリー来航以来、幕府が各藩に外国からの侵略に備えて防衛を強化するよう指示していたので、そのための砲術研究であるということで許可を得ている。そして長崎の砲術家・山本惣次郎の食客となり、書生、下男、家庭教師として働きながら猛烈に蘭学

を勉強した。

　その後、1855年、諭吉は大坂の適塾に入門。1857年には、適塾の塾長となるほど蘭学を勉強した。適塾は28畳の部屋に30～60人の塾生が共同生活をしていたが、1人当たり半畳分のスペースしかなく、まともに寝ることもできず机に向かって一晩中勉強していた。眠くなったら机の上の本に顔をうつ伏して寝るという状態が続いたと『福翁自伝』にも書かれている。当時の若者はそれほどに凄まじい勉強をしていたようである。

図3　築地蘭学の泉碑文

　その諭吉が1858年、中津藩の要請により江戸の中津藩中屋敷跡（現在の東京・聖路加国際病院前）に蘭学塾を開塾した。この場所は1771年、前野良沢と杉田玄白らがオランダの解剖書『ターヘル・アナトミア』を翻訳し『解体新書』として出版するための大変な労力を費やしたところである（図3）。そこは諭吉が、良沢らが翻訳をした中屋敷跡に87年後、慶応義塾の元となる蘭学塾を開塾するという因縁の場所である。

　諭吉は開塾後、横浜に行ってみると、公用語は会話も看板文字なども既に英語に代わっていることを知り、大きな衝撃を受けながらも英蘭辞書を入手し、改めて英語の勉強をして、1862年には咸臨丸に乗ってサンフランシスコに行くことになった。そのアメリカで初めて西洋の文明知識に接し、また、病院を見学しその病院システムを知り、日本にも病院制度を創らなければならないという思いを強くして帰国してきた。更に1867年、34歳の時、幕府の使節の一員としてヨーロッパを訪問した。フランス、イギリス、オランダ、プロシア、ロシア、ポルトガルを巡って帰国している。そして3回目の海外渡航としてワシントンを訪問した時は、ホワイトハウスで大統領にも謁見したという記録が残っている。この福澤諭吉が渡米したことにも関心があり、私も諭吉の足跡を辿ってみたいと思い、多くの海外での学会に参加する度に諭吉の訪問先を訪ねてみた。そのことは、また、後で述べることにする。

明治2年（1869）、福澤諭吉は『蘭学事始』という杉田玄白の随想録を復刻版にして発刊している。この書物のなかで玄白は、「著者は自分となっているが、実は大半を前野良沢が盟主となって翻訳していて、私は編集し出版にこぎつけた」と記している。明治23年（1890）に再復刻版を出したが、諭吉はこの序文のなかで、「彼らの苦労を慮る（おもんぱか）と、パイオニアの辛苦は涙なしには語れない」と述べている。

私も福澤諭吉を見習って国際水準の研究や仕事をしたいと思った

私は福澤諭吉のこの一連の業績を知ることにより、自分も国際水準の研究や仕事ができるのではないかと考え、学園紛争のさなか、東京医科歯科大学を卒業することになった。

1969年、東京医科歯科大を卒業したが、当時の古屋光太郎講師（後に教授）から整形外科の7名の入局希望者全員に、「学園紛争のため大学の医局に残すことができないので自分で行きたい病院を見つけて行くように」と言い渡された。私は幸い、整形外来の中川三与三助教授と東大の同級生だった虎の門病院の御巫清充（みかなぎきよみつ）部長との伝手（つて）で虎の門病院に研修生として行くことになった（図4）。その虎の門病院の研修は現在の当院の研修システムの基本、そして人材育成の基本ともなっている。

図4　虎の門病院屋上にて

早朝からカンファランスを行ない、また抄読会を行なう、更に夕方には多くの研究会、カンファランス、CPC（病理示説）などが続き、毎日が臨床と研究の連続であった。御巫先生は「病室は研究室であり、患者さんは教科書である」と常に言っており、「毎日の臨床のなかから研究テーマを見出すということが重要である」ということを教えていただいた。当時、御巫先生は痛風の大家として知られていて、朝6時から出勤して患者さんを診るという、今では考えられないような超人的外来診療をこなしていた。その時は患者さんの一人として三島由紀夫もいて、あの市ヶ谷の自衛隊で割腹自殺をした日も御巫先生の外来の予約日だったことは今でも忘れられない。

この頃のレジデントシステムは、整形外科をやるためには、まず麻酔科、一般外科を研修し、それから整形外科に配属されるというシステムだったので、最初から整形外科のみの研修を受けるのではなく、様々な医療実技を経験することがいかに大切であるかを教わった。特に麻酔科では全身管理をすることを教わり、肝を冷やすような思いを何度も体験したことが思い出される。

そんななかで、私は一人の若い女性患者と巡り会った。彼女は、12歳の時から化膿性肩関節炎と上腕骨骨髄炎のため、全国各地の病院で繰り返し18回もの手術を受けたにも関わらず排膿が止まらなかった。既に21歳になっていた彼女は、虎の門病院でも1回の手術を受けていたが、全く治癒せず相変わらず排膿が続いていた。その頃、関節内にチューブを留置して持続洗浄をするという治療法がアメリカの雑誌の論文に掲載されていたことを川端正也分院部長から教えていただき、「この治療法を試みよう」ということになり、このシステムを創ることにした。当時の上司で指導医の南條文昭先生とも相談をしてやってみようということになった。何しろ通常の点滴セットで試みるので、すぐにチューブが詰まってしまい流れなくなり、生理的食塩水でフラッシュするなど試行錯誤してようやく持続洗浄を彼女に2週間やり続けたところ劇的に瘻孔が閉鎖して排膿が止まり、炎症も治まった。この女性患者の喜ぶ顔を見て、この治療法をより改良したいと思った。更に私自身も幼少時に骨髄炎を患ったことがあるので、骨髄炎の治療をすることが私自身の使命ではないかと思いはじめていた。

その後、この洗浄用チューブの改良を行ない、二重管セイラムサンプチューブを組み合わせて〝川嶌式局所持続洗浄チューブセット〟を作り、東京大学で開かれた東京地方整形外科集談会で発表した（図5）。するとこの集談会々長で東京大学整形外科の津山直一教授から、「面白そうな治療法だから今後も続けてみなさい」とお誉めの言葉をいただき、虎の門病院でこの治療法で症例を19例、そして九州労災病院で260例の治療を行なった。その後、この治療法は全国的に広まり、今日では骨髄炎の標準治療となっている。[1]

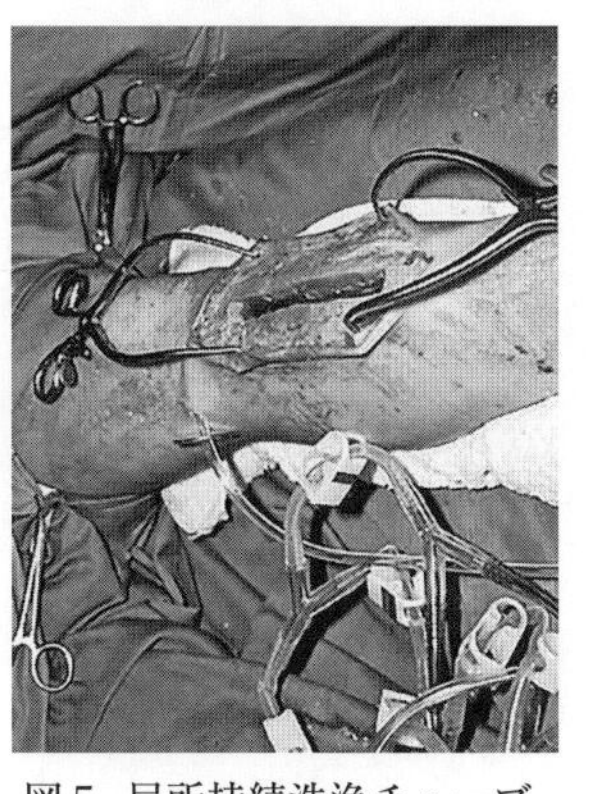
図5　局所持続洗浄チューブ

この虎の門病院の研修で最も重要だと思ったことの一つは、病理部門が非常に充実していたことである。それまでは、病理カンファランスなどに出ても何の役に立つのかという思いで参加していたが、次第に適格な診断をして、病因を明らかにするためには病理をやらなければ前進できないということを知り、当時の望月病理部長の厳しい指導のもとで次第に病理に関心を強めた。これも虎の門病院での研修の賜物である。

中津から一隅を照らし世界に輝く

虎の門病院の研修中に整形外科専修医として一級上の西岡久寿樹先生が来られていた。大変頭の切れる研究熱心な方で、色々とご指導いただいた。先生は、昼間の臨床研修が終わると夜には癌センターのウイルス部で引き続き研究をしていた。その殆どは免疫反応の基礎的実験の研究をしているようであった。

西岡先生は、「臨床も面白いが研究も面白いからやってみないか」と何度か誘われ、自分も何か研究したいと思っていたので、上司の形成外科部長・南條文昭先生に相談した。南條文昭先生は東大出身で手の外科の専門医として有名であり、その手術の正確さと精密さはまるで芸術家のようであった。局所持続洗浄を行なう時も指導医として立ち会ってくれ、私の整形外科医の出発を何から何まで手ほどきしていただいた先生である。この先生がいたお陰で臨床研修のみならず研究することに興味を持つようになった。南條先生に問いかけたところ、「自分が卒業した大学に夜は行って研究をしてもいいよ」と言われた。

当時、東京医科歯科大学の病院や医局は学生運動のためバリケードなどで封鎖されていた時期があったために混乱状態であったが、唯一お茶の水の難治疾患研究所が封鎖されていなかったので、太田伸一郎所長に相談したところ、「研究所の応用人類学で手の研究をしたら」と勧められた。それで夜はこの研究所で〝手の遺伝と骨年齢〟の研究をすることにした。指導者は佐倉朔助教授（東京大学理学部応用人類学専攻）で、ネアンデルタール人の歯の研究では世界的な権威のある方である。その先生から与えられたテーマとして、ターナ・ホワイトハウス・ヒーリー法という手法で骨の発達年齢を各部位ごとに点数を付けてその合計の総合点数から正確な年齢を割り出すという研究に挑戦した。その成果を名古屋で開催された手の外科学会で発表したが、これは私が学会という正式の場での最初の発表であり、この発表論文が医学雑誌『臨床整形外科』に掲載されたのもこれが最初だった。[2]

その後、この研究所に通うことによって研究の基礎や論文の書き方なども教わり、佐倉朔先生には大変お世話になった。この研究室にいた北野元生先生が中津出身であることを知り、その後、九州に帰郷してからも先生とのお付き合いがはじまることになった。

その頃、同級生の眞野喜洋先生から、突然電話があり「潜水病の研究で100mの潜水実験中、ガス漏れが起こり急性減圧症になった。救急再圧治療を受けてある程度の痛みや痺れは取れたが、めまいが止まらないので、虎の門病院のめまいの専門医で神経耳鼻科部長（後の東京女子医大教授）小松崎先生の治療を受けたいので入院の手続きをして欲しい」と頼まれた。私は整形外科医だったので、よくわからないままに、取りあえず整形外科のベッドだけは確保して彼を受け入れた。あの元気のいい眞野先生が、全く歩行ができずふらふらの状態であった。しかし、小松崎先生の適切な治療を受け、徐々に回復していく様子を見ていて、これが潜水病というものかということを初めて知り、関心を持ち、眞野先生からも「この研究は面白いぞ」と勧められた。

いずれ、私は東京医科歯科大学に戻るつもりだった。しかし、その頃、九州労災病院院長・九州大学名誉教授の天児民和先生が、「整形外科もいいが、潜水病と減圧症の研究もしてみないか」と言われ、面白いテーマだと思って、九州に帰郷後も東京医科歯科大学の難治疾患研究所の専攻生を継続しながら、研究生活を続けるということになってきた。この難治疾患研究所では、その後、病理の秋吉教授のご支援を受けることになり、九州労災病院で潜水病の骨壊死を作るための動物実験を行なった時もしばしば標本を持ってきて、酵素染色標本を作っていただき大変お世話になった。このように研究することの面白さを知ったのは、この難治疾患研究所であり、また、九州労災病院でこの方面の研究を続けてきたからであろうと思われる[3]。

九州労災病院で高気圧医学の研究を開始

私は1972年4月1日に、北九州市小倉南区にある日本で最も古いと言われていた九州労災病院で勤務することになった。院長の天児民和先生に挨拶に伺ったところ、改めて「高気圧医療研究部で潜水病と骨壊死の勉強をしっかりするように」と言われたが、よくわからないままに整形外科医として臨床

図6　天児民和先生

研究しながら夜は高気圧医療研究部で研究をした（図6）。この労災病院には九州各地から多くの潜水病の患者さんが来られているが、その潜水病の原因を極めることと数多くの頻度で合併症として起こる骨壊死については全く未知の領域であり、労災病院としての認定もされていなかった。

減圧性骨壊死の研究をはじめる

朝の8時半から夜11時までは整形外科臨床医として手術をし、夜11時から午前1時までは高気圧医療研究部で研究をするという勤務生活がはじまることになった。それで、何を研究したらよいのかということをお伺いするために、高気圧研究部の元部長で、既に労災病院を辞め福岡県田川市で医院を開業している重籐脩先生を訪ねた。そこで潜水病についてお話を伺った。重籐先生は有明海の潜水夫組合の大浦漁協で検診をすることを勧めてくれた。そこには450人もの潜水士がいて、大変な頻度で骨壊死が発生しているという現実であった。そこで以前その漁協に検診に行ったことのある、北九州市黒崎で整形外科病院を開業している九州労災病院の元整形外科部長の太田良實先生を訪れ、「天児先生からこの研究をするようにと言われたので、是非ご指導いただきたい」と言った。すると、「大変な研究になるよ。余りの大変さに途中で止めて、今は開業医をしているよ」と言われ、しばらく考え込んでしまった。労災病院に戻って当時の検診資料を探してみたが、重籐先生や太田先生の研究資料は見つからず途方に暮れていた。その時、太田先生から連絡があり、「君は局所持続洗浄法という治療法を開発して川嶌式洗浄チューブで骨髄炎治療を行なっているようだね。実は私が九州労災病院の赴任当時から診ている大腿骨骨髄炎の患者さんは、6年間で17回も手術をしたが全く治らず排膿が続いていて、今も私のこの病院に入院中なのだが、何とかしてもらえないか」という相談を受けた。これは私の専門だしチャンス到来とばかりに二つ返事で治療を引き受けた。

黒崎を再び訪れ患者さんを診て、「これなら必ず治せます」と言ったところ、「是非、手術をしてほしい」と頼まれ、その日のうちに手術の段取りを決めて帰った。手術当日は松永等副院長に麻酔を担当してもらい、看護師さんを付けてもらい、私一人で手術を行なった。患部の四つの瘻孔(ろうこう)から膿がどろどろと出ている悲惨な状態だったが、掻爬(そうは)して川嶌式局所持続洗浄チューブを留置して2週間の持続洗浄を行なった。8週間後には見事に瘻孔が塞がり、患者は6年ぶりに退院できた。

その後、太田先生から「患者が大変喜んでいる。もう一度来てくれないか」という連絡があったので再度訪れたところ押し入れのなかから、減圧性骨壊死のプレパラートや検診当時の研究資料、調査資料を沢山出してくれ、「君にこの研究を頼むよ」と言われた。これは何が何でもやらなければといけない研究だなと強く感じた。それから労災病院にも残っているはずのレントゲンフィルムのあり場所も教えていただき、埃まみれになっていた7年前のレントゲンフィルムがあることも知った。それを何とか生かしていこうと思い重籐先生に相談に行ったところ先生は、「私も有明海に付いていってあげよう」と大浦業協に一緒に行き、検診をすることを説得して下さった。その時、先方から「7年前の調査の報告・説明をして欲しい」と言われたので、「わかりました。3カ月以内に報告します」と大見栄を切った。そして、労災病院に戻ってから同僚の加茂洋志先生や上司の林皓先生、鳥巣岳彦先生等の支援を受けながら7年前の３００人分のフィルムを鑑定し、骨壊死のデータを一人ひとり手紙方式にまとめ、大浦漁協に持参して報告会を開いた。そのお陰もあって「川嶌君は必ず約束を守りますから是非検診をさせてやって下さい」と重籐先生からお願いをしていただき、ついに骨壊死の検診を行なえることになった。
　我々の検診が決まると天児院長や安藤正孝副院長も早速「一緒に行こう」ということで大浦漁協を訪問し、天児院長から直接「検診データについては川嶌君に任せていますので責任を持って報告します」と言っていただいた。私もそのつもりで「やります」と答え、組合長も「それなら結構ですからよろしくお願いします」ということになり、ようやく検診のできる運びとなった。天児先生はこの検診の研究のために450万円もの研究費を出して下さり、早速ポータブルレントゲン装置を購入して、高気圧研究室と検査室の人たちにお願いをして15人の検診スタッフチームを作った。それから3カ月後に大浦漁協に出掛け、2日間に亘って300名以上の潜水士の骨検診、血液検体を採る検診を行なった。そしてこの漁村の熱い期待に応えなければと意を強くした。この検診データをその後、『臨床整形外科』という整形外科専門誌に4人で分担執筆をして投稿した結果、掲載され出版元の医学書院から優秀論文賞をもらうことができたが、これが私の最初に受賞した賞である。[4・5・6]
　天児院長から「これを国際学会で是非、発表したまえ」と勧められ、1973年、そのデータを持ってカナダのバンクーバーで開催された国際高気圧酸素治療学会と、引き続きシアトルで開催された日米天然資源開発会議で初の学会発表をすることになった。これがその後、43年に亘って潜水病と骨壊死研究を続けることになったスタートである。

有明海にて潜水病の検診を行なう

　九州労災病院に赴任してからは、通常は朝8時半ぐらいに出勤し、夜の11時まで8人の医者で年間に1、200～1、500例の手術をこなすという、大変忙しく昼休みもゆっくりとれない病院であった。しかし、そんななかでもドクターたちはよく意見交換を行ない、お互いに支えあっていた。ほぼ全員が同じ官舎で暮らしていて家族のような付き合いをしていたので、大変コミュニケーションがとれた良い病院であった。

検診後のデータを解析する作業も大変で、仕事が終わった後、高気圧医療の研究室で4人のドクターがレントゲンフィルムや血液検査を診て判定し、一人ひとりのダイバーの検査データを作製した。そして、ようやく半年後、再び大浦漁協に出向きそのデータ分析の報告会をすることができた。その間、多くの漁師たちと親しくなったお陰でその仕事の具体的な方法を克明に記録することによって、何故、骨壊死が起こるのかということも徐々にわかってきた。この調査結果を前述のように1975年、バンクーバーとシアトルでの学会で発表することになった。

鳥巣先生や加茂先生と毎週末毎にこの約300名のデータを判定・分類したところ59・6％の高頻度に骨壊死が認められ、この潜水士の骨壊死は職業病であることを改めて認識することができた。また、この骨壊死がなぜ起こるかという調査もしていく必要があることを痛感した。我々は、元整形外科部長の太田良實先生が7年前に行なっていたデータを基にどのような過程を辿って骨壊死に至ったかを一つずつ追跡していった。そして、ニューカッスル大学のウォルダ教授などによって完成されたMRC分類法を基礎にした太田・松永分類を基に、A群の関節障害型やB群の骨幹部型及び頚部型の二つに分類した。なかでも関節障害型のA群がどのように変化・進行するのか、特に上腕骨、股関節の大腿骨に起こるA2タイプの線状硬化型は、関節面が陥没変形して大きな障害をもたらす骨壊死であることが判明した。

やがてそれはA5タイプ股関節陥没型に移行し、最終的にはA6タイプの変形性股関節症になってしまう。この変化を少しでも早く見つけ出せれば患者の治療ができ、その進行を抑える処置がとれるのではないかということもこの検診の結果であった。また、Bタイプは大腿骨の骨幹部に発生し、殆どは関節が破壊されることはないけれどもB2タイプの不規則石灰化は後に2例ほど肉腫が発生することがわかった。国際的にも同様のことが報告されていて、我々の調査でも一人は肉腫が発生し切断手術をしたにも関わらず死亡したケースがあった。これは、潜水による骨壊死は大きな問題であるとわかり国際学会で発表するに値するテーマであることが次第にわかってきた。

バンクーバーで連日行なわれていた国際高気圧環境医学会には日本高気圧環境・潜水医学会の創設者である一人で、心臓移植でも有名な札幌医科大学の和田壽郎先生が出席しておられた。そして、私が発表する前日の懇親会で和田先生が日本人の発表について「英会話もろくに勉強せず発表に来ているからディスカッションができず殆ど私が代わりに応える状況では話にならない」と苦言を呈していた。そして、私の席にきて、「明日は君の発表の番だが私は通訳も会話の援助もしないから全て自分の英語で答えなさい。君の発表は、シンポジウム形式なので発表終了後は壇上に残り質疑応答をしなければならないからそのつもりで覚悟しておいて下さい」と言われ、顔面真っ青になってしまった。そのシンポジウムの座長を務めるJ・Pジョーンズ博士（カルフォルニア大学臨床教授・カルフォルニア骨壊死研究所所長）が私のところにやってきて、「明日は君の発表ですがよろしく」と挨拶された。そこで私は、「学生時代に少し英会話の勉強はしているが、実際の英会話スピーチは早くて聞き取りにくいからどうしようと思って困っている」と言うと、〝捨てる神あれば拾う神あり〟で、J・Pジョーンズ博士が「心配しなくてもよい。私の横に座りなさい。私がわかりやすい英語に直して話すからそれに答えなさい」と言ってくれたので安心をした。

翌日、『潜水病の骨壊死』と題して有明海のダイバーの骨壊死について発表を終えると多くの質問攻めにあったが、J・Pジョーンズ博士がわかりやすい英語で解説してくれたので何とか答えることができた。ディスカッションが終わると、日本人が初めてちゃんと英語で討論したことに対して場内から万雷の拍手が起こった。そして、壇上から降りた時も和田先生が立ち上がって私と握手をしながら「よくやってくれた。日本人の汚名をそそぎ名誉を挽回してくれた」と喜ばれ、私も思わず感激してしまった。その後、和田先生とは長い付き合いとなり、国際学会で会う度毎に色々と研究のご指導を受けることになった。また、先生は1994年に私が開催した日本高気圧環境・潜水医学会にも出席して下さり、乾杯の音頭をとっていただいた。その後も度々中津を訪れて下さった（図7）。そしてついには、アメリカの潜水高気圧環境医学会機関誌雑誌『プレッシャー』に和田先生の伝記を書くことを依頼され、先生から私に沢山の資料を送っていただいた。一度は辞退したものの、先生の期待に応えなくてはと先生のパイオニアとしての履歴を読み、また、研究論文なども読み、改めてすごい先生であることを知った。

図7　和田壽郎先生、当院を訪問

第4回国際高気圧環境学会も和田先生が主催していて、我々がこの部門に入る遥か前からのパイオニアで、心臓移植の手術にこの高圧酸素治療を応用できないかと考えている方だということも知った。また、先生の心臓移植の著書『神から与えられたメス』という書籍をメディカルトリュビューン社の雑誌に書評を書いたこともある。更に、先生亡き後の追悼文が『和田先生を偲ぶ会』で日本高気圧環境・潜水医学会副理事長の追悼文として参列者全員に配られたことは身に余る光栄であった[7]。このように先生のパイオニアとしての厳しさと前向きの精神は私にとって大きな影響を与えた。

先生に言われた英会話は真剣に取り組み、九州労災病院においても米国から来ているリハビリテーション大学の先生を囲んで、毎週木曜日には英会話クラブを開いた。中津に帰郷して開業してからも35年間、中津在住の外国の先生に英語を習い続け、今でも毎週昼のランチョンと夜の2回英会話を続けてきた。このことが、私が国際学会で発表するために大変役立ってきた。先生が私を叱咤激励したことの重みを未だに思い噛みしめている。

バンクーバーの後、すぐにシアトルで開催された第2回日米天然資源開発会議・潜水技術専門部会は日米双方の潜水病や潜水科学、生理学などの専門医師たちが大勢参加してアメリカと日本で2年おきに行なう政府間レベルの会議であった。日本では科学技術庁海洋科学技術センター、アメリカでは海洋大気局（ＮＯＡＡ）が主催する学会で2年おきに交互の国で行なわれていた。私はこの第2回からこの政府間会議の専門委員になることになった。

シアトルの会議を後に次もやはり『潜水病の骨壊死』についての講演を依頼され、コロラド州立大学のメディカルセンター整形外科主任教授ジェームズ・マイルズ教授を鳥巣岳彦先生と一緒に訪れ講演をすることになった。コロラド大学では数多くの腎臓移植手術が行なわれており、術後は拒否反応を防ぐために免疫抑制剤やステロイド剤を使用していたがその副作用で沢山の骨壊死が発生していた。マイルズ教授は骨壊死に大変関心を持っていて、潜水病の骨壊死との類似点も多かったことから病態がどのようにして起こるのか、また、治療法や予防などについて色々と詳細な質問を受け、私も詳細を説明した。私は骨壊死が潜水病だけに留まらず、特発性壊死や腎移植手術の壊死、膠原病後に伴う壊死など共通した問題を抱えていることを知り、この研究がいかに重要な疾患の研究であるかということを痛感した。その後、コロラド大学の整形外科の手術や診察、外来、病棟などを見学し、アメリカの病院がどのようなシステムでできているかを教えていただき、日本との大きな違いについても考えるようになった。特にプライバシーの守れるような診察室の外来を見て、この度、3年がかりで行なった当院の新築・改築・増築工事のなかで、設計に際し完全防音の診察室を完成することに繋がった。

その後、鳥巣先生と一緒にボストンのハーバード大学に行き、虎の門病院時代にお世話になった鈴木暉男先生が、当時、チルドレンホスピタルに留学していたので訪ね、病院の手術やチルドレンホスピタルを見学させてもらった。これがきっかけでハーバード大学に関心を持ち、息子の眞之（現当院院長）が留学するきっかけとなった。

それから、ヨーロッパに飛びドイツのフランクフルト・ハイデルベルグを訪れ、次ぎにフランスのパリに飛んだ。パリ大学のレイモンドポアンカレ病院の整形外科医として有名なジュデー教授の人工関節置換術の手術を見学するため訪問した。その際、山口県立病院の弓削大四郎院長の紹介状を持って訪れたお陰で人工関節の手術を3例も見せてもらった。フランスが行なっている手術、そして局所持続洗浄療法と似たような局所洗浄をデイキン液という塩素の入った水で行なっていることにも大変感心させられた。

次ぎに、イギリスのバーミンガムで開かれたイギリス整形外科学会に出席し、イギリスの進んだ整形外科の治療法を見させてもらった。世界に先駆け初めて人工関節を開発したライティントン病院のチャンレー先生を訪れ病院を見学させてもらった。朝から夜まで世界中から集まった患者の膝と股関節に人工関節の手術をしていた。まさに人工関節の専門病院であり、その当時はまだ日本では余り行なわれてない最も進んだチャンレー式人工関節で手術を行なっていたことに驚かされた。この頃、日本の手術は金属対金属の人工関節であり、このチャンレーの低摩擦性人工関節という方法はハイデンシチティポリエチレンに代えることで摩擦係数を下げるもので目を見張る思いでその手術に見入った。当時、母校・東京医科歯科大学の古屋助教授（後の教授）が勉強に来ていた。「いずれ、チャンレー式人工関節の手術が世界中に広がるだろう」という話であったが、今まさにそのとおりになっている。

また、その病院のなかにはミュージアムがあり、チャンレー式人工関節が開発された歴史が解説・展示されていて、チャンレー先生自らがこの開発の歴史を案内、解説をしてくれた。このミュージアムがヒントになり、いずれ自分も医療技術の進歩や医学史などを展示するミュージアムを造りたいと思っていたが、当院も3年前の新築、増改築の時に〝かわしまメモリアルミュージアム〟を併設し完成している。

この人工関節の手術は、感染を如何に防ぐかということが大きな問題であり、解決策としてチャンレー先生が研究・開発した経過と成果が公開されている。アメリカのNASAが開発した空気を完全に無菌化するヘパフィルターを活用した完全無菌手術室で、フルフェイスのヘルメットをかぶって無菌手術を行なっていたものを取り入れたことである。このように厳重な無菌システムはいずれ普及するであろうということで帰国後、鳥巣先生と共に天児院長に勧め、数年後には九州労災病院にもクリーンルームができた。当院にも3室このクリーンルームがあり、感染率を少なく抑えるということの重要性を認識した次第である。

1975年の国際会議や世界一周研修、見学旅行は、私にとって国際社会を知り、世界の人々と交流することで多くの収穫が得られると同時に、自分のしていることを世界の人々に知ってもらえるというその両方のことがいかに重要であるかということを知らされた。本当のインターナショナリズムというものは外国を見聞し優れた知識や技術を得ることだけではなく、誰の真似でもなく類のない日本独特の研究を行ない、自分自身の足元の井戸を掘り下げることによって、インターナショナルな世界に通じる水脈を見つけ出すという姿勢が重要だということがわかった。

天児院長は私に『潜水病の骨壊死』というテーマを与えて下さった。この研究は当時、日本はもちろん世界でも殆ど誰もやっていないことだった。そして、天児院長から海外でこの研究を発表することを勧めていただいたお陰で、この研究をすることの意味を初めて深く知ることができ、生涯続ける覚悟ができた大変貴重な国際会議での発表と海外研修旅行であった。

1975年にはこの『潜水病の骨壊死』について更に詳しいデータを発表するために、アメリカのサンディエゴで開催された国際水中生理学会に参加した。

この学会には、潜水病の病理研究のために東京医科歯科大学の難治疾患研究所出身で病理学者である北野元生博士も出席した。北野博士は東京医科歯科大学歯学部出身にも関わらず病理に関心を持ち難治疾患研究所で病理の研究をしていたが、郷里の中津で歯科医を開業していた父上がお亡くなりになり歯科医院の跡を継いでいた。しかし、病理に対する情熱が覚めることなく私と一緒に骨壊死と潜水病の剖検の解剖病理を研究するために週1回、労災病院に非常勤で来られていた。一緒に研究しているうちに「これは容易な研究ではない」ということがわかり、歯科医院を閉院し、九州労災病院の病理部長として本格的に就職され、虎の門病院と同様の病理示説をやってくれるようになった。そんなわけで我々は病理学者という仲間を得、また東京医科歯科大学の眞野教授が潜水病の公衆衛生的な分析をするために参加して下さり、共同研究者として発表していくことになりサンディエゴに集まった。[8,9]この学会が終わった後、ハワイ大学に集まり、高圧生理学のホーン教授主催『マン・イン・ザ・シー』というシンポジウムに出席した。

このシンポジウムでは大分県国東半島沿岸の漁師たちに発生している重症の減圧症、並びに潜水病の骨壊死の問題を私が撮影した8ミリ映画のフィルムを上映した。この映画は漁師たちが約30ｍも潜り6時間も海底で貝をとった後、わずか20分間で浮上して船上の小さな高圧タンクに入り、帰港する3時間を利用して減圧をするという、世界に類を見ない特殊な潜水漁法を記録映画として撮影したものである。この潜水漁法は大変危険なものであり、海外では考えられないことだったので、このシンポジウム会場で驚きの声が上がった。この映画フィルムはアメリカの日米天然資源開発会議・潜水技術専門部会の議長である海洋大気局のミラー博士もぜひ欲しいということで寄贈し、また、ハワイ大学の教授たちにもコピーをして差し上げると大変喜ばれた。その貝とりで潜水病が重症化したダイバーたちの何名かは死亡している。九州労災病院では原因究明のために世界で最も早い時期に潜水病の病理解剖をこの学会で発表した。これは病理学者の北野先生が中心的役割を果たして下さったお陰である。その後、この船上減圧法は非常に危険なので労働基準監督署の方と一緒に九州の潜水夫のいる漁村を回り、この潜水漁法を止めるように指導して回ったが、完全に止めるまでには5年かかり、その間には沢山の犠牲者があった。[10]

潜水病の骨壊死を初の労災認定

1975年には紆余曲折あったが、潜水病の骨壊死を労災病として認定してもらうことに成功した。これは熊本玉名郡の漁民が東京の羽田空港へ通じる地下のトンネル工事に従事して潜函病に罹った結果、熊本大学の玉井教授から九州労災病院に回されてきた患者さんが認定第1号である。しかし、最初は申請しても労災病として認定されず患者さんが大変苦しい経済環境に陥ってしまったので、これを機にこの患者さんを何とか労災病として認定してもらうために色々と申請を行なった。

前例のないことを日本で第1号認定とすることは簡単にはいかないことがわかった。そこで、一緒に作業した玉名郡の村の12名に労災病院に来てもらい全員のレントゲン写真を撮ったところ、6名に同様の骨壊死が発生していることがわかった。また、有明海の大浦漁協301名の検診結果約60%に骨壊死が起こっていることや、イギリスのウォルダー教授からテムズ川で発生し潜函作業員から30%の骨壊死が発生していたという論文と一緒にマイクロフィルムも送ってもらった。これらの資料を揃えて添え、労働基準局にと交渉した結果、約1年かかったが何とか潜水病、潜函病の骨壊死を労災認定することに成功した。現在では問題なく労災病として認定されるようになっている。

減圧症の病理解剖から病因論へ

このような調査や研究、予防活動をしている間に労災病院でも4名の患者さんが潜水病で亡くなっていてその患者さんたちを北野元生病理部長と一緒に解剖をさせていただいた。その結果、潜水病の新たな原因が突き止められた。それまでは潜水病（減圧症）は過飽和した窒素ガスによる塞栓であり、空気塞栓症というのが定説であった。しかし、脊髄の血管や骨髄中の沢山の気泡の周囲に血小板血栓ができていることがわかり、これを北野病理部長は凝固系が亢進して血栓ができたことで骨壊死や脊髄の麻痺が起きるのではないかと推測された。実際、早期の骨壊死や大腿骨の骨壊死、あるいは骨髄炎の壊死と血小板血栓を発見したことで潜水病の原因そのものに迫ることになった。この4例の剖検例は、当時としては大変珍しい発表であり、1977年、トロントにおける国際潜水環境医学会で発表を行なった。これは『減圧症の剖検例に見る早期骨壊死の病理学的研究』として発表した[11]。

不思議なめぐり合わせで、オンタリオ大学のフィリップ教授からもラットでの実験をした結果、電子顕微鏡で見ても、同様に血小板が凝集しそれが血栓の起因となって減圧症の起こしているという発表があった。期せずして私たちと同様の研究成果を発表した同士ということで、壇上での固い握手をしたことを覚えている。その後、減圧症の原因は空気塞栓のみならず血小板の凝集や血小板の減圧症に伴う凝固系の亢進ということが次第にわかってくるようになり、治療法として再圧治療のみならず骨壊死予防にワーファリンやアスピリンなどの投与が行なわれるようになった。また、ヘパリンや血栓溶解剤が使用されるようになり、次第に治療法や予防法なども発表するようになってきた。

国際学会で次々と発表

１９７８年、天児民和九州大学名誉教授・九州労災病院院長が国際整形外科学会々長となられ、京都で開催された国際整形外科学会でも、シンポジストとして発表し大きな関心を集めた。整形外科の世界でも骨壊死（こつえし）は殆ど特発性とかＳＬＥなどの骨壊死しか知られていなかったが、潜水病の骨壊死は極めて限られた人にしか知られていなかった。そのため、このような研究が国際整形外科学会で認識されたということは大変有り難いことである。

動物実験にて病因論と予防法を探る

１９７９年にハワイで開催されたアメリカスポーツ医学会に招待され『潜水士の骨壊死』と題して講演した。また、同年、マイマミで開催された国際潜水環境医学会で『実験的減圧症とビタミンＥの影響』と題して発表した。ビタミンＥは血小板を安定させるという学説があり、動物実験でネズミを急性減圧症にさせると血小板が急速に減少し血栓が起こって70％のネズミが死亡するが、このネズミたちにビタミンＥを投与すると逆に血小板の減少が止まり、70％が生存できるという結果で、この学説を証明できるとともに有効な予防法として発表した。この発表は大きな反響があり、その後、アメリカのデューク大学で飽和潜水士の深海潜水の実験などにもピーター・ベネット教授（後のアメリカ高圧環境・潜水医学会理事長）のビタミンＥを使って有効度などを調査したという報告を聞いている。[12]

また、最近はビタミンＥによって減圧性骨壊死を予防できるのではないかとの仮説のもと、我々はウィスコンシン大学において、羊を使った動物実験を行なう計画をしていた。

我々は９年間、ラットなどの小動物に骨壊死を作って色々と実験をしてきたが、なかなか人間に見られるような骨壊死を作ることはできなかった。しかし羊を使うことで、小動物よりも更に明確な骨壊死が作れるという話を聞いたので、ウィスコンシン大学のレーナー博士たちに、私たちが有明海で調査した潜水府のダイビングプロファイル（潜水法）のデータを送った。そのデータを基に同様のパターンで羊に減圧をかけた結果、約90％の羊に骨壊死が発症するということがわかった。

１９８１年、中津で開業したばかりの私と一緒にウィスコンシン大学のエドワード・ランフィア教授が、日本で羊を使った動物実験をしたいと6カ月の休暇を取得して産業医科大学の客員教授として来日した。しかし、日本では羊を使っての動物実験は羊の入手が困難な上、実験用のタンクもなく容易でないことがわかり、すぐに帰国してしまった。その後、私と一緒に米国で実験をしないかと要請があったが、開業したばかりの私はできなかったので、日米天然資源開発会議の日本側の事務局のある海洋科学技術センターの他谷（たや）康（やすし）先生が私の代理として１年間、米国でその実験に参加することになった。米国海洋大気局からは、最初は２５０頭の羊を提供していただき、約90％に骨壊死を起こすことができたので、更に日米学会の政府間会議の共同テーマとして実験用の羊を５００頭増やし、15年をかけて動物実験を続けてきた。そして人間の骨壊死との比較検討をして北野教授が病理学的に検証してきた。そして現在、退職したレーナー博士の後をロシアから来たソバキン・アレックス博士が引き継ぎ、ビタミンEを使って羊の骨壊死の予防法を研究する段階に入り、共同研究を持ちかけられている。

図８　減圧性骨壊死共同研究者レーナー博士と北野教授（2004年、UJNRにて）

北野教授の解析によるとレーナー博士たちが作った羊の骨壊死は人間の骨壊死と極めて酷似していて、羊が人間と同様の血行状態を持ち、人間と同じような骨壊死になるということがよくわかった[13・14]（図8）。

かつて、中津藩出身の田原淳先生が刺激伝導系の発見のために100人を超す心臓の解剖を行なったが、どうしても最後の詰めで不明な点があり、羊を使って実験をしたところ見事に刺激伝導系の存在が解明されたという話を聞いていた。やはり、このような血管系の実験をする時には羊を使うことの有用性を認識した。その後、特発性骨壊死でもビタミンEで予防できるのではないかという研究が整形外科領域のなかで発表されていて、我々の研究が一般的な骨壊死の予防にも広がりつつあることを嬉しく思っている。

図9　ベネット理事長とダラスフォートワース

東京医科歯科大学の同級生の眞野教授と共に1975年以来、共同研究を行ないほぼ毎年、アメリカ、ヨーロッパなどで開催される国際学会での発表が続き、次第に多くの国際学会での友人たちができた（図9）。

内外の学会主催

1996年、第29回日本高気圧環境医学会総会を中津で私が会長として主催した。

この学会は、日本の高気圧医学に関する唯一の学会であり、心臓移植の権威である札幌医科大学・和田壽郎名誉教授、名古屋大学・榊原欣作理事長などが出席されて、また、全世界から29名もの各国の会長が出席して下さった。このようななかでウィスコンシン大学・レーナー博士は『潜水士における四肢ベンズと骨壊死』を発表、中国からは中国海中技術学会・会長、上海交通大学海洋科学技術センター所長・石教授が『中国における高気圧医学の現況』を発表して下さり、また、私たちと一緒の骨壊死の共同研究者であるカリフォルニアの骨壊死研究所のジョーンズ所長にも『減圧性骨壊死の病因』と題して貴重な講演していただいた。このように、この学会は日本における学会でありながら国際学会にほぼ匹敵するような規模で開催され、多くの方々と交流ができた。また、全世界の方々の協力があって前進する機会にもなった。ロシアのペテルスブルグ大学のドム・チェンコ教授も来られ『ロシアにおけるダイビングや高気圧酸素治療の基礎的な研究について』紹介していただいた。ドム・チェンコ教授との出会いはその後、長い付き合いが続き先生を通じてロシアとの交流もするようになった。ロシアで開かれたハイプレッシャーバイオロジー学会（国際高圧生物学会）で私が発表させていただくきっかけともなった。全世界の人々と交流することの重要さをつくづく感じた学会となった。

当院は1981年、開業と同時に中村鉄工所協力のお陰で一人用チャンバーが届き2年後の1983年には、第2種高気圧酸素治療装置が完成し大型の6人の患者が同時に治療できる大型の多人数用高気圧酸素治療装置が設立された。

1989年、3基目・6人の患者が同時に治療できる多人数用高気圧酸素治療装置が、2005年、4基目・6人の患者が同時に治療できる多人数用高気圧酸素治療装置が設置され臨床医学の研究に使用されている。

図10 1989年、高圧2号基完成日米高圧記念セミナー

これらは、世界の方々と共同研究ができるのに大変役立っている（図10）。

人のやってない研究をしたお陰で、前野良沢がいう「人の余りやってないことをやる」ということの意味がつくづくわかってきた。国際潜水・高気圧環境医学

図11 ドン・チャンドラー理事長と UHMS　2005年

会理事長のピーター・ベネット教授、前理事長のグリーンバーム理事長、その当時、理事長だったドン・チャンドラー（図11）、ホワイトハウス補佐官・スタッフとなったウィリアム・ブッシュ博士などに我々が開いた国際セミナーにお越しいただくようになり、１９９７年以降、毎年のように国際セミナーを当院で主催することができるようになった。[15] 毎年、眞野先生と一緒に発表するようになりアメリカの様々なセミナーやシンポジウムにも招待されるようになり、国際学会のなかで活躍していくことが生きがいともなった。また、このような研究のなかで発展途上国からもお呼びがかかり、眞野先生と台湾の高圧環境医学会の立ち上げも行なった。

　１９７６年、国際鑑定人として調査、裁判鑑定

図12　2008年、UJNR 中津で日米宇宙・潜水高気圧環境合同学会

図13 2012年、New UJNR 東京医科歯科大学にて国際潜水・高圧学会

を行なったことから、台湾も潜水士や潜函工の骨壊死を労災認定するために中華民国行政院労工委員会の主催で減圧症予防のシンポジウムが開催され、私も特別講演者として招請されることになった。眞野先生と共に日中合同学会にも出席した。

これらは、多くの友人、眞野先生を中心とした大学の関係者のお陰である。特に中津において２００８年（図12）、東京では２０１２年に日米宇宙潜水合同学会を主催するなどお互いに多くの国際学会を主催できるよう

図14 アジア太平洋学会、群馬大学及び中津で国際学会

になった（図13）。しかし、２０１３年、誠に残念なことながら眞野先生が亡くなってしまった。その後、日本高気圧環境・潜水学会の代表理事を受け継ぎ現在に至っているが責任の大きさを痛切に感じる今日この頃である。

　２０１５年はアジア太平洋学会、群馬大学及び中津で国際学会も主催をすることができるようになった（図14）。

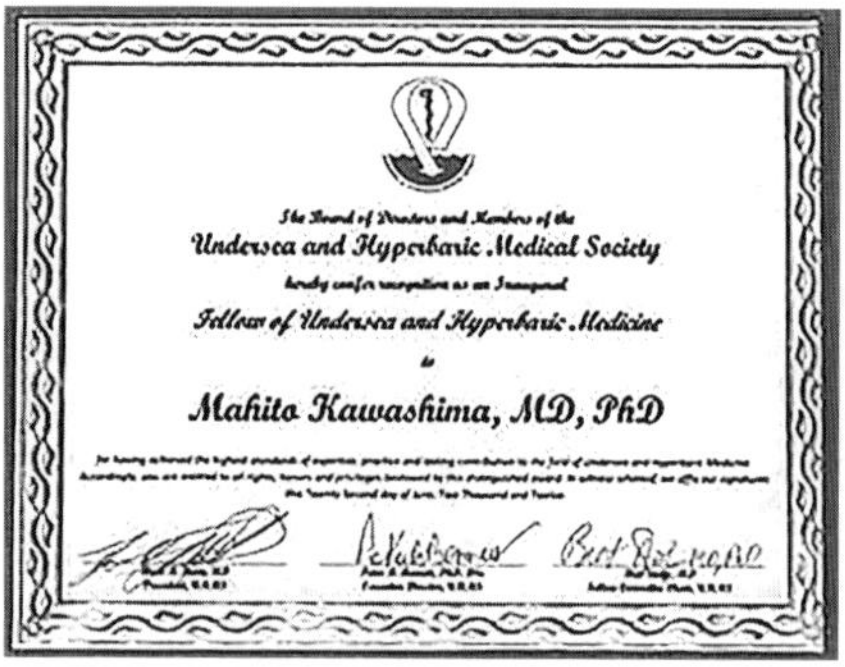

　国際社会においても２０１２年、アメリカアリゾナ州フェニックスで開催された国際潜水・環境医学会の名誉会員に推薦された（図15）。私がスポンサーになり眞野先生を顕彰するヤングサイエンティスト眞野・川嶌学術賞を若い研究者に授与できるようになった。２０１５年には、同門の小柳津先生が授賞されたことは嬉しい限りである。２０１６年、ラスベガスにおいて2回目をカリフォルニア大学の若い医師に授与することができた。このような国内外の学会に東京医科歯科大学・高気圧治療部の柳下准教授が事務局長となり榎本先生、小柳津先生、小島先生や事務局の方々のお世話になって日本でも学会が開催できるようになったのも大学の皆様のお陰であると大変感謝している。

図15 特別名誉会員賞（2012年）

骨髄炎の治療に高気圧酸素を応用

　また、高気圧医学の研究は、同時に私が生涯のテーマとしている骨髄炎の研究においても役に立つようになっている。虎の門病院では19例、局所持続洗浄療法を行ない成功している。１９７２年以降、九州労災病院に移ってから２６０例の骨髄炎を治療するようになり局所持続洗浄療法は、日本整形外科学

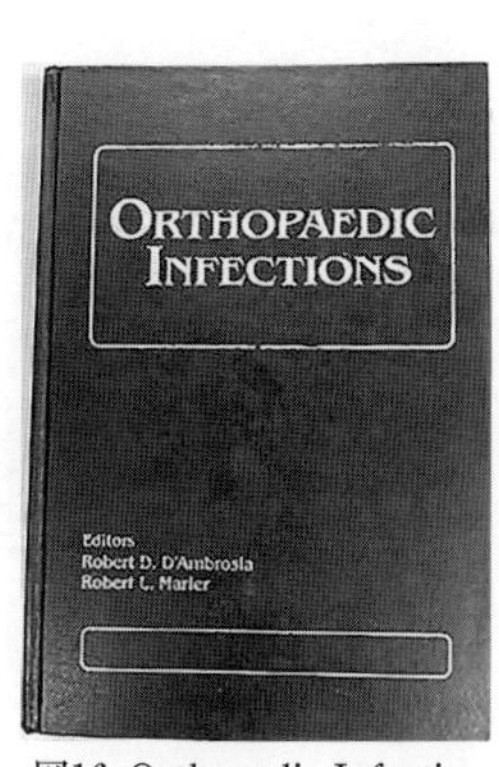

図16 Orthopedic Infection

会の教育研修ビデオ[16]、日本において執筆[17・18・19・20・21・22・23・24]した多くの専門書[25・26・27・28]、アメリカのオルソペディックインフェクションや学会誌などにも掲載され、日本における標準治療として定着するようになった[29]（図16）。

また、河南医科大学の王興義先生が局所持続洗浄療法を学び、骨髄炎の治療を行ないたいと中津に1993年からほぼ毎年研修に来られるようになった。骨髄炎治療の研究に大変熱心であり、川嶌式骨髄炎治療用局所持続洗浄チューブセットを利用して骨髄炎の治療を行なっている。我々もロータリークラブを通じて局所持続洗浄チューブセットを贈り、支援をしている[30]。そして河南省に骨髄炎治療を専門とする60床の病院を、北京に80床の病院を開院している。更に、2010年には5千坪200床の骨髄炎治療専門病院を開院している。大半の骨髄炎患者が局所持続洗浄治療を受けるために中国全土からこの病院に来ていることが中国を訪問してわかった。王先生の熱意は毎年、自分自身はもちろんのこと、若い医師を当院で研修をさせるために送り出していることからも伝わってきた。また、当院の医師も中国へ研修に行っている。更に骨髄炎専門書の分担執筆を依頼され6冊の専門書を出版している。当院にも6冊の著書・専門書を送ってくれた。欧米やアメリカのみならず中国で多くの患者さんにも役立っていてやりがいを感じている。

このように国際的な仲間が増えていくことはつくづく素晴らしいことであると感じている。

1981年以来、中津において高気圧酸素治療を開始してから600例を超す骨髄炎に応用されているが、国際学会で活躍するなかでアメリカでも骨髄炎に応用されていることを知り、1981年からは全ての骨髄炎患者に高気圧酸素治療を併用して治療している。成績は局所持続洗浄療法によって再発率が10%にまで下がっていたが、高圧酸素の導入により再発率5%にまで下がっていることがわかった。再発率を下げることによって有益な役割を果たし、また入院期間短縮や患者さんの早期社会復帰に役立っていることがわかり、骨・関節感染症領域の研究に貢献できていると思われる。

　1979年には、日本骨・関節感染症研究会を10名の教授とともに創立することになった。現在、研究会は大きく成長し日本骨・関節感染症学会として整形外科における感染症の専門医の唯一の認定学会となっていることも大変嬉しく思っている。私は、現在名誉会員であるが、若い当院の医師たちと演題を設けてほぼ毎年出席するようにしている。

骨髄炎の治療にオゾンナノバブルを応用

　眞野教授が開発したオゾンナノバブルを局所持続洗浄療法の洗浄液に応用できないかということで、はじめてからすでに60例の患者に応用して良好な結果を得ている。局所持続洗浄療法の最大の欠点はチューブが不良肉芽などで閉塞したりすることだったが、オゾンナノバブルにより分解する作用が働き閉塞しなくなったことで管理が大変楽になった。以前はイソジンなど消毒剤を使ったりあるいは抗菌剤などを使ったりしていたが消毒剤は副作用があり閉塞しやすかった問題が一気に解決し、管理しやすくなった。このオゾンナノバブルは全く刺激、毒性がないので安心して使用できる。最近は、難知性潰瘍にも応用してこの方面においては非常に伸びていく領域ではないかと、眞野先生が残したオゾンナノバブル学会の理事として先生の研究を進展させている[31・32]。

　このように一つの研究を続けることを通じて様々な領域の方々と交流、協力ができ、そのお陰で研究の和が広がり新しい時代が開いていく温故創新こそ天児先生の言っていた世界なのだとつくづく感じている。

　今なお息子・川嶌眞之とともに国際学会に参加して毎年、発表し続けている。これもひとえに東京医科歯科大学の大勢の先輩や後輩、友人、多くの先人、当院スタッフの協力のお陰である。自分一人では何もできなかったとつくづく感じている研究であった。これから私たちに継ぐ若い人たちも多少基礎研究や自分の専門外のことでも続けてやっていくことが遠回りになるかもしれないが、何かそれがいつか自分が専門としてやっていることに結びついていくことと思って富士山のように裾野を大きく広げ、専門性を深くして研究をしていくことが、また臨床医としても研究者としても非常に重要になるであろうということをこれまでの研究を通じて感じた。

『一隅を照らし、一隅に輝き世界に輝く』そのような後輩が、後に続くことを望んでいる。

【文献】

1 川嶌眞人ほか「化膿性骨髄炎、関節炎に対する閉鎖式局所持続洗浄療法について」関東整災誌3、31、1972
2 川嶌眞人、南条文昭、佐倉朔、太田伸一郎「Tanner-Whitehouse & Healy 法による骨年齢の判定について ―杉浦・中沢法との比較検討―」臨床整形外科7、24~358
3 川嶌眞人ほか「減圧症で入院した潜水士の骨壊死について」臨床整形外科8、933~943、1973
4 林皓、川嶌眞人ほか「減圧症と骨関節の変化 ―1潜水病 その全般的考察―」臨床整形外科9、10~18、1974
5 林皓、川嶌眞人ほか「減圧症と骨関節の変化 ―2減圧症の実験的研究」臨床整形外科9、149~154、1974
6 川嶌眞人ほか「減圧症と骨関節の変化 ―3 潜水士の骨壊死と潜水環境」臨床整形外科9、212~222、1974
7 川嶌眞人「和田壽郎名誉会員のご逝去を悼む」日本高気圧環境・潜水医学会雑誌46、41~46、2011
8 北野元生、川嶌眞人ほか「多発性無腐性骨壊死を来たした一潜水士の症例 ―特に病理組織学的検討―」臨床整形外科11、1092~1099、1976

9　北野元生ほか「減圧症における骨髄病変　―3　剖検例を基に減圧症における骨髄病変の病理発生について の考察―」臨床整形外科12、1130〜1139、1977
10　川嶌眞人、田村裕昭、高尾勝浩、眞野喜洋、芝山正治「有明潜水士の船上減圧法について」日本災害医学会会誌36、402〜409、1988
11　M. Kawashima, K. Hayashi,T.Torisu, and M. Kitano "Histopathology of the early stage of osteonecrosis in divers" Undersea Biomedical Research Journal, 4:409417,1977
12　川嶌眞人ほか「ビタミンEの実験的減圧症に及ぼす影響について」ビタミン53：391〜395、1979
13　北野元生、福重和人、川嶌眞人、他谷康、Charles E Lehner「2 頭の羊大腿骨における実験的 Dysbaric Osteonecrosis（DON）についての病理組織学的研究」九州沖縄地区高気圧環境医学懇話会誌2、1〜7、1997
14　北野元生、川嶌眞人、Charles E Lehner「実際的減圧症に伴って羊脛骨に生じた骨髄壊死」九州沖縄地区高気圧環境医学懇話会誌4、1〜73、1998
15　川嶌眞人「『国際セミナー in 中津』報告　潜水・高気圧環境医学と宇宙医学」日本高気圧環境医学会誌37、39〜47、2002
16　川嶌眞人、田村裕昭「骨髄炎の治療　局所持続洗浄療法を中心に」（教育研修ビデオ）
17　川嶌眞人「慢性化膿性骨髄炎」神中整形外科（天児民和編）、381〜386、1989
18　川嶌眞人「骨髄炎治療用の局所持続洗浄装置」別冊整形外科〈整形外科用機械〉11、224〜227、南江堂
19　川嶌眞人「減圧症」今日の整形外科治療指針　第2版、153〜155、1991、医学書院
20　川嶌眞人「特発性骨壊死」今日の整形外科治療指針第2版、155〜156、1991、医学書院
21　川嶌眞人「高気圧酸素治療　整形外科と高気圧酸素治療の歴史」神中整形外科　改訂23版上、76、20

１３
22　川嶌眞人「高気圧酸素治療　整形外科と高気圧酸素治療」神中整形外科　改訂23版上、77～80、２０１３
23　川嶌眞人「骨壊死骨端症　減圧性疾患と骨関節病変」神中整形外科　改訂23版上、４１５～４２３、２０１３
24　川嶌眞人「骨の感染症の歴史と現状」神中整形外科　改訂23版上、４２３～４２４、２０１３
25　川嶌眞人「骨の感染症　急性化膿性骨髄炎」神中整形外科　改訂23版上、４２４～４２８、２０１３
26　川嶌眞人「骨の感染症　慢性化膿性骨髄炎」神中整形外科　改訂23版上、４２９～４３５、２０１３
27　川嶌眞人「骨の結核」神中整形外科　改訂23版上、４３５～４３９、２０１３
28　川嶌眞人「骨の感染症　その他の骨の感染症」神中整形外科　改訂23版上、４３９～４４８、２０１３
29　川嶌眞人「ガス壊疽」今日の整形外科治療指針3、49～50、１９９５、医学書院
30　川嶌眞人「世界から見た日本の医療の現状と今後の展望」日本高気圧環境・潜水医学会雑誌46、２１５～、２０１１
31　王興義・許振華・川嶌眞人「変形を合併した骨・関節」感染症研究会記録誌7、１０５～１０７、１９９３
32　川嶌眞之ほか「骨・関節・軟部組織感染症および皮膚潰瘍に対する高気圧酸素治療とオゾンナノバブル水の併用療法」日本骨・関節感染症学会雑誌25、14～18、２０１１
33　川嶌眞之、川嶌眞人ほか「骨髄炎・化膿性関節炎に対するオゾンナノバブル水を用いた持続洗浄療法」日本骨・関節感染症学会雑誌27、１４６～１５０、２０１４

（２０１６年９月14日）

村上記念病院と私

創立60周年おめでとうございます。

私と村上家との関係は以前にも書いたことがございますが、村上家の十代目・和三先生が、生後30日目に40度の発熱が7日以上も続き生死の狭間をさまよっていた私の右大腿骨の化膿病巣を発見していただいたことにはじまります。それを高崎皮膚科の高崎澄先生が切開排膿して下さり、危うく命を取り留めたそうです。私の右大腿部には長さ11㎝の手術痕が残っています。この傷を見る度にこの傷の重みを噛みしめながら生涯をかけて骨髄炎の治療に取り組んでいます。

現在では川嶌式局所持続洗浄療法と高気圧酸素治療並びにオゾンナノバブルによる治療が日本の標準的治療として広がり、また韓国からの患者さんも含めて千名を超える患者さんを治療してきました。また、中国からは王興義先生が１９９３年からこの治療法を学びに来日し、現在、北京に5千坪の敷地に２００床の骨髄炎専門病院を開設して名誉院長となっています。そして毎年、当院に来られる中国の医師たちの研修を指導しています。

今ではこの治療法は日本の専門書のみならず、アメリカ及び中国の専門書にも標準的治療法として紹介されています。今日、このように私が国際的にも活躍できるようになったのは、命の恩人の村上和三先生のお陰だと今でも思っています。

私はこのような思いから医学部の学生時代は臨床実習生として毎年、夏休みになると村上記念病院の守谷先生や吉本先生に親切にご指導していただきました。また、１９７2年から九州労災病院の勤務医となりましたが、１９８1年に自分で開業するまでの約9年間、週に一度は当直医師としてずっとお世話になりました。

この頃、村上家の蔵を移動することになり、この家の調査をしていた郷土史家の今永正樹先生が蔵だけでなく本家の中2階にもあった多くの医学的史料を見つけ出しました。それで土曜日の午前中の外来患者を診終ると菊池次郎理事長や樋田延博事務長、今永正樹先生の3人と一緒に〝梁山泊の会〟を結成してこの膨大な史料の調査に当たりました。その結果、村上家の驚くべき十二代に亘る歴史的史料が数千点も見つかり、これを何とか整理しなければということになりました。

村上家は1640年、京都の名医古林見宜(ふるばやしけんぎ)から開業医免許を受け中津藩諸町で開業した村上宗伯以来、今日まで十三代に亘り連綿と受け継いできた医師の家系であることがわかりました。なかでも七代目の村上玄水及び九代目の村上田長の史料には大変貴重なものがあり、村上家が日本の医療のトップレベルの研究をしていたことがわかりました。

宗伯が学んだ古林見宜は当時、大坂でもトップに挙げられる人物で、その弟子は全国に3千人もいたと伝わっています。その高度の医療水準は当時の最高峰であったと言われていて、村上家にはその見宜からの2冊の免許本が残っています。この免許本に関して古林家に問い合わせたところ、戦災により全て消失していて日本に残っている唯一の免許本であろうということがわかりました。

また、七代目の玄水は長崎に留学してシーボルトが指導した当時のトップレベルのオランダ医学を学んでいて、1819年には文献に記録として残っている九州で最初の人体解剖を行なっています。その解剖書の絵図や記述は紛失していましたが、私が探した結果、東京都の中央図書館にあることがわかり、そのコピーを入手して現在の村上医家史料館に保存されています。この村上家の膨大な史料を残すようにしたいと〝梁山泊の会〟の皆さんと相談して菊池昌弘理事長のご支援のもとに〝村上医家史料館〟を設立することになりました。

大変珍しい医家史料館として全国に次第に知られて多くの方が来館していただけるようになり、私が教育委員の時に中津市の史料館になることになって現在に至っています。その史料館の2000点にも及ぶ膨大な史料を私が九州大学文学部学科長（後の副学長）ヴォルフガング・ミュヘル教授に依頼し、翻訳・整理して残していただくようお願いしました。そして教育委員会の支援も受けて現在、十数冊にも及ぶ大変貴重な医学史料として出版され日本全国でも読まれています。

また、高野長英がシーボルト事件で長崎から逃亡し、この村上家に一時身を隠していたとされている土蔵には、長英がオランダ語で記述した学問訓が残っています。私はその意味を調べたいと思い、オランダのライデン大学に出向きヴォイケルス教授を中津に招き解読していただいたところ、群馬県に残されている長英のオランダ語の「水滴は石をも穿つ」と同じような意味で「最後までやり抜かければ最初からやらない方がよい」という言葉が記述されていました。

私はこの学問訓を当院の最大の理念の一つとして病院の玄関前の石碑として刻み込んで残しています。村上記念病院はその後も透析を中心としたトップレベルの内科病院としてますます隆盛を極め発展し、建物や設備も最高水準のものとなっています。

この60周年を迎えるに当たり、皆様方が多くの苦難を乗り越え並々ならぬご努力で為し得た賜物であろうと心から尊敬申し上げます。これからも菊池仁志理事長を中心に中山吉福院長を囲む多くの職員の方々のますますのご発展を祈念しています。

（2017年2月6日）

マチュピチュにみる
驚きの長寿食

　この度、宇佐市の風土記の丘にある大分県立歴史博物館にて『マチュピチュ・古代アンデス文明と日本人展』と題して7月21日~9月9日の間、特別展が開催されることになった。21日の開館当日には『マチュピチュを訪ねて　アンデス民族楽器ケーナの演奏』を行なうことになり、私たちのケーナとケーナそっくりの日本伝統の楽器〝一節截(ひとよぎり)〟の演奏を要請され演奏してきた。また、8月12日には『驚きの健康と長寿　マチュピチュの食に学ぶ』というテーマで特別講演を依頼され講演してきたので報告する。

　私とペルーの関係は、今から8年前に当院にてペルーの音楽家ビジャコルタ・リチャード氏を招いて音楽療法を行なうことと、アンデスの会を作りケーナの吹奏を皆で習ってきたことだ。また、２０１４年、アルゼンチンにて国際高気圧環境医学会が開催され特別講演を依頼されたのを機会に、リチャード氏と一緒にマチュピチュを訪れ、その驚きの古代文明と健康長寿の住民の人々に会うことができ、改めてマチュピチュの食と健康長寿について勉強する機会となったことがきっかけだ。

　現在、日本は１００歳以上が既に6、7万人を超しており、そのうちの87%が女性である。私の母も日本最初の公認の女子歯科医師の学校（＝東洋女子

「マチュピチュの食に学ぶ」宇佐歴史博物館にて講演（2018年8月19日）

歯科医専門学校）の2回生（昭和6年）として卒業し85歳まで現役で働き102歳で天寿を全うした。これからの病院はただ治療をするだけでなく患者さんの健康長寿に対しても大きな関心を持ち、そのための研究を重ね啓蒙活動をしていかなければならないと考え、かねてより少しずつ研究をしていた。

平均寿命が50歳以下と言われていた江戸時代でも元気長寿の人は、例えば『ターヘル・アナトミア』を翻訳して『解体新書』を執筆した中津藩の前野良沢は82歳、それを出版した小浜藩の杉田玄白は85歳と極めて長寿を全うしている。両者とも〝医食同源〟をモットーに大変優れた健康的な生活を送っていたとみられ、例え平均寿命が低い時代でも長寿で天寿を全うすることができることを証明している。

かねてより、首都クスコ（海抜3、400m）からマチュピチュ村（2、200m）、最後の首都ビルカバンバに至るインカ帝国の主要都市は現在でも伝統的な食養生が行なわれており、100歳を超す長寿者の密度が世界でも最も高い場所の一つと言われている。インカ帝国は900年くらいからキルケ人がこの地を支配して、次第にインカ帝国を築き、1200年代から1532年までクスコがインカ帝国の首都であった。アルゼンチンからチリ、ペルー、ボリビア、エクアドルまでの5ケ国

マチュピチュ

に至る広大な帝国が独自の文化と生態系に根差した食文化が発達したことでも知られており、インカ帝国が1533年、168人のスペイン人ピサロの軍隊によって侵略・征服されるまでには、その伝統的な食生活や生態系が既に完成したものと思われる。

インカ帝国が滅びた後も地域の人たちは極めて伝統的な生活と食養生を行ない、健康な人たちが圧倒的に多い。WHO（世界保健機構）をはじめ、京都大学の家森幸男教授など多くの研究者がこの地を訪

れて研究論文を残している。

２０１４年12月に我々もクスコとマチュピチュを訪れ、その広大で緻密な石垣の建造物や人々の伝統的な食養生の生き方を見て大きな関心を持つことになった。もともと、このマチュピチュ村はスペインの侵略・破壊から免れて１９１１年に米国のハイラム・ビンガムがたまたま発見したことで知られている。また、この地域にマチュピチュ村を建設したのは野内与吉（福島県出身）であった。

このアンデスの人たちの信仰は日本の神道に近いもので、太陽と自然崇拝を中心としていてインカの皇帝は太陽の子孫と言われている。山には山の神、大地には大地の神、水には水の神、池には池の神、森には森の神がいるという思想であり、自然と共に生きるという山岳民族の伝統を維持している。何よりも赤道直下でありながら1、０００m級から4、２００m級の高地が延々と続く山岳地帯で、ありとあらゆる生態系の植物が採取できるということがこの地の人々の健康に寄与している。農耕と牧畜の在り方は多種類のジャガイモやトウモロコシがいかなる気候の変動や病害虫にも強く、また、現在も有機農法で栽培されている。このように、食物繊維とビタミンが豊富な食物を多種類食料として多用している。また、それぞれがお互いに協力し合って段々畑を耕すというように、農作業が共同で行なわれている。それにより高齢者の団らんの場があるということと先祖崇拝があるために、長老が大事にされるなど長老が生きていきやすい場所であることも関係しているのではないかと思われる。これが共同で行なわれる農作業から培われている。

多種類のトウモロコシ

このように28の気候と84の生態系がこの一つの地域に圧縮されていて、しかもその多様性は水平方向と垂直方向にも圧縮されて分布されているために、大変多くの気候帯と生態系が比較的に接近して存在し、山の高地まで農耕と牧畜が行なわれている。2、800m以上の土地であっても60%以上の農耕と定住が可能であるということが島田泉博士の研究によっても明らかにされている。

また、海抜2、400mのマチュピチュを訪れて驚いたことに、そこには熱帯植物が栽培されておりマンゴーやアボガド、バナナなどが容易に入手できる状況にあることである。その熱帯系植物で彼らにもっとも利用されているのがインカの墓からもその種が発見されたというアボガドであり、その栄養素は大変高い植物である。アボガドはカリウムやビタミンE、ビタミンB6、葉酸、脂肪酸と植物繊維が豊富で利尿作用や高血圧の予防、動脈硬化、脳梗塞、心筋梗塞、癌の予防に非常に重要な役割を果たす食物を毎日食している人々にとっては大変栄養価の高いものである。

更に癌や貧血の予防のみならず便秘の改善、高血圧や動脈硬化、脳梗塞、心筋梗塞の予防にも役立つマンゴーを多食している。マンゴーは体内でビタミンAに代わるβカロチンが多量に含まれているのが特徴であり、これは細胞の老化を抑える抗酸化作用があることで知られている。また、ナトリウムの排出を促進するカリウムも比較的に多く、高血圧の予防にも作用している。それから日常的に食しているバナナもやはりナトリウムの排出を促して血圧の上昇を抑える効果のあるカリウムが豊富に含まれており、脳梗塞や心筋梗塞などの予防に効果が期待されている。更に、最近知られてきたことで、トリプトファンはセロトニンの原料で脳の代謝を促進して認知症を予防する。また、バナナには食物繊維やフラクトオリゴ糖が含まれており、消化を促進し便秘改善や腸内のビフィズス菌を増やす効果がある。これによって免疫細胞であるナチュラルキラー細胞を増やして癌や肺炎、細菌感染などの感染症の予防をしていることでも知られている。

南米原産の野菜やイモ類、豆類が非常に多く、それらがスペインを通じて世界中に行き渡ったことでも知られている。例えば、ジャガイモ、サツマイモ、トーガラシ、ピーマン、キャッサバ、オカ、オユーコ、ヤーコン、マカ、キヌア、トウモロコシ、カボチャ、そして豆類の大半はアンデス原産なのだ。

予防栄養医学者（京都大学）の家森幸男教授たちはインカ帝国最後の拠点でマチュピチュの下方にあるビルカバンバの健康な食生活に注目し、様々な栄養調査を行ない『長寿の秘密』という本を出版している。この地域の気候は温暖で18～24度である。果実と野菜が豊富であり、また、ヤギやアルパカのミルク、そしてチーズやヨーグルトも豊富であることで知られている。特にケソというチーズは牛の胆汁が入っていて大変栄養価の高いものである。原種のトウモロコシやユッカ、あわ、ひえなど食物繊維の多いものを主食としており、また、チョチョスという豆類はタンパク質とカルシウムが豊富である。その他に大豆はイソフラボンなどにより骨粗鬆症の予防に役立っている。また、マチュピチュ村で我々が食べさせられたクイというモルモットは週末やお祭りなど色々行事がある時の常食であり、どこの家庭でも土間で飼育されている。日本の鶏と同じように重要なたんぱく源で必須アミノ酸をこれで補給している。また、これは頭から丸ごと食べておりカルシウムの摂取源の一つであると考えられている。鶏のような味で決して悪いものではない。また、タウリンが含まれていて血圧を下げる作用があることも知られている。

食用モルモット

１９５５年の米誌『リーダーズ・ダイジェスト』にもビルカバンバ周辺は「心臓病と骨粗鬆症の患者が少ない村」として紹介されたのがきっかけで、世界各国の様々な調査団が研究に来ているそうである。摂取カロリーも我々日本人の一日平均の約半分と言われており、肥満が殆どいない。そして大半が山岳地帯の段々畑で働く農耕民族なので、毎日坂道ばかりを上り下りして筋肉を使って運動している状態ということが長寿の要因の一つとも言われ、単なる食習慣だけではなく毎日、適度な運動もしている。

　この高地民族は塩分と糖分の摂取量が少なく、食物繊維の摂取量が多いのが特徴である。また、生活用水も山のミネラルを多く含んだ水を使っていることが長寿の要因の一つとして取り上げられている。特にユカという3千m級の高地で育ち朝鮮ニンジンに似た強精作用があることで知られておりビタミンやミネラル、18種の必須アミノ酸、アルギニン、亜鉛など滋養強壮、若返り、ホルモンバランス調整などに効用があるということで彼らは積極的にこれを常食している。また、ヤーコンというイモは食物繊維や豊富なミネラルの他にフラクトオリゴ糖を含んでおり、これを摂取することで腸内のビフィズス菌を増やしナチュラルキラー細胞も増やして癌や感染症への抵抗力を強くしていると考えられる。これは血糖値を上げにくくし、ビフィズス菌の餌としても非常に重要であり、我々の日常生活でこのフラクトオリゴ糖を含んだ食材を摂っていく必要を感じた。このヤーコンは、更にクロロゲン酸が含まれており、糖値の安定化を促す作用があることで注目されている。これはポリフェノールの作用の一部としてインシュリンの増感剤のように働く可能性が指摘されている。その他に、キヌアというサトウダイコンの一種もインカの時代から広範囲に食されており、たんぱく質やミネラル、食物繊維が豊富で必須アミノ酸が全て含まれていることでも知られており、彼らが常食している食材の一つである。山岳民族の彼らはインゲンマメやタチナタマメ、ラッカセイ、ライマメなど多種の豆類を食しており、これらがイソフラボンなどを含んでいて骨粗鬆症を予防し、また、そのレシチンは悪玉コレステロールや中性脂肪を減らすことで知られている。

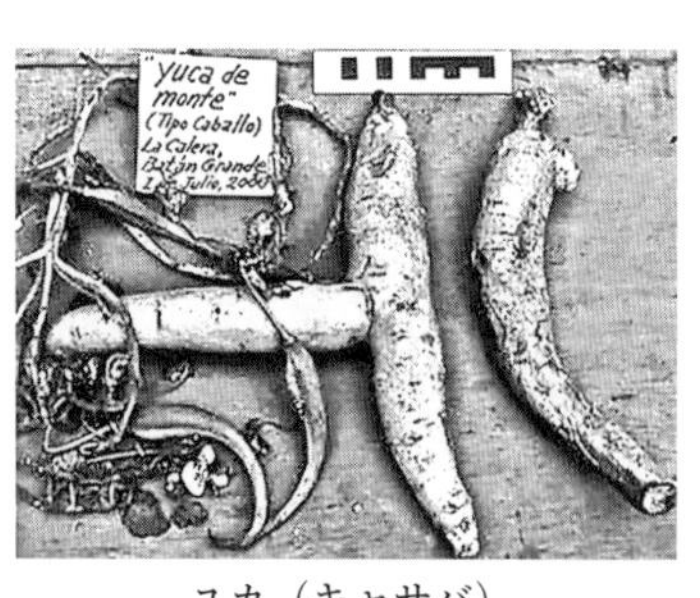

ユカ（キャサバ）

アルパカは広大なインカ帝国の運搬や移動手段の動物として様々な食材料を行き渡らせる役割を果たした貴重な動物としても知れており、また、その毛皮やミルク、チーズも活用されている。彼らにとっては極めて貴重な動物であることがわかった。

このように、短時間ではあったがアンデスのマチュピチュを訪れたことで、我々の食生活や運動不足を反省して、日本の若者たちがアメリカのジャンクフードに席巻されていることを考えると、元気長寿を守ることが我々医療界の務めではないかと強く思えるようになり、1カ月に1回、健康長寿講話を当院では行なっている。そしてアンデスの音楽療法としてリチャード氏に介護センターや院内など、毎日あちこちで演奏してもらっていることは大変喜ばれている。

（2018年8月31日）

化膿性関節炎・骨髄炎に対する局所持続洗浄療法の温故創新

BC460年、ギリシャのコス島に生まれたヒポクラテスは従来の宗教的色彩の強かった神殿医療から経験を尊ぶ医療を創始した医師として医学の父と呼ばれている。有名な言葉として「医は自然の臣僕なり」「効果があるものは自然の治癒力である」この言葉は難治性の化膿性関節炎・骨髄炎を治療するに当たり最も大きな指標となった。

ライデン大学のブールハーフェ教授は、このヒポクラテスを医学の起点として「患者は教科書であり病室

は研究室である」という今日のベッドサイドティーチングを講義し全世界に広めた。私もこの教えを頼りに整形外科領域において最も難治性と言われる化膿性関節炎・骨髄炎の治療に取り組むことになった。

１９６９年、虎の門病院での研修中に既に十数回もの手術を受けていた上腕骨骨頭の化膿性骨髄炎の女性患者に遭遇した。この患者の苦痛を見た時に、なんとかして救う方法はないかと考え、いろんな文献をあさって読んだ。すると、第一次世界大戦中にキャレルという外科医が感染性の開放骨折に生理的食塩水と塩素水を持続洗浄することで治したという記録を基に、米国で骨髄内にチューブを入れて持続洗浄するという方法があることを論文で知った。そこでこの持続洗浄療法を女性患者に2週間ほど行なったところ、ものの見事に治癒した。これを機会に装置に様々な工夫を施し、虎の門病院で17例の患者さんにこの治療法を行なった。更に、１９７２年からは九州労災病院にて9年間に２５６例のこの持続洗浄療法を行なうこととなった。

しかし、この装置は初めのうちは閉塞に悩まされ、色々とチューブの工夫や閉塞防止回路などを行なうことにより、ようやく2週間の持続洗浄を継続することができるようになった。

その結果、これまで40％の再発率であった治療成績の再発率が10％に下がり、劇的に改善したことを確認した。

１９８１年に開院した後も、この治療法に更なる工夫を求めて、２６６例に高気圧酸素治療を併用することで治療効果を高め、再発率を5％程度に改善することができた。

＝平成30年度　第3回大分県整形外科・臨床整形外科医会・特別講演抄録

（２０１８年9月18日）

第一二〇回　日本医史学会シンポジウム　座長の言葉

『エドワード・ジェンナーの博物学とその師・ジョン・ハンター』について

近代医学の発達した今日においても感染症との戦いは延々と続いており、抗菌剤やワクチンの発達した今日においてもなかなか完全克服することができていない。特に現在も続けられているポリオワクチンにおいては、国際ロータリークラブとビルゲイツ財団を中心に５００億円を超す巨額な資金をつぎ込んでも、今なおアフガニスタンやパキスタンの周辺で２千人のポリオが発生しており、完全な根絶に至っていない。そのようななかで１７９８年、ジェンナーが種痘に成功したことは画期的な業績である。このジェンナーの牛痘によるワクチンをシーボルトも日本に導入しようとしたが失敗しており、１８４９年、中津藩の辛島正庵をはじめとする10人の医者たちが長崎に出向き、バタビア以来の天然痘のワクチンを医師たちと同行した彼らの子供たちに接種して中津に帰郷し、その後、２千人を超す多くの子供たちに種痘を行なっている。

ほぼ同時期に佐賀藩や長崎の大村藩、福岡藩も導入しているが、江戸で普及するまでには相当な年月がかかったことはよく知られている。そして１９８０年、ＷＨＯはついに天然痘が根絶したと声明し現代では発生していない。私たちはこの先人たちの労苦を偲び、ポリオワクチンをはじめ多くの未解決の重篤な感染症のワクチンの開発に協力をしてい

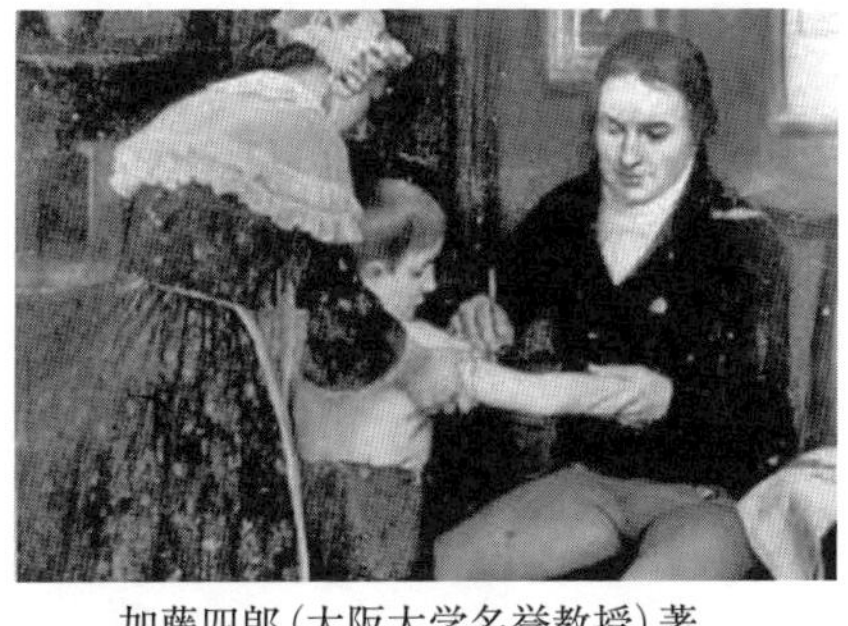

加藤四郎（大阪大学名誉教授）著
『ジェンナーの贈り物』より

くことが重要であると思われる。

『華岡流の門人たちの痕跡から見た青洲の教え』について

1804年に華岡青洲はマンダラゲ（ナス科の植物）を主体とした通仙散という麻酔薬を開発し、世界で初めて全身麻酔による乳癌の手術に成功している。華岡青洲のもとには全国から1、800人を超す門人が集まり、この麻酔法を学んだことが知られており、中国、四国、九州などの西日本からも729人もの門人が集まったことで知られている。豊前中津藩からも大江雲沢をはじめ5名の医師たちが大坂の合水堂（華岡青洲の分塾）に入塾していたことが知られているが、学んだ麻酔による手術が実際に行なわれたことを明確に記述されたものが少ない。

そのなかで、愛媛の鎌田玄台など数名の医師たちは全身麻酔による手術に成功したことを明確に記録に残している。このような全身麻酔による手術が日本全国で行なわれていたとすれば、米国のエーテルによる全身麻酔は青洲のそれより30年以上も後のことであるから、それに先駆ける世界に誇れる業績である。

『伊藤圭介の先見性と意思の強さ』について

名古屋の伊藤圭介は植物学者であり博物学者として知られており、シーボルトの弟子として広く植物学を研究し、多くの植物学に関する著者を著したことで知られている。また、同時に、種痘をはじめとしてシーボルトの教えを受けてオランダ流医学を日本に紹介したことでも知られている。名古屋における近代医学のパイオニアとして全国的に高名な医師であった。

『北里柴三郎を北里柴三郎たらしめるもの研究、人材、そして〝私立〟』について
～北里柴三郎を支援し続けた福澤諭吉～

北里柴三郎は熊本県北里村の出身である。そのような山里から東京医学校（現東京大学医学部）を卒

業しドイツのコッホのもとで破傷風菌の純培養に成功し血清療法の発見、ペスト菌の発見など国際的な業績を残している。しかし、北里は帰国後、母校の東京医学校と不和の関係になり混迷のなかにあったが、中津出身の福澤諭吉が伝染病研究所創立のための土地や資金の世話をしたことは知られており、北里との関係は深い。

福澤諭吉なくば、その後の北里柴三郎の偉大な業績はなかったであろう。北里も福澤の恩に報い慶応義塾大学医学部の発展に貢献したのみならず、私立大学医学部の発展や開業医の医療活動に対しても大きな貢献を残している。

これらのことについて地元の研究者の方々が今回のシンポジウムで更に詳細にわたって発表されることを中津出身者としても楽しみにしている。

（2019年1月21日）

秋の叙勲の受賞挨拶

この度、11月7日に秋の叙勲として天皇陛下より旭日双光章を賜り、授賞式に参加し大変な光栄に浴したことを同窓の皆様にお伝えしたいと思います。

1969年、卒業と同時に大学紛争の関係で7名の入局予定者は全員、外部で研修を受けざるを得なくなり、私は中川助教授の紹介で虎の門病院にて研修を受け、夜は大学の難治疾患研究所で研究することになりました。その虎の門病院で上腕骨の骨髄炎で過去18回もの

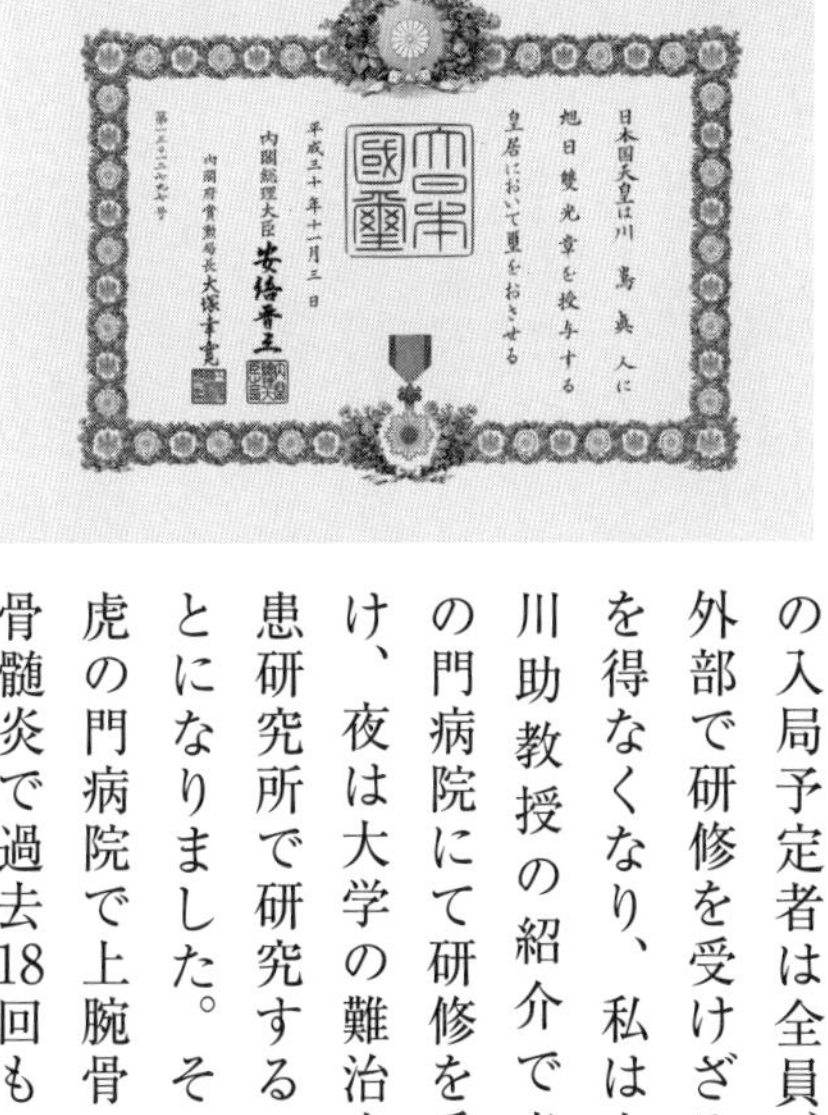
日本国天皇は川嶌眞人に
旭日雙光章を授与する
皇居において璽をおさせる
平成三十年十一月三日
内閣総理大臣　安倍晋三
内閣府賞勲局長　大塚幸寛

手術を受けていた20歳の女性患者さんに巡り会いました。私は先輩の指導のもとにその患者さんに従来どおりの掻爬術を2回行ないましたが、見事に再発し大変辛い思いをさせてしまいました。

そこでその当時、アメリカで発表されていた局所持続洗浄療法を3回目の手術後に行なったところ、彼女を長年の難病から見事に開放できたことに端を発し、川嶌式局所持続洗浄チューブを考案しました。そしてこれを虎の門病院のみならず１９７２年から勤務先が九州労災病院にかわってからの９年間、２６０例の骨髄炎の患者さんに対して局所持続洗浄療法を行ない、その結果、従来の掻爬術のみでは40％の再発率でしたが、本療法にて10％以下に抑えることができることを確立し、その後、この治療法は保険にも採用され全国的にも活用されるようになりました。

そして、アメリカの「クリニカルオルソペディックス」、「インターナショナルオルソペディックス」などの雑誌にも掲載・紹介され、アメリカの専門書「オルソペディクインフェクション」でも掲載されました。日本でも多くの学会で発表し、数多くの専門書に分担執筆をすることができました。

更に、この治療法は中国に広まり、王興義先生により骨髄炎の専門病院を立ち上げられ、２００床という４つ目の病院を北京に設立することを支援することができました。

１９７２年に九州労災病院に就任後、もう一つの私のテーマである減圧症（潜水病）における骨壊死の病態生理、並びに治療法及び疫学的な研究を東京医科歯科大学の同級生の眞野喜洋教授と共に行ない、１９７３年からほぼ毎年、アメリカの学会で発表するようになりました。

１９７５年にはこの病気を日本で初めての労災病として認定してもらうことができました。またその研究は日米共同研究に格上げされ、ウィスコンシン大学のレーナ博士やアレックス博士などと20年に亘って続いています。

私は眞野先生の後を継いで２０１３年から日本高

気圧環境・潜水医学会の代表理事として学会を牽引する役割を任され、2017年10月からはアジア太平洋潜水・高気圧環境医学会の理事長・会長として、2019年には中津において国際学会を開催する予定になっています。また、1975年から眞野教授と共に共同研究、発表してきた米国における国際潜水・高気圧環境医学会においては2回の学術賞をいただき、2015年からは名誉会員として眞野ヤングサイヤンティスアワードのスポンサーとして毎年、国際学会において学術賞を授与させていただいています。

更に地域医療においても、1983年から中津市医師会理事として向笠寛会長を支え、中津地区の救急医療の整備、並びに中津市医師会立・ファビオラ看護学校と健診センターの設立を行ないました。看護学校名を〝ファビオラ〟と私に命名させていただくことができたことは、中津市医師会の会員の皆様のお陰だと思います。

2010年からは大分県病院協会会長として毎年2千人を超す大分県病院学会を別府で主催し、医療の問題点と今後のマネジメントのあり方を討議することを続けてきています。

以上のように私のやってきた様々なことが学術のみならず、地域医療においても貢献することができたことが今回の受賞の理由であろうと考えています。同時に東京医科歯科大学の大川教授や柳下准教授をはじめ多くの諸先輩の方々、そして当病院の職員のお陰であると心から感謝を申し上げたいと思います。

（2019年2月6日）

中津藩の洋学

１６００年4月19日、大分県臼杵市佐志生にオランダ船のリーフデ号が漂着した時から日本とオランダとの関係がはじまった。その後、いくつかの変遷を経て１６４１年からは長崎の出島にオランダ商館が設立された。この商館が同じ九州内で近いという事情のためか、中津から洋学を志す多くの医師たちが長崎に出向いて行った。そのうちの一人である平田長太夫という医師が１８６６年、長崎に出向き、オランダ語の通詞から医師免許証が交付されている。

また、杵築藩の三浦梅園は中津の藤田敬所に漢学を学ぶため中津を3度も訪れているが、その時に医師の根来東麟宅を訪れ、東麟の父である東叔が書き残した人骨図を見て、そのパイオニア精神に感動してこれを模写し、後に発刊した『造物余譚』に掲載したのが日本最初の人骨解剖図として紹介している。この『人身連骨眞形図』は１７３２年に根来（ねごろ）東叔によって描かれ、１７４１年、一書に纏められたもので現在、中津市立村上医家史料館に展示されている（図1）。これは、１７５４年に山脇東洋によって日本で初めて行なわれた人体解剖より20年以上前に描かれた人骨解剖図として高い評価を得ている。

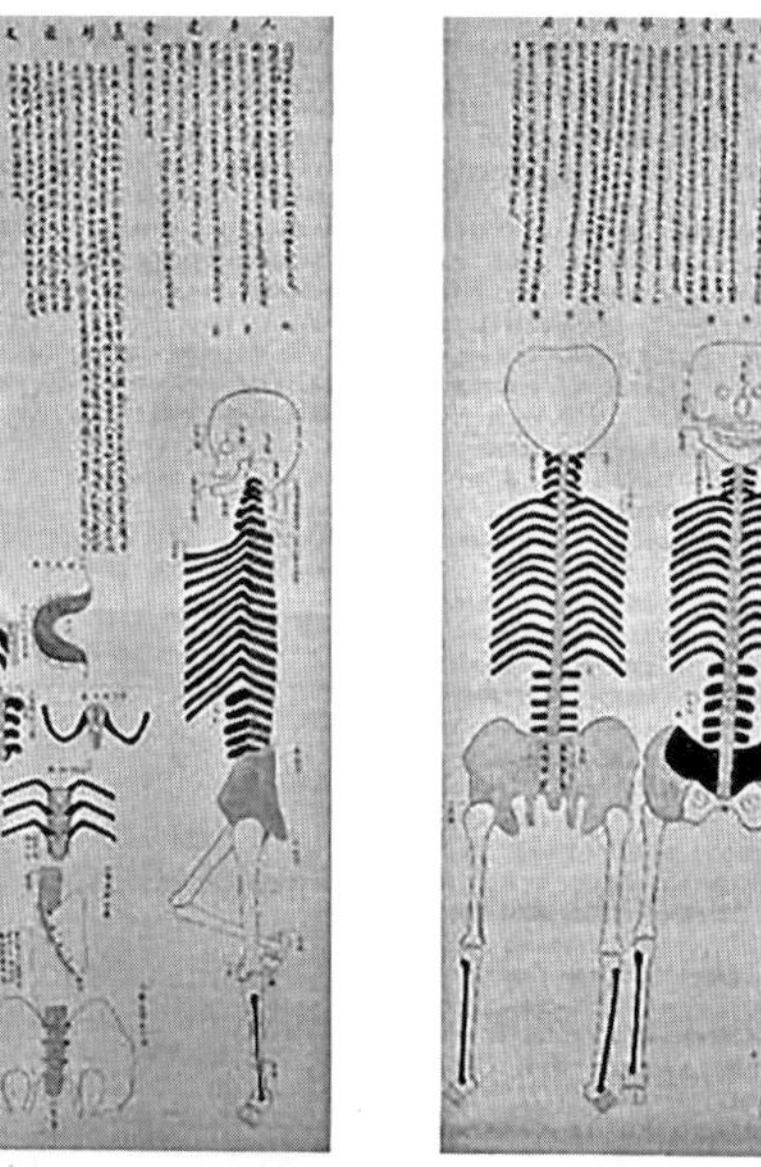

図１『人身連骨眞形図』（村上医家史料館蔵）

このように中津の医師たちは長崎が地理的に行きやすいことや学ぶ姿勢が積極的だったので、そのなかで特に蘭学を極めたいという強い思いの人物が続々と現れた。その筆頭が前野良沢である（図2）。良沢は中津藩主三代目の奥平昌鹿公が蘭学に関心を持ったことから1769年11月6日、参勤交代で江戸から中津へ連れて帰った後、長崎へ蘭学習得のため留学させた。良沢は医学を含む蘭学よりもオランダ語の習得に集中し、師である吉雄耕牛（よしおこうぎゅう）をはじめ数名の通詞から学ぶと同時に、『ターヘル・アナトミア』というオランダ語の解剖書も購入し江戸まで持ち帰った。この解剖書を翻訳したいと思っていた前野良沢は1771年3月4日、江戸千住の骨ヶ原で処刑された遺体の解剖を杉田玄白や中川淳庵らと観察する機会を得、その解剖書の余りの正確さに驚き感動し、早速、その翌日3月5日から築地の中津藩江戸中屋敷の前野良沢の住まいで杉田玄白らと共に大変な艱難辛苦を経て『ターヘル・アナトミア』の翻訳を開始した。当時、翻訳は辞書もなく難攻を極め3年半を要したが見事に1774年、5冊本として『解体新書』が出版された。良沢は著者として名を連ねることを拒んだが、吉雄耕牛が書いた序文には良沢が主となって翻訳したことが記されている。

図2『前野良沢図』個人蔵

良沢は翻訳の合間にその当時としては既に廃（すた）れていた一節截（ひとよぎり）という縦笛を吹いていて、親族の簗（やな）次正にも伝承している。現在この一節截は中津に5本発見され、中津一節截の会で更に復元され、23人の会員が当院で吹奏の練習に勤しんでいる。

図3『バスタールド辞書』ライデン大学図書館蔵

中津藩五代目藩主の奥平昌高公はこの先人の

苦労を察し1810年、日本で初めての和蘭辞書『蘭語訳撰』を発刊し、1822年には日本で3番目の蘭和辞書『バスタールド辞書』も発刊している（図3）。

この辞書は日本中に普及したのみならずオランダのライデン大学に所蔵され、オランダ人が長崎に赴任する時に辞書として使われていたことを大分大学の鳥井裕美子教授が述べている。

昌高公の名前が1826年、シーボルト著の『参府旅行中の日記』には26回も残されオランダ語で会話できる蘭学大名として記録されている。

このように中津藩の蘭学は1819年の九州で2番目の人体解剖をした村上玄水や1849年の辛島正庵による種痘ワクチンの普及などに繋がり幕末から福澤諭吉や田原淳など明治、大正、昭和にかけて多くの学者を輩出するきっかけとなった。

1872年（明治4）、華岡青洲の大坂分塾で学んできた大江雲沢は中津医学校を創立し「医は仁ならざるの術務めて仁をなさんと欲す」という学問訓のもとに多くの洋学を学ぶ弟子たちを養成し、やがて大分医学校そして現在の大分県立病院へと進展していくことになった。

〔参考文献〕

ヴォルフガング・ミヒェル、鳥井裕美子、川嶌眞人共編『九州の蘭学 ―越境と交流―』思文閣出版、2009年
川嶌眞人著『蘭学の泉　ここに湧く』西日本臨床医学研究所発行、1992年

（2019年6月24日）

◇　◇　◇　◇　◇

卒後50年、友と語ろう秋の日に
―東京医科歯科大学同窓会

大分県中津市の川嶌です。未だ現役で毎日、外来診療を行なっています。また、大分県病院協会会長として、ここ6年間、毎年2千人を超える大分県病院学会を11月に行なっています。

医療情勢も色々と厳しくなるなか、質の高い安心・安全を提供できる大分県の医療を目指して協会の皆様方と頑張っています。

東京医科歯科大学の故眞野善洋教授から引き継いだ日本高気圧環境・潜水医学会代表理事を後輩の柳下准教授に譲り、昨年からは名誉功労会員として継続的に国際的な活動を行なっています。今年はアジア太平洋高気圧・潜水環境医学会の理事長兼会長として丁度、同総会の日に中津で国際学会を主催しています。アメリカの学会長や共同研究を行なってきたウィスコンシン州立大学のソバキン博士をはじめ、国際潜水救出システムのペーター副理事長、アルゼンチンの学会のペレス会長、その他のインドの会長、ヨーロッパの元会長、中国からは学会長をはじめとする14名、韓国からも10名を超すなど世界中から多く方々が中津に集まって国際学会を開催します。そのためこの度の同窓会には出席できませんが皆様方によろしくお伝え下さい。

（2019年9月12日）

研究会の思い出

　この度、片桐一男先生から「洋学史研究会が解散する」というお話を伺い、寂しい思いも致します。この研究会には大変お世話になり、思い出深いことがありましたので中津から一筆啓上させていただきます。ご承知のように中津は前野良沢から福澤諭吉までの蘭学者を多数輩出しています。前野良沢が蘭学を創始し、福澤諭吉によって蘭学を終焉させ洋学の世界へと移行するという役割を果たした不思議な土地柄です。

　私は、実家が福澤諭吉の旧居から３００ｍほどの船場町というところにあり、そこで生まれ、その諭吉の旧居や公園などを掃除しながら育ちました。その頃、私は「なんでこんな中津に偉大な先生が生まれたんだろう」と思い、小学校５～６年生の担任で郷土史家でもあった松山均先生に尋ねたところ「福澤諭吉の伝記を読みたまえ」ということで『福翁自伝』を読みました。私は福澤諭吉が19歳から蘭学を長崎や大坂の適塾で勉強したことが偉大なる業績を残すきっかけになったのだと知りました。

　東京都中央区の聖路加国際病院の前にある中津藩中屋敷跡には、『蘭学の泉ここに湧く』の碑文と『慶応義塾発祥の地』の碑文の両方が建立されています。碑文には「１８５８年、諭吉が江戸中津藩奥平家の中屋敷跡に蘭学塾を開設したのが慶応義塾の発祥であり出発点である」と記されています。このようなことから前野良沢から福澤諭吉に至る様々な史料が大江医家史料館、村上医家に存在し、多くの研究者と調べていました。特に中津藩三代目藩主・奥平昌鹿公は江戸在中時、母の骨折を長崎の蘭法医・吉雄耕牛が完治させたことから、最近の調査によると、１７６９年11月６日、前野良沢を江戸から中津に連れて帰り、長崎にオランダ医学を学ばさせるために派遣しています。

良沢は留学中に吉雄耕牛から進められてオランダ語の解剖書『ターヘル・アナトミア』を購入し、この本を翻訳する機会を待っていました。片桐一男先生の著書にあるように、この『ターヘル・アナトミア』の翻訳にあたっては前野良沢や小浜藩の杉田玄白をはじめとする数人の医師たちが大変な苦労をし、協力をして成し遂げたことが記述されています。この『ターヘル・アナトミア』が『解体新書』として出版される時に翻訳の盟主である前野良沢の名前が掲載されていないのですが、良沢が著者になることを拒んだ事情については、片桐一男先生をはじめ多くの方々が述べています。

後に杉田玄白が書いた『蘭学事始』のなかで、『解体新書』の序文を書いていただいた吉雄耕牛宛ての文章の一節をよく読むと、「玄白は良沢に学び畏れながらも遠くにおられる先生（吉雄耕牛）の教えの一端を受け、やっと蘭書のうちの解剖書を選びこれを読み、良沢に従って解釈し、遂にこのようなものを作り上げるまでになりました」と書いているように、前野良沢が翻訳の盟主であることを正直に書いています。

片桐一男先生

にも関わらず『解体新書』のなかには翻訳者として良沢の名前がないことから、杉田玄白が良沢の業績をかすめ取ったという説も流布され玄白の評価を落としましたが、片桐一男先生はじめ多くの方々のご努力により、決してそのようなことではなく翻訳に関しては玄白は清書や取り纏めをするなど、出版にこぎ付けるために大変な苦労をしてマネジメントしたことが判明しています。

２００８年12月14日、私は小浜市から杉田玄白賞をいただいた時に記念講演を行ないました。

この『解体新書』の翻訳の合間には、良沢は一節截という古代尺八を吹くなどして気分転換を図っていたことが記録されています。このことは２０１８年正月元日のＮＨＫ時代劇ドラマでも再現されていましたが、その笛に関しても中津で調査したところ、良沢の親族である簗次正の家に一本と村上医家史料館に４本の計５本が見つかったのです。これを機に郷土史家・本徳照光氏と共に復元し、現在は当院にて23名の会員と共に演奏活動を続け、昨年には中津で一節截の全国大会を開催するに至りました。既に全国的にも50名を超す方々が一節截を制作して演奏を楽しんでいることがわかり、来年は東京での全国開催を予定しています。

この一節截は音域の狭さや音の小さいことなどもあり、代わって虚無僧尺八の普及により前野良沢を最後に殆ど吹く人がいなくなり、完全に廃れてしまっていたのです。そのことの重要性を片桐一男先生に指摘され、このように復活できたことは先生に少しでもご恩返しができたのではないかと思っています。機会があればこの一節截の歴史について是非お話ができればと考えています。

片桐一男先生との思い出は尽きませんが、本当にこのような素晴らしい研究を成し遂げ、研究会を作り、多くの研究者を輩出していただいたことに心から感謝し、我々も先生の後に続いて蘭学史、洋学史の研究に邁進したいと思っています。先生、本当に有り難うございました。

（２０１９年９月19日）

耶馬渓

Ⅳ

マイク・バーグ著

『改訂版・静かなる山』

訳・田長丸 真弓

THE CREW OF THE EMPIRE EXPRESS AND PEACE ON A QUIET MOUNTAIN IN JAPAN

SECOND EDITON

Mike Berg

マイク・バーグ著
『エンパイア・エクスプレスの乗員達と日本の静かなる山の平和』まえがき

１９９３年11月、当院を訪れたホワイトハウスのスタッフであったウィリアムズ・ブッシュ博士は、八面山平和公園愛好会の松田一臣氏や小生の恩師である松山均氏らの求めに応じて、八面山に桜を植樹した。私はこの時に初めて、第二次世界大戦中の１９４５年5月7日、この八面山上空で日本の戦闘機に激突され墜落したエンパイア・エクスプレスという名のＢ29の乗員11名と日本の戦闘機の乗員1名が命を落としたということを知った。

ブッシュ博士は、私が２００８年に主催した『日米宇宙・潜水・高気圧環境医学合同学会』の米国側の議長を務めており、私とは長い間、親交深めてきた間柄で、中津には何度も来ていただいている。ブッシュ博士は桜を植樹して以来、中津には特に関心を持っていて下さるので、私は毎年、春になると桜の成長ぶりを撮影してはメールで彼に送信している。

その植樹以来、折に触れ、この八面山の平和公園創設の経緯や資料館のことを調査していたのだが、２００５年5月、この悲劇の戦闘後60年という節目の追悼会に、そのＢ29で戦死されたルイス・バルサー軍曹のご子息であるジェリー・バルサー氏と孫のジェレミー・バルサー君が来日して式典に参加することになった。たまたま私が通訳を依頼された関係で、このお二人を落下地点にご案内したが、そこに建立された記念碑の石を両手で抱きしめ嗚咽しながら祈りを捧げ続けていたバルサー氏の姿を忘れることができない。

２０１１年12月、このバルサー氏に私のことを聞いたというアメリカ・ウィスコンシン州のマイク・バーグ氏から、八面山上空の戦闘についてアメリカで本を出版したいので、平和公園やその資料館についての詳細を教えて欲しい、という手紙をいただいた。

バーグ氏は、１９４５年のこの戦闘のことを調査・研究していて資料を探していたが、バーグ氏の娘夫婦が約２年間、日本で英語を教えていた関係で、その時にこの八面山を訪れていたらしい。しかし、更に詳細を知りたいということで、私に平和公園や資料館の資料などを求めてきたので、資料を翻訳し写真を撮って送って差し上げた。

この度、その戦闘の詳細を纏めた英語版の本が出版され、私の手元に届いたが、英語が堪能な当院の岸本暁子理事長秘書がこれを翻訳してくれたので、マイク・バーグ氏の許しを得て、ここに紹介する。

川嶌　眞人

（文化総合誌「邪馬台」１８７号、２０１３年夏号掲載）

本文は岸本暁子により翻訳され、同じく「邪馬台」１８７号にこのまえがきの後に続けて掲載されている。

バーグ氏は『エンパイア・エクスプレスの乗員たちと日本の静かなる山の平和』を出版後、２０１５年に再度来日し慰霊記念館を訪問された。その時のことを初版本に追記し「改訂版」として出版され当院へ寄贈していただいた。ここに追記の部分を翻訳して掲載する。

２０１５年７月、ハワイと日本の慰霊記念館を訪ねて

訳・田長丸（たちょうまる） 真弓

娘のスーザンと娘婿のダグラスは日本へ訪問することを計画していたので、私も同行させてほしいと頼んだ。この本に以前書いた記念館などを是非、自分の目で見てみたいという思いがあり、絶好のタイミングだと思ったからだ。

しかし、私にはマックキリップ中尉、ランバート中尉が埋葬されている墓地を訪れるためにハワイへ立ち寄るという条件があった。

過去数年間にわたり連絡を取り合っている川嶌眞人先生からは、もし先生がお住まいの中津市に来ることがあれば、是非おもてなししたいと親切にも提案いただいていた。

２０１５年7月10日、私はミネアポリス空港からハワイを経由して、日本の福岡へと出発した。ハワイ滞在中はもちろん観光名所も巡ったが、とりわけアリゾナ記念館と戦艦ミズーリ記念館は訪れなければならない場所であった。

また、ハワイはアジア人の観光客がとても多いことに気付き、アジア人にとっては家族で休暇を過ごす人気の高い観光地であることを知ることができた。

アリゾナ記念館は、未だ沈没したままの船体とそのなかに埋葬されている千人以上の乗組員がいることを確認するまで、その壮大な姿を知ることはできない。

今もなお、真珠湾の底に沈む戦艦アリゾナを見下ろしながら、１９４１年12月7日当時、米軍の船列を爆破する日本軍パイロットたちは何を考え、どんな気持ちだったのだろうかと考えた。

翌日は、マックキリップ中尉、ランバート中尉が眠る国立太平洋記念墓地を訪れるためバスで向かった。彼らのことは、エンパイヤー・エクスプレス機墜落に関する調査以外知るはずもないが、なぜだか感情的な繋がりがあるように感じた。

そうして、それぞれの墓碑の前で祈りを捧げたあと、行方不明者が記されている巨大な記念碑へ向かった。そこで、壁の一つにバームガーデン軍曹、ロミネス軍曹、マックエルフレッシュ二等軍曹の名前が刻まれているのを見つけた。

彼ら3名の遺体は発見されず、誰も知らない日本のどこかの地で眠っているとしても、決して忘れられてはいないのだ。

墓地を歩いていると、墓石に「身元不明」と刻まれたお墓が沢山あることに気付いた。特に韓国出身者が多いようだ。

かつて自国のために命を捧げた勇敢な兵士たちが眠るこの国立太平洋記念墓地は、ホノルル市内を一望できるハワイでも最も美しい場所に存在する。

日本

7月14日、いよいよ日本へ向けて出発をした。福岡空港で娘夫婦と待ち合わせをしていた。いつもふらっと何処かへいなくなってしまう私を心配して、娘からは到着ロビーで待っているようにと強く言われていた。

いずれにしても、日本語も話せず、何処へ行けばよいのかわからないので問題はなく、少しの間待っているとすぐに私を見つけてくれた。それから3人でバスに乗り、ホテルへ向かった。日本語が全くわからない私にとって、2人がいてくれて心強かった。

翌日は、ロミネス軍曹、バームガーデン軍曹、マックエルフレッシュ二等軍曹の3名が処刑された場所を探してみることにした。

1945年当時、その場所は女学校の近くにあったと思われる。

私が持っている多数の古い製図から推測するに、非常に大きな湖があるお陰で、暫定的ではあるが場所を突き止めることができた。

第二次世界大戦の終盤に、福岡市内の殆どが壊滅的な爆撃を受けたようだが、凡その場所が特定でき、その近くには〝平和公園〟がある。

処刑された日付についてはよく知られているとおり、1945年6月20日である。前夜に行なわれた福岡大空襲に対しての報復のため、エンパイヤー・エクスプレスの生存者3名を含む8名がこの日に処刑された。

彼らの遺体は火葬され、平和公園の敷地の何処かに眠っている可能性もあるが、終戦前に湖または川へ廃棄されたという証拠資料が残されている。

7月16日、私たちは川嶌眞人先生にお会いするため、電車で中津市へ向かった。

先生は整形外科病院を開業され、医師として大変忙しいにも関わらず、私たちの訪問のために時間を割いてくれ、移動車などを手配してくれていた。

また、先生と奥様は英語が堪能だが、暁子(さとこ)さんとおっしゃる通訳の方まで手配してくれて、感謝の気持ちでいっぱいになった。

まず初めに、先生のオフィスで豪勢な昼食を食べながら、先生が得意な竹笛を披露してくれるなど、心のこもったおもてなしをいただいた。

昼食後は、病院内にある〝かわしまメモリアルミュージアム〟へ案内された。そこには、先生の現在に至るまでの医学研究の資料やご家族の思い出の品などが展示されていた。

それから、用意された車に乗り込み、八面山平和公園へ向かった。そこは、エンパイヤー・エクスプレスの米軍乗員のみならず、日本軍兵士の慰霊を祈念した記念館がある場所だ。

そこへ到着すると、中津ロータリークラブの方々、地元紙の記者、新聞記者など大勢の方にお会いした。彼らが写真撮影をはじめ、取材をしたりするので、私は有名人になった気分だった。

記念館のなかへ入ると、創設者の息子さんで現在、維持管理されている楠木正一さんを紹介され、挨拶を交わした。

館内の風景は、数年前に娘夫妻がビデオに収めて見せてくれたそのままであった。壁には、乗員たちの写真が掲げられており、エンパイヤー・エクスプレスやその他戦闘機の破片などが展示されていた。乗員たちの写真を見ながら、皆さんに彼らが生前どのような人物であったのか、それぞれどのような任務を背負っていたのかなどを説明させていただいた。英語で話した内容を、川嶌先生と暁子さんが私の伝えたい内容をそのままに皆さんへ通訳してくれた。

一通り説明が終わると、川嶌先生からイベントを用意していると言われ、乗員たちの氏名、出身州が記されている大きな石碑へ案内された。以前写真で見たことがあったが、想像していたとおりであった。

その記念碑の前で、川嶌先生、中津ロータリークラブ会長・冨部さんなどの多くのスピーチが行なわれ、私も皆さんに、温かく迎えて下さったことや日米両国の変わらぬ平和を願いスピーチさせていただいた。

平和公園の先の丘を少し上がっていくと、驚いたことに私の訪問を記念して桜の木の植樹が行なわれた。このような機会をいただき、大変恐縮であると同時に、この日のために様々な準備をされた皆さんのご尽力に頭が下がる思いだ。

次に、1945年5月7日、B29が墜落した場所へと向かった。1945年から1946年にかけて、残骸の殆どは撤去されたようだが、まだ機体の一部はこの周辺に残されていると川嶌先生が教えてくれた。

また、ここには1945年5月7日の日付と『我らここに死す』と彫刻された十字架とともに日米国旗が描かれた石の慰霊碑がある。おそらくこの慰霊碑は最初に『我らここに死す』と書かれた木製の印を付けた場所だと思われる。

ようやくこの地を訪れることができ、感慨深い気持ちが込み上げると同時に、まるで遺族を代表してここに訪れたように感じた。

楠木さんへ、70年にもわたりこの記念館を大事に守ってきてくれたことに感謝の意を述べ、この場を借りて、私の本をお渡しすることができた。

この慰霊碑のすぐそばには、沢山の花が美しく咲いている。その場所で取材を受けた。その後、慰霊碑の後方で、跪（ひざまづ）いて祈りを捧げた。

平和公園を後にして、１９４５年5月7日爆撃を受けた、神風特別攻撃隊の基地がある宇佐市へと向かった。

まだいくつかの掩体壕（えんたいごう）が残されており、現在では納屋として使用されている。その他、当時の空襲の傷跡が残る建物や爆弾池と呼ばれる爆撃の投下跡などが戦争遺跡として保存されている。

また、パイロットの帰りを待っている家族を表現されているような石のモニュメントがあった。ここには、八面山平和公園と同じく、戦争により命を落とした人々を追悼するために平和資料館も存在する。

その宇佐市平和資料館には、多くの遺物や写真、日本の戦闘機などが展示されていた。戦闘機の年代や型式などはわからないが、映画撮影で使用されたと聞いた。パイロットの私としては、大変興味深かった。

その後、同じく宇佐市にあるお寺を訪問し、伝統的な日本文化に触れることができた。

夜になり、川嶌先生の娘さんが経営するレストランへ案内された。大変素晴らしい宴会が用意されていて、宴会がはじまると、先生が得意の笛の演奏で楽しませてくれた。

食事はお刺身を含めた10品以上で構成された和食コースで、箸が上手く使えない私は、終始フォークで美味しくいただいた。

宴会では、ロータリークラブの方、教覚寺住職、元航空自衛隊員、川嶌先生の病院職員の方などと交流することができた。

ここでも、日本語、英語でそれぞれスピーチがあり、理解できないことは、暁子さんが通訳してくれた。

宴会が終わると、集合写真を撮影し、帰途に着く私たちを、皆さんがご丁寧にお辞儀をしながら見送ってくれた。

最終的な想い

第二次世界大戦中、激しい敵国同士であった日本とアメリカが、今では経済的にはもちろん友好関係にあることは大変興味深い。

都市部の殆どが爆撃により壊滅的な状況であったにも関わらず、日本はその後、著しい発展を遂げ、先進国となった。例外なく、出会った全ての人はとても親切で好意的だった。言葉の壁があるにしても、とても心地よく過ごすことができた。

宴会の席で、ご両親が戦時中や戦後に大変苦労されたことを話してくれた方は、今では建設事業で成功を収めているとのことであった。

以前にも述べたが、この調査以外に直接的な繋がりはないが、実際に平和資料館、記念碑などを見学し、Ｂ29の墜落現場へ訪れることができたことは生涯忘れることができない出来事だ。

ロミネス軍曹、バームガーデン軍曹、マックエルフレッシュ二等軍曹が荒れた山岳地帯にパラシュートで降り立った時、どんな思いだったのだろうか。おそらく負傷したのではないか。そんな思いが込み上げてきた。

彼らは、村人あるいは警察に捕まり、結局は軍へ引き渡されたのではないかと思う。１９４５年6月20日に裁判が行なわれず処刑されるまで1カ月半余り監禁されていたのであろう。

一方、墜落によって亡くなった乗員たちは、「我らここに死す」と書かれた木の印とともに墜落現場付近に埋葬されたのだ。

第1版が完成して出版した時、この本をそれぞれの遺族へ渡すことが私の目標だった。

再婚をしたり家庭の事情が変わったりして、遺族を探すのは困難だと思っていただけに、多くの遺族の方々と連絡を取り合えたことは大変喜ばしい。乗員たちの多くは、任務遂行の少し前に結婚していたり、子供がいたりしたので、地元新聞の情報や様々な系譜が手掛かりとなった。

例えば、１９４３年もしくは１９４４年にジョン・ランバート中尉がジェーン・ワイアットと結婚したということが確認できた。戦後、ジェーンは再婚し、2人の息子デビッドとジョーン、娘のリビー・スパングラーを儲け、最終的にリビーがワシントンに住んでいることがわかった。

マックキリップ中尉の息子であるジムは、彼の父のように才能溢れるピアニストである。現在では親友であり、彼のコンサートへ行くなど、親交を深めている。

もともと、遺族のためにはじめた調査だが、現在にまで至る長い旅となった。

かつて、将来ある若者が訓練を受け、戦闘機に乗り込んでいる姿が浮かんでくる。少なくとも彼らの終焉を知っているから、彼らが心残りであろう家族のことを知っているから。調査によると、彼らの最後の任務は17回目だったようだ。

その他に親交がある遺族は、バーノン・ゲリヤーツ二等空曹の娘であるテリー・ヒルテルである。テリーの母は、後に再婚した。テリーは、実の父が戦争で亡くなったことを知っていたが、家族としてその話をしたことはなかった。多くの家族から聞かれた言葉は、「死について話すことは大変苦痛である」とのことだった。

ウィリアム・ベックマン軍曹の妹であるドロシーからの手紙を一部抜粋する。

「あなたからの本を受け取りました。何と素晴らしいサプライズでしょう。全て読み終えました。私と兄はとても仲が良かったのです。91歳になった今でも、兄のことをずっと想っています」

エンパイヤー・エクスプレスの乗員たちを忘れはしない

マイク・バーグ　２０２０年

２０２０年（令和２）７月16日

八面山平和公園
『我らここに死す』と彫刻された十字架
とともに日米国旗が描かれた石の慰霊碑

V 追悼

和田壽郎先生を偲んで

去る2月4日、心臓移植のパイオニアである札幌大学名誉教授・和田壽郎先生の7回忌に招かれて講演をする機会を得た。今日においては当たり前になっている心臓を含む臓器移植だが、1968年、我が国最初の心臓移植手術を行なった和田壽郎先生においては、その当時、様々な困難に直面していた。

和田壽郎先生は、北海道大学卒業後、アメリカのハーバード大学など多くの大学で心臓外科を学び、心臓の手術を経験していた。札幌医科大学で1968年、当時においては日本で2番目に開心術の多い教授で、最も早い時期に心臓移植を行なう場所にいたことは間違いない。

和田壽郎先生は、私が代表理事を務めている日本高気圧環境・潜水医学学会の創設に関わっていただいた関係から、私とは古くからの交際が続いていた。先生は日本で最も早い時期に高気圧酸素治療装置を作り、これを炭鉱のガス爆発や熱傷、心臓移植のための動物実験にも使っていたようである。

1968年に最初は、溺れて搬入された山口義政氏に高気圧酸素治療を行ない救出というそのような事情で搬入されたのである。丁度その時に心臓移植手術を予定していた宮崎信夫氏に対して、山口君が高圧酸素治療を受ける間もなく心肺停止に陥り、ついには3時間の蘇生術の甲斐もなくフラットになってしまったことから、山口氏の心臓を心臓移植予定希望待ちの宮崎君に手術が行なわれることになった。移植術としては世界で30番目の移植手術で、その当時としては83日間という長期の生存期間に及んだ成功例としてマスコミ各医学会においても礼賛の嵐、大学あげて支援、北海道知事も激励文を北海タイムスに寄せていることでもはっきりとわかる。しかし、この心臓移植は大きな混乱を呼んだ。特に漢方医から告訴され、最終的には不起訴になったにも関わらず、マスコミや医療界から多いにたたかれた。

そのようななかで、先生は高気圧医療の世界では創設のパイオニアとして、また、国際的な人脈として私たちは大いにお世話になった。

私は、1973年にバンクーバーの国際学会でお世話になって以来、先生の国際潜水・高気圧環境医学会の機関誌に先生の伝記を書く機会を与えていただき、その際に先生からは国際学会における英会話の重要性を指摘された。私自身も潜水夫とともに、国際学会に1973年からほぼ44年に及ぶ毎年の国際学会の発表をするきっかけも先生が与えて下さった。

1994年、中津で開かれた日本高気圧環境医学会に出席いただきメッセージを下さり、私たちを大いに励ましていただいたことが今更のごとく思い出される。

2005年、中津市医師会主催の講演会が行なわれ、医師会の先生たちとも和やかに交流したことを思いおこした。また、先生の書かれたメディカルトリビューン社発行『神から与えられたメス』という心臓移植に関する記録の著書に書評を書くことを命じられたり、先生から多くの励ましの便りをいただき、先生の金婚式やギリシャ政府主催の「7人の賢人賞」受賞祝賀会にも招かれた。2012年、先生の1周忌には学会を代表して周子夫人より要請され、私の弔意文が配布されたことも思い出深いことである。この度7回忌において、偉大な指導者であり、先生の築かれたパイオニア精神に感銘し、尊敬申し上げていることをお話できて光栄であった。

2018年（平成30）6月18日

清水正嗣先生との思い出

敬愛する清水正嗣先生がお亡くなりになったことに対して、先生との晩年を最後までご一緒させていただいた者としては胸がつぶれる思いである。先生との思い出を語ろうとすると、余りにも偉大な巨人であり、また、豪傑な大先輩、大師匠であることから言葉も出ない思いで一杯である。

先生は当院の名誉院長として8年間ご活躍をされ、その後3年間の闘病を経て亡くなられた。先生と

接した時間には様々なことがあったが、おそらく晩年の先生のことに関しては余り知られていないのではないかと思われる。
先生のお父親様は新潟県小地谷市出身だが、そこは〝薩摩藩と河井継之助が談判をしたところ〟として有名な土地である。この談判で決裂した長岡藩が薩摩藩を中心とする官軍との越後における歴史に残る戦いとなり、一旦負けた長岡藩が再び長岡城を奪い返すという、激しい戦いがあったと聞いている。先生はそのようなことがあった郷土に対する思いが深く、帰郷するたびごとに新潟の産物を御土産としてお持ち帰りしていただいたことを覚えている。先生のお母様の実家も長岡市の与坂町なので、お父親様と同様に長岡藩のご出身であることから本当に長岡に対する郷土愛が強かったことが、後に私が長岡藩の医学史、特に東京医科歯科大学を創設した長岡藩出身の島峰徹先生に関心を持つことのきっかけにもなった。
お父親様は軍隊に志願しシベリア出兵などの経験を経て、歯科医を希望して養鶏場で働きながら九段の日本歯科大学を卒業されたとのこと。その後、東京の小石川で開業されていたようです。このような環境から先生は歯科医になったのであろう。先生のお母様も新潟県立高等女学校を卒業して渡辺女子専門学校（現東京家政大学）に入学。卒業して教員免許を取得した後、東京の富士見女子学校に教師として奉職された。
お母様は1925年に先生のお父親様である清水正様と結婚され、小石川に居住し4男をもうけたそうだ。お母様は、幼少の頃から好きであった三味線や長唄、藤間流の舞踊の稽古をしており、先生の音楽好きや演劇好きはこのお母様からの影響かもしれない。1982年、先生が住んでいた大分郡狭間町の医大ガ丘の職員住宅でお母様が発病され、その大学病院で亡くなられた。先生のお母様に対する愛情は深く、『母を送りて』という小冊子まで出版しているので、詳細はそれを読んでいただければどんなに素晴らしかったお母様であり、そのお母様を深い愛情を持って最後まで看病したかいうこともわかると思う。このように、先生は家族を含め人間に対する愛情が誰よりも桁外れに大きい方であった。

大分大学に赴任した後も、国際学会が行なわれるごとに国際的に著名な歯科の教授たちが来られると、私も自宅に招待され共に食事をさせていただいた。先生から国際学会はこのように行なうのだということを身をもって教えていただき、その後、私の主催で3回国際学会を行なうときに大いに役立った。つい最近の2019年10月25日～26日も、アジア太平洋潜水・高気圧環境医学会を中津で主催したときも、先生の学会のスケジュールや進行の仕方を思い起こし、できるだけ日本の古典的な文化や郷土の文芸を味わっていただくために、先生もよく通っておられた中津でも最古の料亭である〝筑紫亭〟で鱧料理を出席された世界中のゲストに御馳走し、中津に江戸時代から続いている人形浄瑠璃を観劇していただいた。また、篠笛やアンデスの楽器・ケーナ、前野良沢が愛用した古代尺八「一節截」の演奏なども堪能していただいた。更に、宇佐神宮や雲八幡など、中津ならではの古い神社の歴史などを観ていただいたが、これも先生の教えに沿ったものだと思っている。先生も私が主催している「アンデスの会」で、自らアルパカの皮でできた太鼓を演奏していただいたことを思い出す。毎週月曜日の練習日には必ず出席され最後までしっかり練習に励んでいたのは、やはりお母様の影響かもしれない。先生は音楽が大好きで、院内の宴会では先生が赴任して以来、先生のドイツ語の〝乾杯の歌〟が当院での通常の乾杯の行事となり、必ず乾杯の前に歌を歌ってから乾杯をするスタイルになっていた。とにかくいつも音楽を楽しみ、場を盛り上げていくことを先生が率先してやっていただいたことを思い出す。

また、先生は医科と歯科が仲良く連携していかなければと、事あるごとに私たちに口酸っぱくお話されていた。先生は大分大学在任中から顎骨髄炎に対する高気圧酸素治療に気付き、序准教授と共に行ない、30例を超す高気圧治療を口腔医学会で報告されたと聞いている。中津においても顎骨壊死問題が発生したことから、医科と歯科が連携し、更に薬剤師や栄養士も加わっての連携会議が発足している。年に2回、数百名の中津市、宇佐市の医療関係の職員が参加しており、先生の志がそのまま引き継がれて今日まで続き、日本でも大変まれな連携活動が行なわれているということも聞いているが、これも先生のお陰だと思っている。また、先生は禁煙活動にも大変熱心で、私にたくさんの禁煙に関する本を送って下さり、徹底的に禁煙活動をやっておられた。当院も禁煙外来をもうけ禁煙対策をした。その結果、職員の禁煙率が最も低くなっており、先生のお陰だと思っている。また、先生は栄養と健康に対しても非常に大きな関心を示し、病院からの食事の提供を断り、健康のためにと自ら自転車で毎日の買い物のためにスーパーに出掛け、魚を買ってくるなどしては朝夕と自ら料理して食していたことを思い出す。私も影響を受けて、健康と食について大きな関心を持ち、特に5年前、アンデスのマチュピチュに滞在し、ペルーの人たちの長寿と元気のよさを知り、今では毎月『食と健康』をテーマに患者さんに集まってもらい講演をするようになった。これも清水先生の大きな影響です。

次に、先生の故郷・長岡市出身で東京医科歯科大学の開祖である島峰徹先生についての資料をたくさん下さったことをお話させていただきたい。

私自身が余り良く知らなかった事だったのだが、島峰先生は、長岡藩が官軍に敗れ父親の恂斎も職を失うという、極貧のなかから東京大学に入学しましたが、学費も続かなくなり諦めようとしたとき、長岡の隣地に住んでいた内藤久寛（現日本石油の初代社長）に、東大の4年間の学費とベルリン大学歯学部へ留学したときの学費も出してもらったお陰で立派な歯科医師として帰国し、その後、東京高等歯科医学校（現東京医科歯科大学）を創設し、同時に私の母が卒業した東洋女子歯科医学専門学校（現東洋学園大学）の創設に当たっては、多くの教師を東京高等歯科医学校から送り込まれたことを知った。私の母も日本で初めてできた公認の女子の歯科医の専門学校の第2回生として卒業し、85歳まで現役の歯科医をしながら私を育て、102歳の長寿を全うした。

清水先生はこの母ともとても仲良く、入所していた施設にしょっちゅう見舞いに行って会話をしていたことを今も思い出す。

このように、清水先生には色々な食や御馳走についてお教えを賜った。「健康に良くて美味しいものを食べる」ということを徹底すれば、人生は楽しく有益な仕事もできるということを教えていただき、今、私は正にそのことを実践している。

今、改めて振り返ってみますと、先生が指導して下さった延長上に今日の私がある、先生なくして今日の私はないということをつくづく感じている今日この頃である。

先生には心からの感謝とともにご冥福をお祈り申し上げる。

2019年（令和1）11月11日

北村芳太郎先生について
マスコットさん、ありがとう！

北村芳太郎先生は昭和16年3月、中津中学校卒業、昭和18年4月、平壌医学専門学校に入学されましたが、第二次世界大戦の混乱の中、終戦後、何度もの死線を超える大変な苦労をしながら朝鮮から引き揚げて来られた。そして平成22年、東京大学医学部付属医専の2年生に転入し、同26年3月に卒業。平成30年、横浜市立大学小児科に入局されましたが、昭和31年には長野県の佐久総合病院小児科医長になり、昭和32年の東京大学医学部病院物療内科入局を経て、昭和41年1月、横浜市中区吉田町で医院を開業された。また、昭和42年には東京大学医学博士号を授与された。医師としても大変な経歴を持つ方ですが、平成20年には中津に帰郷されていた。そして平成27年5月、たまたまひょんな事から、91歳で当院のリハビリ診療の問診を担当することになった。

先生は、大変お元気で、素晴らしいキャリアをお持ちであることがわかり、我々は様々なことを学ぶことができた。

① 医師というものは年老いても夢を持って前進する限りは仕事が続けられること、

② 医師は戦争の最中であっても専門性を活かすことで生き延びていける仕事であったこと、

③ また、戦後の大変な混乱のなか、死線を越えて引き揚げてきたこと、が先生の手記からうかがうことができる。

また、先生は平成27年7月から度々大分合同新聞の一面トップ記事「伝える戦争の記憶」で紙面を飾っている方でもある。この度、健康上の理由で退職されたが、戦争を知らない我々の世代にとって、戦争とは何か、人間とは何か、また、医師はどうあるべきか、ということについて色々と考えさせられる手記を寄せられたので、是非読んでいただきたいと思っている。

２０１７年（平成29）８月29日

帰 路

あとがき

２０２０年12月７日現在、新型コロナ感染症は今なお、途方もない感染症のパンデミックとなり広がっている。これは１９１８年のスペイン風邪以来のパンデミック状態になっている。

更に追い打ちをかけるように、最近は梅雨期の豪雨や洪水、巨大台風、熱帯を思わせるような高温の夏など、とてつもない環境の変化が我々を襲ってきている。

昨年７月６日の国連レポートによると、自然破壊や気候変動が続けば新型コロナのような新たな感染症がますます増えてくるだろうと警告している。今起こっていることは、全て人類が化石燃料を使い続けてきたために、地球の温暖化で炭酸ガスの上昇を引き起こしたことが一因になっている。更には、山林や環境破壊によって新興のウイルスが出現してきた。このような結果、地球が悲鳴を上げているとしか言いようのないことが起こってきている。

私は１９７２年、九州労災病院に赴任した時に、高気圧医学や潜水医学、感染症の研究などを毎年国際学会で発表するという運命になったが、その時に九州大学の名誉教授・天児民和院長が、「科学を研究する人間は必ず歴史の研究とバランスを持って研究した方が良い」と言われ、中津に帰郷する度に中津の医学史、ひいては日本全体の医学史の研究を続けてきた。

そのようななか、中津藩医の前野良沢が著書『管蠡秘言(かんれいひげん)』に残している言葉を今更のように思い浮かべている。「人間が自然界の一部を支配したりすることができると傲慢になってしまうが、それは自然の力の一部という謙虚な心が重要である。自然を破壊すればそれは必ず後に烈風が起こってくる」という言葉が書かれてあり、歴史を振り返ることにより未来を見通すことを書き残した前野良沢の凄さのみならず、私たちがやってきたことの意味が少しわかってきたような気がする。

私は中津に帰郷してから中津地方文化財協議会会長としてこの5年間、中津市の古代史から現代史に至る会合を月に1回開催してきて、歴史という物の延長線上のなかで先を見るという意味がわかるようになってきた。日本医史学会にも参加することによって中津の医学史のみならず日本全体の医学史のなかで中津藩の蘭学がどのように見られてきたかというようなことも次第にわかり、〝マンダラゲの会〟を創設、大江医家史料館を中心に薬草の栽培や医学史の講演会などを続けてきた。また、このようななかで、様々に感じたことを中津市医師会会報や大分合同新聞のコラム〝灯〟(連載286回)などに掲載してきた。

数年前、母の伝記を執筆するにあたり、母が日本最初の女性歯科医を養成する東洋女子歯科医学専門学校に入学した時にお世話になった昭和天皇の義弟・東伏見宮様が住まわれている京都の青蓮院にご挨拶に伺った。その後、ご門主・東伏見宮様から「一隅を照らし一隅に輝く」という書が送られてきた。この言葉こそ正にその通りではないか、毎日毎日が「水滴は岩をも穿つ」のように努力を重ね、自利利他の心を持って世の中に貢献し、地域医療・介護や文化に貢献していくことが私の使命ではないか、とますます感じるようになったので此処に纏めてみることにした。ご高覧いただければ幸いです。

最後に、本書出版にあたり編集を担当いただいた梓書院の白石洋子氏には厚くお礼申し上げる。また、当院の竹下直光、高久保絹子、田長丸真弓らの多大な労苦には心より感謝を申し上げたい。

2020年（令和2）12月

川嶌眞人

川嶌 眞人
（かわしま・まひと）

略 歴
1944年　中津市船場町で誕生
東京医科歯科大学医学部卒業　医学博士
社会医療法人玄真堂 川嶌整形外科病院理事長
第107回日本医史学会会長
経歴の詳細は http:/kawashima.jp/ を参照

著 書
『川嶌眞人随筆集』（1982 年　西日本臨床医学研究所）
『蘭学の泉ここに湧く ―豊前・中津医学史散歩― 』（1992 年　西日本臨床医学研究所）
『医は不仁の術、務めて仁をなさんと欲す』（1996 年　西日本臨床医学研究所）
『中津藩蘭学の光芒 ―豊前中津医学史散歩―』（ 2001 年　西日本臨床医学研究所）
『蘭学の里・中津（川嶌眞人エッセイ集）』2001 年　近代文芸社）
『水滴は岩をも穿つ』（2006 年　梓書院）
『白衣と花ひとすじ』（2010 年　梓書院）
『苦楽吉祥』（2014 年　梓書院）

続　水滴は岩をも穿つ

2021年3月20日第1刷発行

著　者　川嶌 眞人
発行者　田村 志朗
発行所　㈱梓書院
〒812-0044 福岡市博多区千代3－2－1
TEL 092-643-7075　FAX 092-643-7095
URL：http//:www.azusashoin.com

印　刷　青雲印刷
製　本　日宝綜合製本